STUDIEN
ZUR GERMANISTIK, ANGLISTIK UND KOMPARATISTIK
HERAUSGEGEBEN VON ARMIN ARNOLD UND ALOIS M. HAAS
BAND 12

THEODOR STORM

DIE ZEITKRITISCHE DIMENSION SEINER NOVELLEN

R x 75d

VON INGRID SCHUSTER

1971

BOUVIER VERLAG HERBERT GRUNDMANN · BONN

Meinen Eltern

ISBN 3 416 00793 x

INHALT

VORBEMERKUNG

Um die Anzahl der Anmerkungen zu beschränken, werden bei den zitierten Briefstellen im Text Absender, Empfänger und Datum des Briefes angegeben, nicht aber der Band (Herausgeber, Ort, Jahr, Seitenzahl), dem der Brief entnommen ist. Der Leser kann den Brief finden, indem er die Literaturangaben am Ende des Buches konsultiert, wo die jeweiligen Briefsammlungen — nach Storms Briefpartnern alphabetisch geordnet — aufgeführt werden. Die Zahlen nach den Zitaten aus Storms Werk verweisen auf Band und Seitenzahl der Ausgabe des Winklerverlags: Theodor Storm: *Sämtliche Werke in zwei Bänden*, München 1967. Ich möchte an dieser Stelle dem Canada Council für ein Forschungsstipendium zur Arbeit an deutschen Bibliotheken danken. Der Humanities Research Fund der McGill University hat den Druck dieses Buches unterstützt.

EINLEITUNG

Erwähnt man heute den Namen Theodor Storm, ist die Reaktion oft ein mitleidiges oder herablassendes Lächeln. „Sentimental", „überholt", „Heimatdichter" — das sind die Wörter, mit denen Storm häufig abgetan wird. Vor allem die moderne Literatursoziologie sieht in seinem Werk ein Musterbeispiel irrelevanter Literatur. Interessanterweise ist die zeitgenössische Kritik in Sachen Storm gar nicht so verschieden von der Storm-Kritik des 19. Jahrhunderts. Zu Storms Lebzeiten wurden dieselben Vorwürfe gegen sein Werk erhoben wie heute. Paul Heyse schrieb 1854 in einer Rezension Stormscher Prosa und Lyrik, in der er Storm verteidigte: „Wir wissen es wohl, daß wir uns dadurch mit gewissen socialen Kunstkritikern in Widerspruch setzen, die die Literatur centralisieren wollen, wie ihre politischen Collegen den Staat. ... In diesem Sinne sind wir künstlerische Reactionäre." [1] Storms Gegner sind „die zahlreichen Glieder der herrschenden Schulen", die „Tendenzdichter", „deren Werke im Grunde nur Experimente sind, durch die sie ihre verschiedenen Doctrinen zu beweisen denken." [2]

Obwohl der Artikel Heyses sich vorwiegend auf die Lyrik Storms bezieht — an Prosa lagen erst „Immensee", zwei Märchen und fünf kleinere Skizzen vor — kennzeichnet er die Position Storms in seiner Zeit überhaupt. Storms epische Objektivität nahm in seinen späteren Novellen zwar ständig zu, aber die Meinung seiner Kritiker änderte sich nicht. Von Rudolf v. Gottschall wurde Storm (der ihn in der Vorrede zu seinem *Hausbuch aus deutschen Dichtern* provoziert hatte) als „lyrischer und novellistischer Aquarellmaler" bezeichnet und den kleinstädtischen „Lovely-Poeten" zugerechnet. [3] Aber selbst von wohlmeinenden Freunden sah sich Storm verkannt. Er wehrte sich dagegen, als „lyrischer" Dichter abgestempelt zu werden. Am 1. September 1872 schrieb er an Emil Kuh: „Der Ausdruck, die Bezeichnung ‚lyrisch', scheint auch mir etwas gefährlich, insofern darin die Verneinung des epischen Charakters liegt, der meinen Novellen doch gewiß nicht abgesprochen werden kann." Und am 27. November 1874 kritisierte er scharf einen Artikel Kuhs, in dem dieser die „ganze starke Seite" seiner Lyrik übersehen habe. Kuh war gekränkt; Gottfried Keller tröstete ihn am 18. Mai 1875 mit den ironischen Worten: „ ... solche stille Goldschmiede und silberne Filigranarbeiter haben manchmal schlimmere Nücken, als man glaubt." [4] Im übrigen aber schätzte Keller Storm sehr; und auch Fontanes Kritik richtet sich in erster Linie gegen den Menschen, nicht gegen den Dichter Storm, wenn er schreibt: „Die Provinzialsimpelei steigerte sich mitunter bis zum Großartigen." [5]

Auf der andern Seite hat es — damals wie heute — nicht an Verteidigern der Stormschen Kunst gefehlt. In dem bereits erwähnten Artikel schrieb Heyse: „Wir haben es kein Hehl, daß wir die Wirkung auf die Massen nicht für den Maßstab einer poetischen Kraft halten, daß wir die Kopfzahl gering, und den Charakterkopf hoch schätzen. ... Je größer und reicher die Individualität ist, desto mehr wird freilich ihr Persönliches allgemein gültig sein. Daß dies aber allgemein *anerkannt* werde, ist eine Sache der Zeit oder des Glückes, die unberechenbar und für unser Urtheil unwesentlich ist." [6] Damit nimmt Heyse eine ähnliche Einstellung zur Kunst Storms ein wie Georg Lukács, der in seinem Essay über Theodor Storm [7] die Kombination von bürgerlichem Beruf und Künstlertum die deutsche Abwandlung des Prinzips l'art pour l'art nennt und Storm als typischen Vertreter dieser Lebensform — der Bürger als Künstler — bezeichnet. In einem Sonett aus dem Jahre 1877 kennzeichnete Heyse die künstlerische Entwicklung Storms folgendermaßen:

> So zartgefärbt wie junge Pfirsichblüten,
> So duftig wie der Staub auf Falterschwingen,
> Sahn wir dich sommerliche Gaben bringen,
> Im stillen Herzen Märchenschätze hüten.
>
> . . .
>
> Nicht Märchen mehr und Träume wie vor Zeiten,
> Wach schilderst du des Lebens bunte Szenen
> Im Panzer goldner Rücksichtslosigkeiten. [8]
>
> . . .

Der prominenteste Verteidiger der Dichtung Storms ist Thomas Mann. In seinen *Schriften und Reden zur Literatur, Kunst und Philosophie* schreibt er:

> ... Wir wollen der Wahrheit die Ehre geben und nichts beschönigen. Der Storm'sche Laut hat recht kümmerlich fortgeklungen in deutscher Dichtung oder dem, was dafür gelten wollte, er hat, man muß das eingestehen, auf eine teilweise erbarmungswürdige Weise Schule ge-

macht. Von ihm, von seinem „Nun sei mir heimlich zart und lieb" und so weiter, ist viel Läppisches und Nichtiges hergekommen, viel Bürgerwonne und Goldschnittgemüt, das doch bei ihm, an seiner hochgelegenen Quelle, etwas ganz, ganz anderes war. Könnte man ähnlich trübseliger Folgen nicht aber auch das ,Buch der Lieder' anklagen? Das Wort „An ihren Früchten sollt ihr sie erkennen" ist ein grausames Wort und ein nichts weniger als unanfechtbares. [9]

. . .

Das hohe und innerlich vielerfahrene Künstlertum Storms hat nichts zu schaffen mit Simpelei und Winkeldumpfigkeit, nichts mit dem, was man wohl eine Zeitlang ,Heimatkunst' nannte. [10]

Storm schrieb am 26. Dezember 1873 voller Selbstbewußtsein an Ludwig Pietsch: „Bis jetzt hat mich, namentlich seit Erscheinen der Gesamtausgabe, eine von Jahr zu Jahr steigende Anerkennung und Verbreitung meiner Schriften begleitet; ... das wesentliche Bedenken gegen meine Schriften, weshalb früher so gern mit der vollen Anerkennung gezögert wurde, weshalb man das Tiefe und Unvergängliche in ihnen nicht entsprechend würdigte und Schwächen erfand, die gar nicht drin waren, daß nämlich die Sachen sich in so kleinem Rahmen und Gebiet bewegten und daß sie in Miniaturformat mit Goldschnitt erschienen — das alles verschwindet immer mehr und mehr ...".

Zeit seines Lebens aber hatte sich Storm gegen den Vorwurf der Weichlichkeit, des „Goldschnittgemüts" und der allzu großen Individualität in seinen Werken zu wehren. Noch 1884 meinte er in einer Rede in Berlin, „den Zweifel nicht unterdrücken zu können, ob seine Werke, von denen manche ... vielleicht ,nicht übel' seien, auch wirklich gelesen wären." [11] Woran lag das? Storm war in seiner Lyrik wie in seinen Novellen stets bestrebt, am Einzelfall das Allgemeingültige deutlich werden zu lassen, nicht aber, das Individuelle direkt zum Allgemeingültigen zu erheben. Bereits am 10. Dezember 1852 hatte Storm an Hartmuth Brinkmann geschrieben: „Die Kunst namentlich des lyrischen Dichters besteht darin, im möglichst Individuellen das möglichst Allgemeine auszusprechen." Was waren also die Ursachen für das „wesentliche Bedenken" seiner Kritiker? Fühlte und dachte Storm grundlegend anders als seine Zeitgenossen? War er in seinem Wesen ein Reaktionär, oder gelang es ihm nicht, in seinen Werken das „Allgemeine" auszusprechen? Ein Grund liegt wohl in der Erzählweise Storms. Für Storm zählte Reflexionspoesie nicht zur Lyrik, und in seiner Prosa lehnte er das „Motivieren vor den Augen des Lesers" ab, wie er am 15. November 1882 an Heyse schrieb. „ . . . was vom Goldschimmer der Romantik in mir ist, geht dabei viel leichter in die Brüche als bei der ‚symptomatischen' Behandlung, die ich für den einzigen wahren, poetischen Jakob halte . . .". Eine solche Art der Darstellung setzt jedoch einen sehr aktiven und aufgeschlossenen Leser voraus. Das normale Lesepublikum ist anders geartet — damals wie heute. Heyse machte Storm am 26. November 1854 darauf aufmerksam, daß sogar er, Storm, als Leser andere Bedürfnisse habe als Storm der Erzähler: „Sobald Sie lesen, verlangen Sie, wie auch jeder ordinaire Leser zu thun pflegt, daß Ihnen nicht zu viel Mühe gemacht wird, daß Sie mit wenig Aufwand nachschaffender Phantasie in den Besitz der Geschichte kommen." Müssen schon die Zusammenhänge der individuellen Handlung rekonstruiert werden, ist die Gefahr groß, daß die allgemeinen Bezüge völlig übersehen werden. In der erwähnten Rezension schrieb Heyse treffend: „Wie Storm das Leben schildert, gleicht es einer Reihe stiller, tiefer Landseen, die freilich durch unterirdischen Zufluß mit einander verbunden sich ununterbrochen speisen. Aber nur wer das Ohr dicht an den Boden legt, hört diese verborgenen Wasser rauschen und erkennt das Gesetz der zu Tage liegenden." [12]

Der moderne Leser hat zusätzliche Schwierigkeiten, Storms Novellen in ihrer ganzen Tiefe zu verstehen. In rund der Hälfte aller Novellen Storms basiert der geschilderte Einzelfall auf einem Konflikt zwischen (verheirateten oder unverheirateten) Liebenden. Liebe war zur Zeit Storms mit völlig anderen Wertvorstellungen verknüpft als heute. Für Storm bedeutete Liebe die einzige Möglichkeit persönlichen Glücks; sie stellte für ihn eine Ersatzreligion dar. Er und seine Zeitgenossen waren in dem romantischen Glauben befangen, daß es für den Menschen nur *eine* wahre Liebesbindung geben könne. Das Scheitern dieser Liebesverbindung bedeutete daher eine echte Tragödie. Erst mit zunehmendem Alter verlor die Liebe für Storm ihren absoluten Wert. Heute hat man das romantische Liebesideal aufgegeben. Die Liebe ist liberalisiert und sexualisiert worden; sie ist auf dem besten Weg, eine soziale Funktion zu werden. Vielen heutigen Lesern fällt es daher schwer, den Liebesgeschichten Storms mit echter Anteilnahme zu folgen. Gelingt es dem Autor aber nicht, das Interesse des Lesers für den geschilderten Einzelfall zu gewinnen, wird dieser sich kaum die Mühe machen, „das Ohr dicht an den Boden" zu legen, um die „verborgenen Wasser rauschen" zu hören.

Nur die Biographien von Paul Schütze (1887), Robert Pitrou (1920), Franz Stuckert (1955), Fritz Böttger (1959) und Peter Goldammer (1968) enthalten Analysen des *gesamten* Prosawerks von Storm. Die zwei erstgenannten beurteilen es vom traditionellen historisch-biographischen Standpunkt aus. Stuckert sieht Storm als Stammesdichter; er teilt seine Novellen in drei Gruppen ein: in die „Situationsnovellen" der Anfangsperiode, die „psychologischen Problemnovellen" der Übergangszeit und in die „tragischen Schicksalsnovellen" der Reifeperiode nach 1871. Nur Böttger und Goldammer betonen die sozialkritischen Aspekte der Novellen Storms, ohne sie jedoch systematisch zu untersuchen. Der Wert dieser zwei letzten Arbeiten wird dadurch beeinträchtigt, daß die Autoren Storms Werk fast ausschließlich mit den Maßstäben des sozialistischen Realismus messen.

Im vorliegenden Buch wird untersucht, inwieweit in Storms Novellen die Handlung in sich schlüssig ist, in welcher Relation sie zu den kunsttheoretischen, religiösen, wirtschaftlichen, politischen und sozialen Ansichten und Entwicklungen der Zeit Storms steht, und inwieweit die Novellen Storms zeitlose Probleme und Erkenntnisse enthalten. Unter diesen Gesichtspunkten werden alle Novellen neu interpretiert; Ausgangspunkt der Untersuchung sind die Konflikte, auf denen die Handlung der Novellen basiert. Am 20. April 1875 schrieb Storm an Heinrich Seidel: „Wenn Sie einen Rat von mir annehmen wollen ... so wäre es der, daß Sie für jede neue derartige Arbeit darauf sähen, zunächst einen novellistischen Konflikt, einen Kernpunkt zu gewinnen, von dem aus das andre sich entwickelt. Die Arbeit wird dann von selbst bedeutender und verliert sich nicht ins Unwesentliche."

Es ergibt sich, daß man bei fast allen Novellen Storms von drei Erzähldimensionen sprechen kann, deren gemeinsamer „Kernpunkt" der Konflikt der Geschichte oder dessen Lösung ist. Was verstehen wir unter „Erzähldimension"? Der Ausdruck soll den Bereich bezeichnen, in dem das dargestellte Problem Gültigkeit besitzt. Wir unterscheiden erstens eine individuelle Dimension — sie ist mit der Fabel der Novelle identisch. Zweitens eine überpersönliche, zeitbezogene Dimension — das Problem gibt Aufschluß über die allgemeine (politische, soziale, religiöse usf.) Situation einer bestimmten Zeit. Drittens eine zeitlose, allgemeingültige Dimension — der Konflikt der Novelle ist ein „in der Menschennatur liegender Prinzipalkonflikt"[13], oder seine Lösung bestätigt ein Naturgesetz. „Prinzipalkonflikte" beruhen etwa auf den Gegensätzen von Alt und

Jung, Tradition und Fortschritt, Vergangenheit und Gegenwart, Natur-
anlage und Wille, persönlichem Wunsch und überpersönlicher Pflicht,
Individuum und Gesellschaft.

Der Vorwurf, daß sich Storms Werke „in so kleinem Rahmen und Gebiet bewegten", wird damit zumindest relativiert, denn er kann nur auf
die individuelle Dimension der Novellen zutreffen. So erklärt sich auch
der scheinbare Widerspruch im Urteil zeitgenössischer Stormkritiker.
Karl E. Laage schreibt in seinem Aufsatz „Theodor Storm in unserer
Zeit": „Es sind also allgemein-menschliche, nie veraltende Probleme, die
der Dichter — in kleinem Rahmen zwar — behandelt ..." [14]. Während
Wolfgang Preisendanz zu dem Schluß kommt: „ ... es ist mehr als
wahrscheinlich, daß sich diese Probleme und Konflikte von Generation
zu Generation altmodischer, überholter, gleichgültiger ausnehmen ...". [15]
Die zeitlose und vor allem die zeitbezogene Dimension erschließen sich
nur beim aufmerksamen Lesen. Storm war sich dieser Tatsache bewußt;
in einem Brief vom 1. September 1872 an Emil Kuh wehrte er dessen
begeistertes Lob ab: „Zur Klassizität gehört doch wohl, daß in den Werken eines Dichters der wesentliche geistige Gehalt seiner Zeit in künstlerisch vollendeter Form abgespiegelt ist, und werde ich mich jedenfalls
mit einer Seitenloge begnügen müssen." Dem modernen Leser fehlt oft
die Kenntnis des geschichtlichen Hintergrundes, die Storms Novellen vor-
aussetzen. Die Zusammenhänge zwischen der Wirklichkeit des 19. Jahrhunderts und den Konflikten in den Novellen Storms aufzuzeigen, ist
daher eine wichtige Aufgabe dieser Arbeit. Bei der Interpretation der
Novellen erhebt sich auch die Frage: In welcher Beziehung stehen die
Erzähldimensionen zur Struktur der einzelnen Novellen? Nur die Techniken, die für Storm am typischsten sind, seien kurz erwähnt. Häufig
wird an einem individuellen Fall ein allgemein-menschlicher, zeitloser
Konflikt illustriert. Indem der individuelle Konflikt nicht nur psychologisch, sondern auch soziologisch motiviert wird, erhält er eine zeitbezogene Dimension. Gelegentlich steht der individuelle Konflikt stellvertretend für einen allgemeinen zeitbedingten Konflikt; dann ergibt sich die
allgemeine überzeitliche Dimension aus der „Moral" der Novelle („Im
Schloß", „Auf der Universität", „Von Jenseit des Meeres", „Aquis submersus", „Renate"). Oder Storm führte neben dem individuellen (zugleich
„ewigen") einen zweiten zeitgebundenen Konflikt ein („Veronika",
„Psyche", „Im Nachbarhause links"). Die Lösung des Konflikts in seiner
zeitbedingten Form gestaltete Storm gelegentlich symbolisch; man denke

an das Mädchen Regine in „Ein grünes Blatt", den Pavillon in „Auf dem Staatshof", den Tannenbaum in „Unter dem Tannenbaum", den Hof in „Abseits" oder den Garten in „Die Söhne des Senators".

Die Erzählkunst Storms ist zu komplex, als daß an dieser Stelle alle Techniken angeführt werden könnten. Wir gehen später bei der Behandlung der einzelnen Novellen gesondert auf die Relation zwischen Konflikt und Erzähldimension einerseits und zwischen Konflikt und äußerer Form andererseits ein.

I. KUNST UND KÜNSTLERTUM ALS PROBLEM

Die Überzeugung, daß Poesie und Alltag, Künstler und Bürger unversöhnliche Gegensätze seien, geht auf die Romantik zurück. Storm wurde mit den romantischen und spätromantischen Dichtern relativ spät bekannt. Als Gymnasiast in Lübeck wurde ihm Heines *Buch der Lieder* zur Offenbarung: „Mir war ... als sei plötzlich ein Vorhang und noch einer zerrissen und ich blickte zum ersten Male in eine Welt, aus der die Poesie mit ihren Sternenaugen auf mich schaute." [1] Der Einfluß der Romantiker zeigte sich zuerst in Storms Lyrik; Heine, Uhland, Eichendorff und Eduard Mörike waren seine Lehrmeister. [2] „Immensee" ist in vieler Hinsicht eine Fortsetzung seines lyrischen Werkes. Eingestreute Lieder markieren die Höhepunkte der Novelle; die einzelnen Kapitel selbst wirken wie in Prosa transponierte lyrische Gedichte.

Aber nicht nur die Lieder und die Erzählweise, sondern auch der Konflikt der Novelle „Immensee" weist auf die Romantik zurück. Vor allem Eichendorffs Erzählung „Dichter und ihre Gesellen" dürfte Storm als literarisches Vorbild gedient haben, [3] da in diesem Werk die Dichterwelt besonders nachdrücklich mit der Philisterwelt konfrontiert wird. Aber auch Wackenroder, Tieck und E. T. A. Hoffmann schilderten mit Vorliebe Künstlernaturen, die Gegenpole zu den spießigen Bürgern darstellten. Ricarda Huch schreibt: „ ... der romantische Charakter ist faul und stolz auf seine Faulheit. ... Tieck gelang es niemals, seine Abneigung gegen methodisches Arbeiten zu überwinden. Auch Sternbald und Lovell sind im Grunde genommen nicht viel mehr als gebildete Vagabunden. Regelmäßige Berufstätigkeit scheint ihnen unwürdig und erniedrigend, der Geschäftsmensch, der alltäglich seinem Verdienst nachgeht, verächtlich." [4] Auch Reinhard in „Immensee" verachtet und verspottet die bürgerliche Strebsamkeit, wie sie sich in seinem Rivalen Erich, der ewig den gleichen braunen Anzug trägt, manifestiert. Ebenso ist „die Unmännlichkeit, die den meisten Romantikern eigen war" [5], für Reinhard charakteristisch. Gelöst wird der Konflikt zwischen Dichter und Bürger jedoch nicht im romantischen Stil. Am Ende der Erzählung hat Reinhard gelernt, die Wirklichkeit zu akzeptieren; er sehnt sich nicht mehr nach einer idealen poetischen Welt, sondern er bedauert seine Isolierung — von Elisabeth, von dem Bürgertum, von dem eigentlichen Leben. Storm karikierte die Bürger nicht, wie es zum Beispiel Hoffmann in „Der goldene Topf" getan hatte; ihre Existenz stellte eine Realität dar, die Storm nicht mehr ins Lächerliche ziehen konnte. Storms Dichtung aus den Jahren um 1848 enthält zwar wenig zeitbezogene Elemente, aber sie ist nichtsdestoweniger von der politischen Situation in Schleswig-Holstein beeinflußt worden. Die unsicheren Verhältnisse machten Storm die Kluft zwischen Idee und Wirklichkeit, zwischen Dichtung und aktuellem Geschehen klar und überzeugten ihn davon, daß sich der Künstler nicht vom Bürgertum und dem Alltagsleben isolieren könne und dürfe. Aufgabe des Künstlers war es nun, die Realität in sein Werk einzubeziehen und es dadurch aktueller und wirkungsvoller zu machen. Einen ersten Schritt auf diesem Weg tat Storm mit „Immensee". Tycho Mommsen scheint Storm die Mischung von Poesie und Realismus in „Immensee" als Schwäche angerechnet zu haben, denn er kritisierte den Schlußabsatz dieser Novelle mit den Worten: „Da haben wir des Pudels Kern, eitel Prosa!" [6]

„Immensee" ist also einerseits eine romantische Künstlernovelle, andererseits enthält sie eine — wenn auch wehmütige — Absage an die Romantik. In den „neuen Fiedelliedern" betont Storm später noch einmal, daß die Verbindung von Künstlertum und bürgerlichem Leben notwendig sei. Auch in einigen anderen Novellen läßt sich feststellen, daß sich Storm bewußt vom romantischen Gedankengut distanziert. In „Von Jenseit des Meeres" lehnt er den Glauben an eine dämonisch-sinnliche Gewalt der Schönheit ab; in „Pole Poppenspäler" zeigt er, daß die naive Volkskunst des Puppenspiels zum Aussterben verurteilt ist, und in „Zur ‚Wald- und Wasserfreude' " muß Kätti einsehen, daß in der gegenwärtigen Welt ein romantisches Vagabundenleben nicht mehr möglich ist.

Die Integration des Künstlers in die Gesellschaft birgt jedoch die Gefahr in sich, daß Kunst zum Kunstgewerbe herabsinkt. Dieses Problem des Künstlertums beleuchten die Novellen „Eine Malerarbeit" und „Ein stiller Musikant". Der Maler Edde Brunken ist nur mittelmäßig begabt, er ist eigentlich ein Handwerker mit künstlerischen Ambitionen. Er erkennt jedoch die Grenzen seiner Fähigkeiten und begnügt sich mit einer Lehrtätigkeit. Die Forderung, daß der echte Künstler angeborenes, überdurchschnittliches Talent besitzen müsse, wird in dieser Novelle nicht bestritten. Anders liegt die Sache in „Ein stiller Musikant". Hier versucht Storm (aus persönlichen Gründen!) passives Kunstverständnis und erfolgreiche Unterrichtspraxis so positiv darzustellen, als seien sie von gleichem Wert wie eine wirkliche künstlerische Leistung. Damit aber wird die Kunst zum Dilettantismus erniedrigt. Storm erkannte diese Schwäche der Novelle und kaschierte sie, indem er einen zusätzlichen Konflikt einführte: naivem Kunstverständnis und ‚seelenvollem‘ Vortrag stellte er intensive Schulung und rein technische Brillianz gegenüber. Die naive Kunstauffassung deutet noch einmal auf die Romantik — Volkspoesie und Volkslied — zurück. Doch auch in diesem Werk wird deutlich, daß der romantische Standpunkt, wenn auch zu Storms Bedauern, überwunden ist. Der technische Fortschritt, die ‚Moderne‘, fordern selbst in der Kunst ihr Recht.

Ein Bekenntnis Storms zum poetischen Realismus bringt schließlich die Novelle „Psyche". Kunst heißt nun Gestaltung des wirklichen Lebens in künstlerischer Form. „Psyche" ist die letzte Künstlernovelle Storms. Vergleicht man den Bildhauer Franz in diesem Werk mit Reinhard in „Immensee", so zeigt sich, wie die Auffassungen von der Kunst und der Stellung des Künstlers sich geändert haben. Reinhard lebt als Aussenseiter und sehnt sich nach einer Erlösung aus seiner Isolation. Franz dagegen ist ein anerkanntes Mitglied der Gesellschaft; seine Kunst lebt nicht mehr in der Phantasie allein, sondern gründet sich auf das Leben selbst. Storm handelte selbst nach diesem Prinzip; fast alle seine Novellen basieren auf wirklichen Begebenheiten; sei es, daß ihm eine Zeitungsnotiz als Ausgangspunkt diente (wie im Falle von „Psyche") oder ein Vorfall in seiner Amtspraxis, ein eigenes Erlebnis oder ein Ereignis, das ihm sonstwie bekannt wurde. Über seinen Beruf als Künstler schrieb Storm am 21. August 1873 an Emil Kuh: „Mein richterlicher und poetischer Beruf sind meistens in gutem Einvernehmen gewesen; ja, ich habe sogar oft als Erfrischung empfunden, aus der Welt der Phantasie in die praktische des reinen Verstandes einzukehren und umgekehrt." Und an Heinrich Seidel schrieb er am 22. August 1883: „ . . . ich weiß aus Erfahrung, wie sehr poetische Produktion durch ganz davon ge- und verschiedene Arbeit getragen und gefördert wird; und außerdem meine ich, daß auch schon dadurch die Arbeit günstiger gestellt sei, wenn sie nur die gute Stunde und nicht die tägliche Werkstattsfreude zu empfangen hat." Wenn man diese Sätze liest, kommt man zu dem Schluß, daß Wirklichkeit und Kunst für Storm keine Gegensätze waren. Dem ist aber nicht so. Unter Kunst verstand Storm nicht nur die Welt der Phantasie, des Irrationalen und des Idealen; Kunst bedeutete für ihn in erster Linie künstlerische Form.

Als Konflikt zwischen poetischer Form und realistischem Inhalt durchzieht der Gegensatz von Kunst und Alltag Storms ganzes Werk. Je älter Storm wurde und je deutlicher er erkannte, daß Ideale kaum zu verwirklichen sind und daß die irrationalen Mächte dem Menschen feindlich gegenüberstehen, desto mehr mußten Erzählton, Aufbau und Erzählperspektive für das „Poetische" der Novellen sorgen. So wird verständlich, „warum bei Storm das Poetische so oft nicht eine Dimension, sondern die Grenze des Realistischen ist", wie es Wolfgang Preisendanz in seinem Essay (S. 30) formuliert hat.

Der Künstler als Bürger — was aber sollte die Aufgabe des Künstlers innerhalb der Gesellschaft sein? In seinen Novellen schnitt Storm dieses Problem nicht an; in seinen Briefen aber finden sich Äußerungen zu diesem Thema. Storm erhoffte sich zweierlei: erstens eine „Wirksamkeit auf die Gemüter und in letzter Instanz auf die Taten der Menschen" [7]. Er wollte erzieherisch wirken. Die geistige Entwicklung der Menschheit sollte hinter dem materiellen und technischen Fortschritt nicht zurückbleiben. In Storms späteren Werken wird allerdings eine zunehmende pessimistische Haltung deutlich. Der Künstler kann auf das Individuum wirken; den Menschen in seinen sozialen Funktionen beeinflussen kann er nicht. Die Wirkung von Kunstwerken beschrieb Storm in drei Novellen. In „Späte Rosen" öffnet Gottfried von Straßburgs *Tristan und Isolde* dem Helden die Augen für die Schönheit seiner Frau. Das Buch wird die unmittelbare Ursache für sein spätes Glück. In „Eine Halligfahrt" schildert Storm die einigende Kraft der Musik, fügt aber gleich hinzu, daß nur hervorragende Künstler — und auch diese nur in begnadeten Stunden — eine solche Wirkung erzielen können. In „Aquis submersus" schließlich erzählt Storm von dem Schicksal der Bilder des Malers Johannes. Sie hängen irgendwo im Verborgenen, in Dachkammern oder zwischen billiger „Pfennigmalerei". — Darf man in dieser unterschiedlichen Behandlung der einzelnen Künste eine Wertung nach ihrer Publikumswirkamkeit erblicken? In seiner Vorrede zum *Hausbuch aus deutschen Dichtern* schrieb Storm: „Wie ich in der Musik hören und empfinden, in den bildenden Künsten schauen und empfinden will, so will ich in der Poesie womöglich alles drei zugleich." [8] Als zweites erhoffte sich Storm ein Weiterleben des Künstlers nach seinem Tode durch seine Werke. Am 26. Dezember 1873 schrieb er selbstbewußt an Pietsch: „ ... schon viele Großmäuler, die hoch über mich erhoben wurden, sind zu den Toten gesunken; ich aber fühle, daß ich noch lange leben werde, viel länger, als der Leib, den ich jetzt mit mir herumschleppe." In seinen Novellen schildert Storm das Los des Künstlers allerdings nicht so rosig. Der Maler Johannes in „Aquis submersus" wird schon zu seinen Lebzeiten vergessen, und Hauke Haien, der zwar kein Künstler, aber doch ein Erfinder ist, wird zum Nachtgespenst des Schimmelreiters degradiert. Für sich selbst behielt Storm mit seinem Optimismus recht — er wird nach wie vor viel gelesen. Zwar: Die zeitbezogenen Konflikte, die Storm schilderte und die er durch seine Dichtung überwinden helfen wollte, sind fast alle überholt; für die noch gültigen Konflikte zeigt Storm keine neuen Aspekte oder gar Lösungen auf. Eine ‚praktische' Wirkung scheint Storm heute versagt; in welchem Grad er sie in der Vergangenheit besessen hat, ist kaum meßbar. Was ist also von Storms Werk geblieben? Ist es, wie Wolfgang Preisendanz meint, „die Subjektivität dieser Erzählkunst", die „alle Wirklichkeit wie ein Schauer überläuft"?[9] Heute ist es überwiegend die Form (und nicht der Gegenstand) seines Erzählens, die Storm in den Augen der Literaturkritiker Gnade finden läßt.

Immensee (1849)

In dieser Novelle erzählt Storm die Geschichte einer unerfüllten Liebe. Reinhard ist zu unentschlossen und wirklichkeitsfremd, um Elisabeth rechtzeitig seine Neigung zu gestehen; Elisabeth ist zu folgsam und schwach, um ihrer Mutter, die auf die Heirat mit dem reichen, zuverlässigen Erich drängt, Widerstand entgegenzusetzen. Die wenigen zaghaften Versuche Elisabeths und Reinhards, ihr Leben nach ihren eigenen Wünschen zu gestalten, scheitern. Am Ende leben beide resigniert in innerer Isolation. Da weder Reinhard noch Elisabeth eine Eigenpersönlichkeit besitzen, wirkt ihr Leid nicht tragisch, sondern sentimental. Nicht unüberwindliche Schwierigkeiten haben ihr Glück verhindert, sondern verpaßte Gelegenheiten. Storm ersetzte psychologische Motivierung durch Stimmungsbilder. Der eigentliche Konflikt der Novelle besteht im Gegensatz zwischen den Denkweisen und Lebensbereichen, die Elisabeth und Reinhard repräsentieren — in dem Gegensatz zwischen Bürger und Künstler auf sozialer und zwischen Vernunft und Phantasie auf geistiger Ebene. Schon als Elisabeth und Reinhard noch Kinder sind, zeigt sich dieser Konflikt. Reinhard trägt die Züge eines romantischen Dichters: er liebt und erzählt gern Märchen, er sehnt sich nach Indien, schreibt Gedichte; später interessiert er sich für botanische Studien und Volkslieder. In der ersten Fassung der Novelle hat er sogar Italien besucht. Der bürgerlichen Welt steht er skeptisch gegenüber; so glaubt er zum Beispiel nicht an Engel, obwohl alle — „Mutter und Tante und auch in der Schule" (I, 22) — ihre Existenz bestätigen. Auf einem symbolischen Spaziergang führt er Elisabeth weit hinweg von der Gesellschaft, ohne allerdings die gesuchten Erdbeeren zu finden. Elisabeth ist das Muster eines vernünftigen Bürgermädchens; sie steht stark unter dem Einfluß von Familie und sozialer Ordnung. Sie will nicht gegen den Willen ihrer Mutter mit Reinhard nach Indien gehen; sie glaubt an die Lehren der bürgerlichen Religion; auf dem Ausflug mit Reinhard fühlt sie sich einsam, und sie hat Angst, als er nicht sogleich den Rückweg findet.

Durch diesen Konflikt von Künstlertum und Bürgertum, Phantasie und Verstand hätte die Novelle eine allgemein-zeitgebundene und eine allgemein-überzeitliche Dimension erhalten können. Im individuellen Fall von Reinhard und Elisabeth existiert jedoch kein Konflikt. Beide entscheiden sich in Krisensituationen gegen ihre Neigung; ohne große innere Kämpfe passen sie sich ihrer Umwelt an. Ihr Verhältnis zueinander kann somit nicht repräsentativ für eine überpersönliche Konfliktsituation sein. Die Darstellung eines allgemeinen Problems wirkt nur dann glaubwürdig, wenn der Einzelfall, an dem es demonstriert wird, als typisch gelten kann. Übersieht man jedoch diese Inkonsequenz und liest die Novelle so, wie sie Storm wohl gemeint hat, dann erkennt man nicht nur (neben einem allgemeinen Gegensatz von Vernunft und Phantasie) eine zeitbezogene Konfliktsituation von Bürger und romantischem Künstler, sondern auch eine Folgerung aus dieser Situation: Reinhard bleibt zwar — fast ohne sein Zutun — seiner Kunst treu, aber seine Sehnsucht nach Elisabeth, dem Symbol des bürgerlichen Lebens, erlischt nicht. Die traurige Stimmung seines einsamen Alters beweist es. Andererseits ist das bürgerliche Leben ohne Poesie schal, wie es das Beispiel Elisabeths zeigt. Kunst und bürgerliche Existenz brauchen sich ebenso sehr, wie sie sich unversöhnlich gegenüberstehen. [10]

Storm drang bei dieser Novelle gewißermaßen von außen nach innen vor: der abstrakte Konflikt führte ihn zum konkreten zeitbedingten Konflikt; diesen wiederum suchte er an einem individuellen Fall zu illustrieren. Später erkannte Storm diese Arbeitsweise als falsch. Am 12. Oktober 1884 schrieb er Theodor Mommsen über die Idee zu einer Novelle und schloß mit der Bemerkung: „ ... ein trefflicher Stoff; aber das Fleisch zu dieser Idee ist mir nie gekommen. Es ist überhaupt schlimm für den Künstler, wenn zuerst die Gedanken da sind." Den allgemeinen Konflikt von Phantasie und Vernunft behandelte Storm erneut im „Hinzelmeier" (1850), nahm jedoch später von dieser Dichtung als zu phantastisch-allegorisch (Brief vom 22. 12. 1872 an Emil Kuh) wieder Abstand. Fünf Jahre darauf gestaltete Storm den individuellen Konflikt von „Immensee" noch einmal in der Novelle „Angelika" (1855). Diesmal motivierte er zwar sorgfältig, aber es gelang ihm nicht, der Novelle eine allgemeine (aktuelle oder überzeitliche) Dimension zu geben.

„Immensee" wurde und blieb Storms populärste Novelle — was immer die Literaturkritik (damals wie heute) dagegen angeführt hat. Sogar in Japan, wo Storm zu den am meisten gelesenen deutschen Dichtern gehört, übertrifft „Immensee" alle anderen Werke Storms an Beliebtheit. Mit ihrer wehmütig-resignierten Stimmung gibt diese Novelle einem Lebensgefühl Ausdruck, das aller nüchternen Betrachtungsweise zum Trotz die Zeiten zu überdauern scheint. Thomas Mann griff den Bürger-Dichter-Konflikt in seiner Erzählung „Tonio Kröger" (1901) auf. Es ist kein Zufall, daß Tonio Kröger in seiner Jugend „Immensee" liest. Im Gegensatz zu Reinhard leidet Tonio Kröger allerdings an einem inneren Zwiespalt; sein Konflikt wird psychologisch motiviert und erhält Repräsentativcharakter:

> Er [Tonio Kröger] blickte aber in sich hinein, wo so viel Gram und Sehnsucht war. Warum, warum war er hier? Warum saß er nicht in seiner Stube am Fenster und las in Storms „Immensee" ...? Das wäre sein Platz gewesen. ... Nein, nein, sein Platz war dennoch hier, wo er sich in Inge's Nähe wußte, wenn er auch nur einsam von ferne stand und versuchte, in dem Summen, Klirren und Lachen dort drinnen ihre Stimme zu unterscheiden, in welcher es klang von warmem Leben. ... du blonde Inge! So schön und heiter wie du kann man nur sein, wenn man nicht „Immensee" liest und niemals versucht, selbst dergleichen zu machen; das ist das Traurige! ... [11]

Tonio Kröger gleicht in vielem Reinhard, dem Storm autobiographische Züge verlieh. Gleichzeitig ist Tonio Kröger aber auch ein Selbstportrait des jungen Thomas Mann, der ihn — und damit sich — in den *Betrachtungen eines Unpolitischen* (1918) einen „Spätling der Romantik" [12] nannte. „Tonio Kröger", so sagte er, sei ein „ins Modern-Problematische fortgewandelter ‚Immensee', eine Synthese aus Intellektualismus und Stimmung, aus Nietzsche und Storm" [13].

Eine Malerarbeit (1867)

Auch in dieser Erzählung behandelt Storm eine unerfüllte Liebe. Der Konflikt eines häßlichen Menschen, dessen äußere Erscheinung im Gegensatz zu seinem Wesen steht, erinnert an „Drüben am Markt". Während sich jedoch in jener Novelle der Doktor unbewußt im Gegensatz zu seiner Umwelt befindet, wird der Konflikt hier in der Brust des unglücklichen Mannes selbst ausgetragen.

Der Kunstmaler Edde Brunken ist zwar ein Krüppel, doch voll Lebenslust und Leidenschaft. Mit ganzem Herzen setzt er sich für seine Überzeugungen ein, doch läßt er sich zu einem „für seine äußere Erscheinung bedenklichen Pathos" (I,530) hinreißen. Brunken wirkt auf seine Umwelt grotesk — auf weibliche Wesen erschreckend, auf männliche erheiternd. Er weiß es und schwankt daher zwischen Verbitterung und Optimismus, wirbt aber dennoch um die Liebe eines hübschen jungen Mädchens. Wie das Ungeheuer im Märchen, von dem er erzählt, sucht er „vergebens die abschreckende Hülle zu sprengen, die alles in bösem Zauberbann verschloß" (I,538—539). Die Schöne hat nur Abscheu und Mitleid für ihn.

Brunken beschreibt seinen Konflikt einem Freund gegenüber: „ . . . meine Seele und meine Kunst verlangen nach der Schönheit, aber die langfingerige Affenhand des Bucklingen darf sie nicht berühren." (I,540) So bleibt ihm nichts als „sich das Herz voll Gift und Leidenschaft zu trinken" (I,540), als er beobachten muß, daß ein wohlgestalteter Rivale erfolgreich ist. Mehr noch als „Drüben am Markt" enthält diese Novelle einen tragischen Konflikt, den Brunken durch Selbstmord lösen will. Doch im Gegensatz zum Doktor ist der Maler nicht nur nach außen hin „allzeit so spaßig" (I,183), sondern besitzt Selbsterkenntnis und echten Humor, mit dem er schließlich alles überwindet. Gerade als sich Brunken ertränken will, läßt sich ihn das Schicksal einen Schuh eines Bauernjungen finden, der seinerseits einen Selbstmordversuch unternommen hatte. Brunkens Neugierde erwacht; sie verdrängt sein Selbstmitleid und seine Verzweiflung. Als er erfährt, daß der Junge hatte Maler werden wollen, der Vater es aber nicht erlaubt hatte, nimmt er sich des Burschen an.

War Brunkens Konflikt bisher ein menschlich-individueller gewesen, so bedrängt ihn nun ein berufliches Problem — der Künstlerneid, da die ungeschickten Zeichnungen des Jungen doch „jenes instinktive Verständnis der Natur" (I,551) zeigen, das er selber nicht besitzt. Er fühlt sich aber „mit Naturdämonen schon hinlänglich behaftet" und entschließt sich, „diesen neuen Kameraden sofort in der Geburt zu ersticken" (I,551). Brunken zieht mit dem Jungen, der sein Pflegesohn wird, nach Mitteldeutschland und nimmt auch seine verwitwete Schwester und deren Tochter zu sich. Zusammen genießen sie dort ein ruhiges Glück. Die Sehnsucht nach Schönheit, die Brunken als Mensch wie als Künstler gefühlt hatte, findet nun ihre Erfüllung in den Kindern. Mit Freude beobachtet er die keimende Zuneigung zwischen seiner Nichte und dem Jungen („in dessen aufstrebender Kunst ich jetzt fast mehr lebe als in meiner eigenen" (I,552)). Der Junge wird alle Hoffnungen, die Brunken einst für sich selbst gehegt hat, verwirklichen. Alle Bitterkeit ist von dem kleinen Maler abgefallen, und er kann mit Selbstironie auf sein früheres Leben zurückblicken.

Erzähltechnisch bringt die Novelle eine Neuerung. Währnd Storm bisher stets bestrebt war, Handlung und Stimmung für sich selbst sprechen zu lassen, stellt er in diesem Fall eine ‚Moral' voraus: „Man muß sein Leben aus dem Holz schnitzen, das man hat" (I,559). Das Leben als Problem wird anhand des speziellen Konflikts des Malers Brunken und dessen Lösung erhellt. Durch das Motto am Anfang und die (ironisch gefärbte) Nutzanwendung am Ende der Rahmenerzählung erhält die Novelle eine allgemeingültige Dimension. Brunkens Konflikt ist nicht rein persönlicher Art. Zu seinem Problem der unerwiderten Liebe gesellt sich das allgemeinere des nur mittelmäßig begabten Künstlers. Die Lösung dieses Aspekts des Konflikts ist jedoch zu sehr von Zufälligkeiten abhängig, als daß sie eine zusätzliche zeitkritische Dimension erschließen könnte.

Der Konflikt und seine Lösung spiegeln sich auch in der Erzählweise der Novelle. Man hat „Eine Malerarbeit" häufig als Künstlernovelle bezeichnet. Da Humor und Selbstironie wesentliche Bestandteile der Erzählung sind, muß man sie auch im Zusammenhang mit den (mehr oder weniger ausgeprägt) humoristischen Novellen Storms sehen. In „Eine Malerarbeit" herrscht ein leichter, ironischer Ton vor. Es ist bedeutsam, daß im ersten Teil der Innenerzählung Brunkens Konflikt von einem Außenstehenden erzählt wird: der verkrüppelte Maler tritt selbst bitter oder ernst in Erscheinung, während die Umwelt über ihn lacht („Man mußte es sehen, wie die kleine Gestalt mit dem rauhen, mächtigen Kopf auf der hochbeinigen Mähre huckte. . . ." (I,535). „Die Schildkröten laufen herum, heute nacht gibt's Regen!" (I,541)). Die Komik ist äußerlich und unfreiwillig. Im zweiten Teil kommt Brunken selbst zu Wort und berichtet von der Lösung seines Konflikts. Seine Erzählung ist von Selbstironie durchtränkt, aber seiner Umwelt fällt es nicht mehr ein, über ihn zu spotten. Brunkens innere Größe, die sich auch in seinem Humor zeigt, läßt nun seine äußere häßliche Gestalt vergessen.

Ein stiller Musikant (1874/75)

In dieser Novelle gestaltete Storm das bescheidene Glück eines Musikers, wie es ihm für seinen dritten Sohn Karl vorschwebte. Am 3. Dezember 1874 hatte Storm an Karl geschrieben: „Wenn Du auch kein Talent zu einem besonderen Klavierspieler besitzest, so hast Du doch die Fähigkeit eines musikalischen Verständnisses und eine, wie ich glaube, nicht ganz gewöhnliche Lehrgabe, und so wirst Du, wenn Du ein so braver und zuverlässiger Mensch bleibst — was unter den Musikern bekanntlich immerhin eine Ausnahme ist —, schon Deinen Platz in der Welt finden."

Der Musikmeister Christian Valentin — der „stille Musikant" — muß sich wie der Maler Edde Brunken damit abfinden, daß ihm das Talent der künstlerischen Gestaltung versagt ist. Auch seiner Liebe muß Valentin (wie Brunken) entsagen. Die Kluft zwischen Kunstverständnis und Kunstausübung wird in dieser Novelle stärker als in der früheren hervorgehoben, aber der Konflikt ist hier statisch und wird nicht psychologisch entwickelt. Es läßt sich nicht von einem inneren Kampf Valentins sprechen, denn schon als Junge hat er seine Schwäche eingesehen: „Schlage mich nicht Vater, ... es fehlt mir etwas; es ist in meinem Kopf; ich kann ja nichts dafür." (I,850). Auch das Mädchen Anna hat Valentin klaglos aufgegeben. Erst nach seinem Tode wird sein heiterer Verzicht auf Anerkennung und Liebe ein wenig belohnt: Valentins Lieblingsschülerin — die Tochter seiner Jugendliebe — gelangt zu Ruhm und bekennt sich dankbar zu ihrem Lehrmeister.

Um seines Sohnes willen versuchte Storm in dieser Novelle eine Rechtfertigung des ‚passiven' Künstlers, der — so will es Storm — durch erfolgreiche Lehrtätigkeit seiner Kunst ebenso dient wie ein ‚aktiver' Musiker oder Maler. Als literarisches Vorbild mag Storm hierbei E. T. A. Hoffmanns „Baron von B." vorgeschwebt haben. Dieselben persönlichen Gründe, die Storm veranlaßten, die Novelle zu schreiben, sind auch die

Ursache ihrer Schwäche. Da Storm ein optimistisches Bild zeichnen wollte und jede Tragik vermied, erschließt die Novelle keine überpersönliche Dimension, und das Schicksal Valentins bleibt Anekdote. Im Grunde seines Herzens wußte Storm wohl, daß er einen unerfüllbaren Wunschtraum gestaltete, denn er stellte Valentin in eine Zeit, in der eine künstlerische Tradition zu Ende ging. Valentins Geschmack ist nicht der seiner Zeitgenossen: „Sein Geschmack war keineswegs ein niedriger; aber wie er in der Musik bei seinem Haydn und seinem Mozart blieb, so waren es in der Poesie die klaren Frühlingslieder Uhlands oder wohl auch die friedhofstillen Dichtungen Höltys, die ich aufgeschlagen auf seinem Tische zu finden pflegte." (I,845). Valentins Ausbildung war noch im alten Stil erfolgt: „ ... die Dinger, die man Konservatorien nennt, gab es derzeit wohl noch nicht in unserem Deutschland; ich ward zu einem tüchtigen Klaviermeister in die Lehre getan ..." (I,854). Auch Valentins Mozart-Interpretation entspricht ganz der alten Schule, er hat sie von einer betagten Schülerin Mozarts gelernt. Wie wenig diese Interpretation dem modernen Geschmack entspricht, zeigt sich, als Valentins Schülerin eine Mozartarie vorträgt. Ein alter Herr erklärt begeistert: „Das war der Mozart, wie ich ihn in meiner Jugend hörte!" (I,870). Sein Neffe aber meint kritisch: „Hübsche Stimme; aber etwas seltsam; autodidaktisch!" (I,870). Der Sieg der neuen Zeit, in der man mehr auf Perfektion und Virtuosität als auf ‚Seele' in der Kunst sieht, ist nicht aufzuhalten. Zwar stellt Valentins Schülerin „für eine kurze Zeit die neue und die alte Musikwelt einander in hellem Streite gegenüber" (I,872), bald aber taucht sie „in die große Menge derer zurück, die ihr Leid und Freud' in kleinem Kreis ausleben, von denen nicht geredet wird" (I,872).

„Ein stiller Musikant" enthält also einen Konflikt zwischen den Kunstauffassungen in der Gesellschaft, welcher der Novelle eine zeitbezogene und eine allgemeine Dimension verleihen könnte. Doch dieser Konflikt hat mit dem Problem *Valentins* wenig zu tun. Der logische Zusammenhang wäre nur dann gegeben, wenn Valentin ein begabter Künstler gewesen und am Zeitgeschmack gescheitert wäre. Das bloß theoretische Verständnis des „stillen Musikanten" und die Tatsache, daß aus seiner einzigen Liedkomposition ‚Seele' spricht, stellen keine Alternative zu einer Kunstauffassung dar, die sich auf Verständnis und Vortrag stützt. Der mangelnde Zusammenhang zwischen Valentins persönlichem Schicksal und dem sich wandelnden künstlerischen Geschmack seiner Zeit spiegelt sich auch in der Form der Novelle. Erst im letzten Kapitel, das gewissermaßen einen Epilog zu dem Leben Valentins darstellt, werden die allgemeinen Bezüge angedeutet.

Psyche (1875)

Nach Storms eigenen Worten beruht diese Novelle auf dem Konflikt „der jungfräulichen Scham mit der Dankbarkeit und der keimenden Liebe" [14]. Das Mädchen Maria ist beim (nackten) Baden in der Nordsee in Gefahr geraten und von einem jungen Mann gerettet worden. Aus Scham vermeidet Maria später jeden Kontakt mit ihm, obwohl sie sich in ihn verliebt hat und ihm zu Dank verpflichtet ist. Der Gesellschaft wird der Vorfall verheimlicht. Die Begegnung der beiden jungen Menschen in paradiesischem Zustand stürzt nicht nur Maria in einen Gefühlskonflikt, sondern läßt auch den Retter Franz, der von Beruf Bildhauer ist, in eine künstlerische Krise geraten. Dem individuellen Konflikt stellte Storm somit einen allgemeineren zur Seite, den er allerdings weniger stark herausarbeitete. Schon in „Eine Malerarbeit" und in „Ein stiller Musikant" hatte Storm das Liebesproblem der Hauptfigur mit einem Problem des Künstlers verbunden, um diesen Novellen eine zeitbezogene Dimension zu verleihen. In diesem Werk verteilte er die Konflikte auf zwei Personen.

Worin besteht das Problem des Künstlers? Franz ist offensichtlich der Auffassung, daß Kunst und Leben Gegensätze seien; erst vor wenigen Monaten ist er von einem Aufenthalt in Italien und Griechenland zurückgekehrt. Sein Atelier ist mit antiken Reliefs und Skulpturen griechischer Götter gefüllt; nur eine unvollendete Brunhilde entstammt der nordischen Sagenwelt. Ein Freund wirft Franz seine Lebensferne vor: „ . . . du wirst einen Kommentar in den Sockel deiner Statue einmeißeln müssen! Warum in so entlegene Zeiten greifen? Als wenn nicht jede Gegenwart ihren eigenen Reichtum hätte!" (I,882). Franz verwahrt sich gegen diesen Vorwurf: „Was geht den Künstler die Zeit, ja was geht der Stoff ihn an?" (I,882). Er lebt in einer abgeschlossenen Welt und scheint einen Einbruch des realen Lebens in diese zu fürchten. Aus diesem Grunde bewahrt er strengstes Stillschweigen über seine Begegnung mit dem Mädchen, von dem er nicht einmal den Namen erfahren will, das er aber nicht vergessen kann. Das Erlebnis drängt in ihm nach künstlerischer Gestaltung, aber noch muß er es — seiner Kunstauffassung entsprechend — von der Wirklichkeit lösen. Der Brief eines eingeweihten Freundes beruhigt ihn: „Auch auf der anderen Seite ist alles stumm geblieben ... Der grelle Tag soll die Dämmerung Deiner Phantasie mit keinem Strahl durchbrechen; Deine leiblichen Augen sollen sie nie gesehen haben! So seid ihr beide sicher, Du in Deinem Künstlertum und sie in ihrer heiligen Jungfräulichkeit ..." (I,891—892). Damit wird es Franz möglich, ein Werk zu schaffen, das er „Die Rettung der Psyche" nennt. Doch auch in antikem Gewand kann das Marmorbild nicht verleugnen, daß es seine Entstehung einem Erlebnis verdankt; das Leben wirkt nicht nur auf die Kunst, die Kunst wirkt auch auf das Leben zurück. Das Publikum will in dem Retter der Psyche Franz selbst erkennen; manche finden das Werk „zu naturalistisch" (I,896), doch das Lob überwiegt. Schließlich beginnen Gerüchte Marias guten Ruf zu untergraben. Franz will das Werk von der Ausstellung zurückziehen. Aber Storm läßt den Zufall gnädig sein. Vor der „Rettung der Psyche" wird Maria ein zweites Mal gerettet: Franz und Maria finden sich fürs Leben — „Psyche ..., die lebendige, meine Psyche, durch die nun ich und meine Werke leben werden!" (I,905). Der Künstler bekennt sich damit zu der Einheit von Kunst und Leben. Am 6.9.1871 hatte Storm an Pietsch geschrieben: „Meine Auswahl [für das *Hausbuch*] geht davon aus, daß die *Poesie* es zunächst nicht mit Gedanken *über* das Leben zu tun hat, sondern, wie jede andre Kunst, mit der *Darstellung des Lebens selbst* ...". Die Lösung von Marias individuellem Konflikt ist dagegen eine Umschreibung der letzten Strophe von Storms Gedicht „Du willst es nicht in Worten sagen":

> In Sehnen halb und halb in Bangen,
> Am Ende rinnt die Schale voll;
> Die holde Scham ist nur empfangen,
> Daß sie in Liebe sterben soll. (II,896).

In ihrer knabenhaften, freien Art ist Maria ein Symbol des Lebens; als Psyche verkörpert sie nicht nur die gelungene Verschmelzung von Kunst und Leben, sondern auch von Norden und Süden. Ihre zarte Jungfräulichkeit ist ebenso weit von der sinnlichen Venus wie von der gigantischen Brunhilde entfernt; in ihr wird die Kunst vor verspielter Künstlichkeit ebenso bewahrt wie vor grober Monumentalität. Auch hier gilt, was Storm gegen Geibel schrieb:

Poeta laureatus: Es sei die Form ein Goldgefäß,
In das man goldnen Inhalt gießt!
Ein anderer: Die Form ist nichts als der Kontur,
Der den lebend'gen Leib beschließt. (II,877).

In der Ablehnung einer zwar klassisch-formvollendeten oder monumentalen aber toten Kunst liegt die zeitbezogene, kritische Dimension der Novelle. Ein von Storm unbeabsichtigter, interessanter Aspekt sei zum Schluß erwähnt. „Psyche" läßt die Relativität jeder Kunstauffassung deutlich werden. Storm glaubte, daß die Lösung des künstlerischen Konflikts in dieser Novelle eine allgemeingültige Aussage über die Kunst enthalte. Dem heutigen Leser erscheint diese Aussage im besten Fall als historisch zutreffend.

II. KIRCHE UND SITTE

Storm lebte in einer Zeit der zunehmenden Säkularisierung. Die Dichter des Jungen Deutschland hatten dazu ebenso beigetragen wie die Entwicklung von Wirtschaft und Technik, die von einem wachsenden Materialismus begleitet wurde. Auch Bismarck förderte diesen Trend — er war aus politischen Gründen bestrebt, die Macht der Kirchen zu schwächen. Dennoch war der Einfluß der Kirchen auf den Staat, die Gesellschaft und das Individuum noch groß, nach dem Kulturkampf nahm er sogar wieder zu. Menschen wie Storm, die weder an kirchliche Dogmen noch an einen Gott glaubten, waren in der Minderzahl, ihre Ansichten galten als revolutionär. Der innere Konflikt zwischen irdischer Liebe und traditioneller Gläubigkeit, in den die Helden in den Novellen „Späte Rosen", „Veronika", „Viola tricolor" und „Renate" geraten, ist daher ein zeitbezogener Konflikt. Über seine eigene Einstellung zur Religion schrieb Storm am 13. August 1873 an Emil Kuh:

Erzogen wurde wenig an mir; aber die Luft des Hauses war gesund; von Religion oder Christentum habe ich nie reden hören; ein einziges Mal gingen meine Mutter oder Großmutter wohl zur Kirche, oft war es nicht; mein Vater ging gar nicht, auch von mir wurde es nicht verlangt. So stehe ich dem sehr unbefangen gegenüber; ich habe durchaus keinen Glauben aus der Kindheit her, weiß also auch in dieser Beziehung nichts von Entwicklungskämpfen; ich staune nur mitunter, wie man Wert darauf legen kann, ob jemand über Urgrund oder Endzweck der Dinge dies oder jenes glaubt oder nicht glaubt.

Storm hielt religiöse Überzeugungen für eine Privatangelegenheit; sie dienten ihm höchstens als Maßstab für die Entwicklungsstufe, die der Einzelne erreicht hatte. An seine zweite Frau Dorothea schrieb er am 25. März 1866: „Du möchtest mich zu Deinem kindlichen Glauben führen, mein Do? Das wäre wohl gegen den natürlichen Lauf der Dinge. Aus dem Kinde kann wohl ein Mann werden, und freilich mitunter auch aus dem Manne ein Kind, wenn er in die dem Tode vorhergehende Altersschwäche versinkt. Sonst geht's nicht wohl, und diesen Kindeszustand wünschest Du mir auch noch nicht." Aber er respektierte echte Frömmigkeit: „Sei Du, mein Do, ein Kind, so lange es Dir möglich und natürlich ist; ich zwinge Dich nicht; ich warte ruhig die Zeit ab, wo das Kind auch hierin mein ebenbürtiges Weib wird."

Anders war Storms Einstellung zur Kirche. Da diese für alle Menschen verbindliche Richtlinien und Regeln aufstellt, betrachtete Storm sie als ein Hindernis für die freie Entfaltung des Individuums (und der Menschheit). Die kirchlichen Lehren waren seiner Ansicht nach äußerliche, den Menschen aufgezwungene Gesetze. In der Novelle „Im Schloß" gab Storm seiner persönlichen Weltanschauung Ausdruck: nicht die christliche Heilslehre führt zu Gott; den Naturforschern wird eines Tages das heute noch Unbegreifliche offenbar werden. Storm konzentrierte sich völlig auf das Diesseits und das irdische Glück; es ist daher nur natürlich, daß er alle Dogmen ablehnte, die dieses Glück zugunsten eines Lebens nach dem Tode einschränken oder verbieten wollten.

Den Ursprung der Sitte führte Storm auf die Natur des Menschen selbst zurück. Aber auch ihr gestand er keine allgemeine, zeitlose Gültigkeit zu. Wie radikal Storm für die individuelle Freiheit eintrat, beweist ein Brief an Theodor Fontane, in dem er seine „Ballada incestuosa" („Geschwisterblut") verteidigte:

Jede *Sitte*, worunter wir an sich nur ein äußerlich allgemein Geltendes und Beobachtetes verstehen, hat ein inneres, reelles *Fundament*, wodurch dieselbe ihre Berechtigung erhält. Die Sitte — denn mit den *rechtlichen* Verboten in dieser Beziehung haben wir es hier nicht zu tun —, daß Schwester und Bruder sich nicht vereinigen dürfen, beruht auf der damit übereinstimmenden Natureinrichtung, welche in der Regel diesen Trieb versagt hat. Wo nun aber, im einzelnen Falle, dieser Trieb vorhanden ist, da fehlt auch, eben für diesen einzelnen Fall, der Sitte das Fundament und der einzelne kann sich der allgemeinen Sitte gegenüber, oder vielmehr ihr entgegen, zu einem Ausnahmefall berechtigt fühlen. [1]

In Heiligenstadt lernte Storm den Katholizismus kennen. An Theodor Mommsen schrieb er am 15. April 1862: „Mich selbst anlangend, so lebe ich hier trotz des hiesigen katholischen Schwindels leidlich angenehm, wenngleich es mir an Menschen fehlt, die so recht mit mir auf demselben Fundamente stünden." Seit Storms Übersiedlung nach Heiligenstadt lassen sich in seinen Novellen antikirchliche und antiklerikale Tendenzen feststellen.

Die erste Novelle, in der Storm die Kirche — noch versteckt — angriff, ist „Späte Rosen". Er verteidigte darin das Recht des Individuums auf sinnliche Liebe gegen die kirchliche Morallehre — die Kirche darf nicht in die Intimsphäre des Menschen eingreifen. Dagegen erkannte Storm die Notwendigkeit ethischer Maximen an, welche die Beziehungen der Menschen untereinander, außerhalb des Gefühlsbereiches, regeln. Sie zeigen dem Menschen seine sittliche Pflicht. Storm näherte sich hier in seiner Auffassung von Moral und Sitte dem heute verbreiteten Standpunkt an: Erlaubt ist, was anderen nicht schadet.

Die Novelle „Veronika", ebenfalls in Heiligenstadt entstanden, wendet sich offen gegen die katholische Kirche — die Ohrenbeichte wird zum Anlaß, die Kirche überhaupt abzulehnen. Ein ähnlicher Fall wird in „Pole Poppenspäler" geschildert. Auch dort gibt die Frau ihren Glauben auf und paßt sich damit ihrem Mann an. Während sich Storm von Kirche und Christentum immer schärfer distanzierte, erkannte er die Berechtigung eines allgemein verbindlichen Sittengesetzes mehr und mehr an. In „Veronika" wird die sittliche Pflicht entschieden über das individuelle Gefühl gestellt; der Trieb ist nicht mehr der ausschlaggebende Faktor für das Handeln der Heldin. Die Menschen aber, die ihrem Trieb folgen und die Sitte mißachten, sind zum — manchmal tragischen — Scheitern verurteilt. In der Novelle „Waldwinkel" erweist sich die Sitte als stärker als die Liebe des Paares, das zusammenlebt, ohne verheiratet zu sein. In „Aquis submersus" und „Ein Fest auf Haderslevhuus" erwächst den Protagonisten aus dem Verstoß gegen die Sitte (die Ehe) nur Unheil, und in „Eekenhof" verliert sich von dem Geschwisterpaar, das sich liebt, jede Spur. Der Grund für diesen Sinneswandel ist wohl in einer Desillusionierung Storms zu suchen. Er betrachtete die Liebe nicht mehr als absoluten Wert; am 19. Juli 1858 hatte er an seine Frau geschrieben: „Auch in nächster Nähe haben wir immer nur die eigene Vorstellung, der eine von dem andern — das Bild, das wir uns selber abstrahieren! *Uns selber* haben wir doch eigentlich nie — oder es müßte denn der Körper auch die Seele sein . . .". Und am 21. Juli 1859 klagte er: „Mir will es nicht gelingen, heiter zu sein. Ich weiß nicht, ist es nur, daß Du mir fehlst, oder ist es . . . die leise Furcht, daß im letzten Grunde doch nichts Bestand habe, worauf unser Herz baut; die Ahnung, daß man am Ende einsam verweht und verloren geht; die Angst vor der Nacht des Vergessenwerdens, dem nicht zu entrinnen ist." In der Novelle „Im Schloß" heißt es: „Liebe ist nichts, als die Angst des sterblichen Menschen vor dem Alleinsein." (I,246). Andererseits sah Storm seine Umwelt nun kritischer — ähnlich wie die Heldin der Novelle „Veronika", die plötzlich die Realität, die Lieblosigkeit der Menschen, erkennt: „Das Leben in seiner nackten Dürftigkeit stand vor ihr, wie sie es nie gesehen; ein endloser öder Weg, am Ende der

Tod. Ihr war, als habe sie bis jetzt in Träumen gelebt, und als wandle sie nun in einer trostlosen Wirklichkeit, in der sie sich nicht zurechtzufinden wisse." (I,212). Trotz dieser Desillusionierung flüchtete sich Storm auch später nicht ins Christentum und in einen Glauben an ein Jenseits. „Viola tricolor" enthält ein Bekenntnis zur Gegenwart und ihren Problemen. Das irdische Leben bietet genug Schwierigkeiten; man soll diese zu überwinden versuchen und sich nicht um ein ungewisses Fortbestehen nach dem Tode Sorgen machen.

In den bisher erwähnten Novellen schilderte Storm den negativen Einfluß der Kirche auf Individuen; in „Renate" wollte er beweisen, daß die Kirche die Entwicklung eines ganzen Volkes hemmen kann. Am Beispiel des Hexenunwesens im 17. Jahrhundert wird die Absurdität kirchlicher Dogmen aufgezeigt. Der Einzelne ist gegen den Zeitgeist machtlos, da er Vorurteile nicht als solche erkennen kann. Nur die Zeit kann diese Mißstände überwinden.

Auch aus der Art, wie Storm Geistliche darstellt, spricht seine Abneigung gegen die Kirche. Besonders krasse Beispiele sind der Priester in „Veronika", der Theologe in „Waldwinkel" und der Pastor Petrus Goldschmidt in „Renate". Dennoch könnte man aus einigen Novellen den Eindruck gewinnen, ihr Autor sei ein gläubiger Christ gewesen. Storm wies diese Vermutung selbst zurück. An seinen Neffen Ernst Esmarch schrieb er über die Novelle „Hans und Heinz Kirch": „ . . . gleichwohl irrst Du, in der Novelle einen christlichen Gehalt zu finden, d. h. in Deinem Sinne; ein solcher ist nur innerhalb des Charakters des Hans Kirch als etwas dem alten Bürgertum Eigentümliches und dient hier als ein Anlaß zur letzten Entwicklung des betreffenden Charakters und des Problems der Novelle, ohne aber dieser einen spezifisch christlichen Charakter mitzuteilen." Dasselbe gilt für „Aquis submersus", wo die Religiosität durch die Ära bestimmt ist, für „Bötjer Basch" und für „Ein Bekenntnis". In allen diesen Novellen gehört eine gewiße Religiosität zum Charakter der Helden; sie klammern sich an den Glauben an ein Wiedersehen mit den geliebten Menschen nach dem Tode, um nicht zu verzweifeln. In den Novellen „Im Brauerhause", „Ein Doppelgänger" und „Der Schimmelreiter" werden Menschen geschildert, welche die Not des Lebens aufbegehren läßt, die an der Güte und Allmacht Gottes zweifeln. Die Tatsache, daß ihre Bitten um Erbarmen ungehört verhallen, läßt sich sowohl dahin interpretieren, daß Gott von alttestamentarischer Strenge und Grausamkeit ist, wie auch, daß Gott nicht existiert. Bezeichnend aber ist, daß die Gesellschaft, in der diese Menschen leben, als Gesamtheit durchwegs unchristlich geschildert wird.

Späte Rosen (1859)

Auf den ersten Blick scheint diese Novelle eine etwas banale Ehegeschichte zu sein, deren autobiographischer Kern [2] mit künstlicher Stimmung verbrämt wurde. Rudolf ist glücklich verheiratet: Seine Frau ist ihm „eine Genossin des Lebens" (I,174), sie stellt einen Zufluchtsort dar, an dem er sein Herz „ausruhen" (I,174) kann. Wenige Monate nach der Geburt seines ersten Kindes überkommt ihn aber in einer stillen Stunde bei der Lektüre von Gottfried von Straßburgs *Tristan und Isolde* das Gefühl, ihm fehle etwas: „ ... ich hatte diese andere Welt nicht kennengelernt, die Tristan und Isoten nun ihre eigenen unerbittlichen Gesetze aufnötigt ..." (I,176). Doch da ihm sein Beruf und seiner Frau die Mutterpflichten die Muße nicht lassen, die für die Entfaltung einer leidenschaftlichen Liebe notwendig ist, resigniert er. Rudolf leidet von nun an unter dem Konflikt von Beruf und Eheleben; aber weil er sittliche Verpflichtungen ernst nimmt — er ist für den Unterhalt seiner Familie verantwortlich, seine Frau für die Betreuung der Kinder —, unterdrückt er seinen Wunsch nach persönlicher Erfüllung. Rückblickend sagt er über seine beruflichen Anstrengungen: „Mühe ... ist vielleicht das Wenigste, was es mich gekostet hat." (I,172).

Zwölf Jahre später haben sich die Verhältnisse jedoch geändert: Seine Geschäfte lassen ihm nun mehr Zeit, und „der dem Menschen eingeborene Drang nach Schönheit" (I,177) macht sich wieder geltend. Eines Abends liest er wieder in *Tristan und Isolde*. Am nächsten Morgen erscheint ihm sein Garten wie verzaubert: „Ich empfand die Fülle der Natur und ein Gefühl der Jugend überkam mich ..." (I,179). Eine neue Liebe zu seiner Frau keimt in ihm: „ ... alle Leidenschaft meines Lebens erwachte und drängte ihr entgegen, ungestüm und unaufhaltsam." (I,180—181). Damit ist sein Problem gelöst — er hat doch noch „aus dem Minnebecher getrunken" (I,181), und seine Ehe basiert seitdem nicht nur auf geistiger Übereinstimmung, sondern auch auf leidenschaftlicher Liebe, sie ist — wenn auch spät — vollkommen geworden.

Rudolf befindet sich in einem Konflikt von individuell-sinnlichem Wollen und gesellschaftlich-ethischer Verpflichtung, von Selbstverwirklichung und Sitte. Sein Problem ist nicht nur ein persönliches, sondern es ist gleichzeitig ein Symptom eines allgemeinen, der Gesellschaft immanenten Konflikts. Worauf gründet sich nun der ethische Anspruch der Gesellschaft? Als Ehemann und Vater ist Rudolf moralisch dazu verpflichtet, für den Unterhalt und die Wohlfahrt seiner Familie zu sorgen. Als er zwischen seinem persönlichen Glück und den Familienpflichten zu wählen hat, stellt er sein eigenes Interesse zurück und akzeptiert somit die herrschende Gesellschaftsmoral. Die äußeren Schwierigkeiten, die Rudolfs Konflikt motivieren, sind — wie der Konflikt selbst — individuell und zeitbezogen zugleich; sie muten überraschend modern an und zeigen den psychologischen Scharfblick Storms. Einerseits erwähnt Storm die zunehmende Technisierung des Lebens (Rudolf gründet in seiner Gegend die erste „Dampfschiffahrts-Sozietät" (I,174)), die einen immer stärkeren beruflichen Einsatz des Mannes verlangt, und andererseits das erste Kind, das die Frau zwingt, ihre Liebe und Aufmerksamkeit zu teilen. Da diese Schwierigkeiten ihren Ursprung in überpersönlichen Gesetzen und zeitgebundenen Entwicklungen haben, können sie auch nur durch die Zeit oder den Zufall überwunden werden. Dies ist bei Rudolf der Fall; äußerlich ist sein Problem gelöst.

Besteht nun aber Rudolfs Konflikt noch? Es scheint nicht so; doch weshalb bedarf es dann der erneuten Lektüre von *Tristan und Isolde*, um die Lösung herbeizuführen? Und warum wählte Storm gerade Gottfried von Straßburg als „deus ex machina"? Rudolfs Ziel ist es, eine Ehe zu führen, in der die Partner in vollkommener geistiger und körperlicher Harmonie leben. An seine Braut Constanze hatte Storm am 21. (11.?) Mai 1844 geschrieben: „Übrigens bin ich mit Deiner Seele allein nicht zufrieden, ich will auch Deinen jungen Leib haben, denn beides zusammen, das bist doch erst Du." Vergegenwärtigt man sich aber den Sittenkodex der damaligen Zeit, so wird deutlich, daß Storms Anliegen, die sinnliche Liebe als notwendige Ergänzung neben die geistige Harmonie in der Ehe zu stellen, durchaus nicht der allgemeinen Moral entsprach. Sinnliche Liebe galt im Jahre 1859 in Bürgerkreisen als unmoralisch, als verworfen. Eine „anständige Frau" empfand keine Leidenschaft und wurde durch solche Gefühle des Mannes erniedrigt. Auch Storms Frau Constanze scheint so empfunden zu haben; Storm schrieb ihr am 1. 11. 1863: „ . . . du meintest einmal, ich lege zuviel Gewicht auf den vergänglichen Leib — Du zweifelst nicht, daß ich Deine Seele will?" Vor dem Hintergrund einer solchen Gesellschaftsmoral wirkt Storms Novelle gewagt und gewinnt neue Bedeutung. Mit seiner Sehnsucht nach sinnlicher Liebe steht Rudolf noch immer im Gegensatz zu der gesellschaftlichen Ethik seiner Zeit, obwohl die Existenz seiner Familie jetzt gesichert ist. Nun aber sprechen keine objektiven, realen Gründe mehr für den Anspruch der Gesellschaft; dieser beruht einzig auf dem Dogma der Kirchen. Es entspricht Storms eigenem liberalen Denken, daß er sich Rudolf in der zweiten Phase seines Konflikts, der nun ein innerer Konflikt ist, gegen die allgemeine Gesellschaftsmoral entscheiden und seinem individuellen Empfinden folgen läßt. Storm stellte sich hier bewußt gegen die Lehre der Kirchen, die er als überholte Konvention ablehnte. Die Behandlung des Problems in Form einer Ehegeschichte bedeutet ein persönliches Bekenntnis, aber auch ein Zugeständnis an sein Publikum, die Erwähnung von *Tristan und Isolde* eine Rechtfertigung. Schon früher hatte Storm für die leidenschaftliche Liebe Partei ergriffen. So war im „Tunnel"-Kreis (in dem Storms Name „Tannhäuser" war!) das historisch gefärbte Gedicht „Geschwisterblut" entstanden, das Motive des *Gregorius* und der Tannhäusersage in sich vereinigt. Storm schrieb darüber am 2. 12. 1855 an Mörike: „ . . . der Schluß [ist] sehr heidnisch und ganz innerhalb der Leidenschaft." Storms Freunde lehnten daher das Gedicht ab. Auch später beruft sich Storm bei der Behandlung eines Ehebruchs (in „Ein Fest auf Haderslevhuus") auf Gottfried von Straßburg, und *Gregorius*-Motive tauchen in seiner Novelle „Eekenhof" wieder auf.

Betrachtet man „Späte Rosen" unter diesem Aspekt, so schildert Storm an einem konkreten Fall ein offenbar aktuelles Problem (Dichter des Jungen Deutschland hatten es häufig behandelt), über das „man" jedoch nicht sprach, und das er daher nur andeutet. Die Lösung war wohl als vorbildlich gemeint, denn Rudolf nimmt eine emanzipierte Haltung zur Sinnlichkeit ein; gleichzeitig aber auch als Warnung, denn Rudolf hat viele Jahre versäumt, ehe er sein Glück findet. Doch die Motivierung der Lösung durch zufällige Ereignisse wirkt bereits im speziellen Fall Rudolfs so künstlich, so äußerlich, daß sie nicht überzeugt. Rudolf entscheidet sich nicht, sondern steht anscheinend machtlos unter dem Zwang des Zufalls; sein Konflikt hätte aber wenigstens in seiner zweiten Phase einer psychologisch begründeten Entwicklung zur Lösung bedurft. Eine allgemeingültige, nicht zeitgebundene Dimension fehlt der Novelle. Der Konflikt zwischen individuellem Wunsch und ethischer Verpflichtung ist zwar zeitlos, aber jede Zeit, jede Gesellschaft versucht ihn auf andere Weise zu lösen.

Storm gliedert auch diese Novelle in Rahmen- und Innenerzählung, die miteinander kontrastieren. Die Innenerzählung berichtet von dem Konflikt und der schließlichen Lösung; im Rahmen werden die Anzeichen für die erfolgte Lösung geschildert — der vollkommenen Ehe in der Erzählgegenwart wird die unvollkommene in einem Rückblick gegenübergestellt. Durch einen Wechsel der Ich-Erzähler erreicht Storm einen Perspektivenwechsel und damit eine Intensivierung der Darstellung; der Ich-Erzähler des Rahmens ist unbeteiligter Beobachter, der Erzähler der Innenerzählung schildert eigene Erlebnisse.

Wie alle früher von Storm behandelten Konflikte ist auch dieser in seiner allgemeinen Form statisch, d. h. er ist zeitbedingt und wird nur im individuellen Fall durch den Zufall gelöst. Die Schwäche der Novelle liegt einerseits in der unzureichenden Begründung der endgültigen Lösung, andererseits ist aber auch die Zeitbezogenheit des Konflikts selbst nicht klar herausgearbeitet. Die Tatsache, daß Rudolfs Konflikt mit der Gesellschaftsmoral zwei Aspekte besitzt, kommt nicht zum Ausdruck und kann nur aus dem geistigen Hintergrund der Novelle erschlossen werden. Storm verschleierte seine Absicht so gut, daß der allgemeine Bezug für den heutigen Leser nahezu verloren geht. Das zeitgenössische Lesepublikum verstand allerdings den „Erotiker" Storm sehr gut, wie aus einem Brief Storms an Pietsch vom 13. Dezember 1861 hervorgeht. Dort heißt es: „Anliegend Scherzes halber auch einige Blätter mit Besprechungen, die ich mir aber zurück erbitte. Die Münchner ultramontanen Blätter werden Sie gewiß mit ihrer jesuitischen Polemik (namentlich in Betreff der Gedichte und späten Rosen) erbauen."

Veronika (1861)

Die Novelle „Veronika" steht inhaltlich in engstem Zusammenhang mit der früheren Erzählung „Späte Rosen". Thema ist wiederum die eheliche Gemeinschaft, die hier einerseits durch eine unbedachte Leidenschaft, andererseits durch die kultischen Vorschriften der katholischen Kirche bedroht wird. Wie in „Späte Rosen" gestaltet Storm auch in dieser Novelle einen Konflikt zwischen individuellem Wollen und ethischer Verpflichtung unter zwei Aspekten. Veronika, die mit einem vielbeschäftigten Mann mittleren Alters verheiratet ist, bringt zunächst ihre leidenschaftliche Zuneigung zu Rudolf, dem jungen Vetter ihres Mannes, in Konflikt mit der gesellschaftlichen und kirchlichen Ethik. Bei einem nachmittäglichen Spaziergang finden sich Rudolf und Veronika plötzlich allein in der Abgeschiedenheit einer Mühle, die vom Rauschen des Wassers und Tosen des Mühlwerks erfüllt ist: „ . . . unter dem Schutze des betäubenden Schalles . . . flüsterte er trunkene, betörende Worte. . . . Sie legte den Kopf zurück und schloß die Augen; nur ihr Mund lächelte. . . . So stand sie wie in Scham gebannt, das Antlitz hülflos ihm entgegenhaltend, die Hände wie vergessen in den seinen." (I,210).

Doch im nächsten Augenblick wird der romantische Bann gebrochen; die Räder stehen still, und Veronika kommt zur Besinnung. Sie verläßt die Mühle und meidet Rudolf von nun an. Eine lieblose Szene in einem Bauernhaus, deren Zeuge sie wird, tut ein übriges, um Veronika in die Realität zurückkehren zu lassen. Veronika weiß nun, daß nur die Liebe den Menschen vor der Einsamkeit und der Todesangst bewahren kann; sie weiß aber auch, welches Verbrechen sie in ihrer Gedankenlosigkeit an ihrem Mann begangen hat. Wird sie ihre Ehe retten können? Zunächst bittet Veronika Gott um Verzeihung für ihre Verfehlung. Doch da es gerade Osterzeit ist, muß sie — als Katholikin — auch einem Priester beichten. Im Beichtstuhl gerät sie in einen neuen Konflikt: soll sie ihre Sünde gegen das Gebot der ehelichen Treue dem Priester anvertrauen, den sie nicht als Diener Gottes, sondern nur als Mann sehen kann? Verstößt diese Intimität, welche die Kirche erzwingt, nicht mehr gegen die Ehe als ihr eigenes Vergehen? Das „gerötete Antlitz", der „kräftige Stiernacken" des „Mannes im Priesterornate" (I,217) stößt Veronika ab; es erfaßt sie eine Scheu vor der Beichte „wie vor unkeuschem Beginnen, schlimmer als was zu bekennen sie hieher gekommen." (I,217). Sie verläßt eilig den Beichtstuhl, wohl wissend, daß sie sich damit selbst von der Kirche ausschließt. Draußen in der Natur überkommt sie angesichts des Frühlings eine neue Weltgläubigkeit. Veronika hat erkannt, daß ihr Platz an der Seite ihres Mannes ist; gegen ihn hat sie gesündigt, er ist es, der ihr verzeihen kann.

Zweimal hat sich Veronika also für die Ehe entschieden — einmal im Einklang mit der kirchlichen Lehre und einmal gegen sie. Nach der individuellen sinnlichen Anfechtung hat Veronika auch der von der Kirche geforderten geistigen Intimität mit einem andern Mann widerstanden. Damit hat sie die letzte trennende Schranke zwischen sich und ihrem Mann niedergerissen. Ihr Mann geht nämlich in keine Kirche, er gehört zu „der immer größer werdenden Gemeinde, welche in dem Auftreten des

Christentums nicht sowohl ein Wunder, als vielmehr nur ein natürliches Ergebnis aus der geistigen Entwicklung der Menschheit zu erblicken vermag." (I,215). Als Veronika ihrem Mann schließlich ihre Verfehlung und ihre Loslösung von der Kirche anvertraut, schließt er sie verzeihend in seine Arme. Die Ehe Veronikas hat damit den Grad der Vollkommenheit erreicht — beide Partner haben sich zur Ehe als der höchsten Form menschlicher Gemeinschaft bekannt. Es war Storms persönliche Überzeugung, daß sich nicht einmal die Kirche zwischen Ehepartner stellen dürfe.

Zum ersten Mal behandelte hier Storm einen Konflikt unter zwei deutlich von einander geschiedenen Aspekten an zwei selbständigen Krisensituationen. Damit gelang ihm, was er in der Novelle „Späte Rosen" versucht hatte — die Differenzierung zwischen Ethik und kirchlicher Lehre. Die Art der Darstellung — der zweite Aspekt des Konflikts wird logisch aus dem ersten entwickelt — ermöglichte es Storm auch, auf neue Weise das Geschehen der Novelle aus der Vereinzelung des individuellen Falls zu lösen und allgemeine Bezüge sichtbar zu machen. Veronikas Konflikt ist im ersten Fall individueller und privater Art — ihre Leidenschaft steht im Gegensatz zu der allgemeinen ethischen Forderung nach ehelicher Treue. Die Lösung ist konventionell — Veronika fügt sich der herrschenden Gesellschaftsmoral. Der Konflikt Veronikas zwischen traditioneller Kirchlichkeit und aufgeklärter Weltgläubigkeit jedoch ist in erster Linie grundsätzlicher und überpersönlicher Natur; er verleiht der Novelle ihre zeitbezogene, aktuelle Dimension. Wie in „Späte Rosen" ist eine für alle und immer gültige Lösung der Frage „Was ist Moral?" unmöglich. Die Lösungen der Konflikte, die Storms Lebensphilosophie spiegeln, sind zeitbedingt; beide waren als ethische Maximen gemeint. Während aber dem damaligen Leser die erste als selbstverständlich und die zweite als revolutionär erscheinen mußte, urteilt der moderne Leser vielleicht anders. In den rund hundert Jahren, die seit dem Entstehen der Novelle verflossen sind, ist nicht nur der Einfluß der Kirchen schwächer geworden (wie es Storm erhofft hatte), sondern auch die Ansichten über Ehe und Moral haben sich geändert. Jungen Leuten, die in einer Kommune leben, würde die zweite Lösung (d. h. die Trennung von der Kirche) als selbstverständlich, die erste aber als altmodisch erscheinen.

Die beiden Konfliktsituationen bestimmen die Form der Novelle. Im ersten Kapitel wird Veronikas persönlicher Konflikt (und dessen Lösung) geschildert. Im zweiten, überleitenden Kapitel werden die seelischen Folgen des Konflikts deutlich, die gleichzeitig die Motivierung für den nächsten Konflikt darstellen. Im dritten Kapitel wird dieser zweite Konflikt beschrieben und die endgültige Lösung psychologisch entwickelt. Das Schwergewicht der Novelle liegt auf dem zweiten Konflikt, wie es in der Erzählweise zum Ausdruck kommt; denn während die Erzählhaltung im ersten und zweiten Kapitel in der Hauptsache die eines unbeteiligten Beobachters ist, wechselte Storm im dritten Kapitel zur auktorialen Erzählhaltung über.

Viola tricolor (1873)

In dieser Novelle gestaltet Storm das Problem der Zweitehe, das in der Beziehung zwischen Mann und Frau einerseits, zwischen Kind und Stiefmutter andererseits zum Ausdruck kommt. Das Problem besitzt zwei Dimensionen: eine individuelle, psychologische und eine aktuelle, überpersönliche, die durch die religiösen Vorstellungen der damaligen Zeit bedingt wird. Die Lösung schließlich eröffnet eine nicht zeitgebundene, allgemeine Dimension. Rudolfs zweite Frau Ines ist sehr jung, handelt impulsiv und kompromißlos. Sie will ihren Mann nicht mit einer Toten teilen: „ . . . mit einem Schatten brichst du mir die Ehe!" (I,691). Auch das Kind Nesi will sie zu *ihrem* Kind machen: „Du weißt doch, daß ich jetzt deine Mutter bin . . ." (I,680). Doch Ines kann die Vergangenheit nicht auslöschen: „Ach, diese Tote lebte noch, und für sie beide war doch nicht Raum in einem Hause!" (I,681). So lebt Ines wie eine Fremde, wie eine „gewissenhafte Stellvertreterin" (I,682) in Rudolfs Haus. Der „Garten der Vergangenheit" (I,705) bleibt ihr durch eigene, aber auch durch Rudolfs Schuld verschlossen, und so kann sie zur Gegenwart nicht die richtige Einstellung finden. Die Gewißheit, daß Ines ein eigenes Kind haben wird, führt die Krise herbei: „War sie nicht nur von außen wie eine Fremde in dies Haus getreten, das schon ohne sie ein fertiges Leben in sich schloß? — Und eine zweite Ehe — gab es denn überhaupt eine solche? Mußte die erste, die einzige, nicht bis zum Tode beider fortdauern? — Nicht nur bis zum Tode! Auch weiter — weiter, bis in alle Ewigkeit! . . . — Ihr Kind — ein Eindringling, ein Bastard würde es im eigenen Vaterhause sein!" (I,692). Aus Eifersucht und Selbstmitleid lehnt Ines die Vergangenheit ab und malt sich eine schreckliche Zukunft aus; ihr Leben in der Gegenwart wird ihr unterträglich. Die Geburt ihres eigenen Kindes führt die Wende herbei. Ines, die in Todesgefahr schwebt, versteht nun Nesis Anhänglichkeit an ihre tote Mutter: „O Nesi, vergiß deine Mutter nicht! ... vergiß auch mich nicht! O, ich will nicht gern vergessen werden!" (I,699). Bisher hatte Ines nur in der Zukunft gelebt; angesichts des Todes aber wandelt sich ihre Einstellung zu Vergangenheit und Gegenwart. Als Ines genesen ist, hat sie gelernt, daß der Mensch die Vergangenheit nicht abschütteln kann, daß aber die Gegenwart wichtiger als Vergangenheit und Zukunft ist — sie ist die einzige Realität. Durch diese Aussage erhält die Novelle eine allgemeine, überzeitliche Dimension.

Eine aktuelle Dimension verleiht Storm seiner Novelle, indem er das Problem nicht nur psychologisch mit Ines' Eifersucht und jugendlicher Kompromißlosigkeit motiviert, sondern auch mit allgemein akzeptierten religiösen Vorstellungen. Rudolf glaubt nicht an ein Leben im Jenseits, wie es die christlichen Religionen lehren; das Begräbnis seiner ersten Frau hatte „nach ihrer beider Sinn ohne Priester und Glockenklang" (I,689) stattgefunden. Aber er trauert noch um seine Frau — „er besaß sie noch in seinem Schmerze; wenn auch ungesehen, sie lebte noch mit ihm." (I,690). Ines dagegen denkt ständig an das Leben nach dem Tode, sie sieht sich bereits beiseite geschoben und gedemütigt. Ein Kindheitserlebnis illustriert diese Einstellung: „ ... ich hatte mich ... in den kleinen Christus verliebt, ich mochte meine Puppen nicht mehr ansehen." (I,695). Im Traum war Ines dann aufgestanden und hatte sich das Christusbild — ein Geburtstagsgeschenk — geholt. Am Morgen hatte man sie mit dem zerbrochenen Bild in den Armen gefunden. Ines hängt noch immer Illusionen nach, strebt nach dem Unerreichbaren. Da sich ihr Glaube nicht mit der Realität verträgt, versucht sie, diese zu negieren. Erst das Kind von Ines schlägt die Brücke. Es bindet Ines an die Gegenwart, und es löst Rudolf von der Vergangenheit (Rudolf ist bezeichnenderweise Altertumsforscher). Über die Zukunft sagt Ines schließlich: „ ... wenn einst die Zeit dahin ist — denn einmal kommt ja doch das Ende — wenn wir alle dort sind woran du keinen Glauben hast, aber vielleicht doch eine Hoffnung, — wohin sie uns vorangegangen ist; dann ... schüttle mich nicht ab, Rudolf!" (I,704). Doch nicht nur die Zukunft teilt nun Ines mit Rudolf, sondern auch die Vergangenheit: „ ... ich muß teilhaben an deiner Vergangenheit, dein ganzes Glück mußt du mir erzählen!" (I,702).

Das Wichtigste aber bleibt die Gegenwart, wie Rudolf Ines erklärt: „Laß uns das nächste tun; das ist das beste, was ein Mensch sich selbst

und anderen lehren kann.' ‚Und das wäre?' fragte sie. ‚Leben Ines; so
schön und lange, wie wir es vermögen!' " (I,704—705). Die Lösung des
religiösen Problems ist also mit der des psychologischen Problems identisch. Man mag im Zweifel sein, ob die religiöse Motivierung von Ines' Problem wirklich den Ansichten entsprach, die 1873 generell gültig waren.
Aber noch Fontane läßt in seinem Roman *Der Stechlin*, der 1895—1898
entstand, den Major Dubslav von Stechlin seine Witwerschaft folgendermaßen begründen: „Wir glauben doch alle mehr oder weniger an eine
Auferstehung ... und wenn ich dann oben ankomme mit einer rechts
und einer links, so is das doch immer eine genierliche Sache." [3]

Renate (1877/78)

Josias, ein Student der Theologie, befindet sich in einem Konflikt
zwischen seiner Religion und Sohnespflicht einerseits und seiner Liebe zu
Renate, einem fortschrittlich denkenden Bauernmädchen, andererseits.
Schon als Junge hatte Josias Renate bewundert — damals hatte sie ihn
in einer Kirche vor einem schwarzen Hund gerettet und war ihm in
seiner kindlichen Phantasie wie ein Engel erschienen. Josias' Mutter und
Renates Vater scheinen einer Verbindung der beiden jungen Leute nicht
abgeneigt, Josias' Vater aber hat Bedenken — das künftige Seelsorgeramt
des Sohnes verträgt sich schlecht mit dem Ruf der Familie Renates. Renate
und ihr Vater sind aufgeklärter und auch reicher als die meisten andern
Bauern im Dorf, die sie deshalb beneiden und der „schwarzen Kunst"
zeihen. Ehe Josias sich dieses Konflikts selbst bewußt wird, tritt eine Verschärfung der Gegensätze ein. Ein Amtsbruder von Josias' Vater, der sich
zum Streiter gegen die vermeintlichen „Zauberer— und Hexenadvokaten"
(I,1108) berufen fühlt, schürt das Gerede der Dorfleute über Renate und
vor allem über ihren Vater, den Hofbauern. Auch von Josias ergreift der
Aberglaube, der sich den Anschein der Orthodoxie gibt, mehr und mehr
Besitz; Josias beginnt selbst, an Renate zu zweifeln. Als sein Vater im
Sterben liegt, predigt er zum ersten Mal für ihn. Alles drängt ihn, Renate zu „bekehren", doch als sie zum Abendmahl kommt, fällt ihr die
Hostie in den Staub — mit Absicht, wie Josias meint. Als sie ihm später
erklärt, es sei aus Ekel vor dem greisen Paar geschehen, das vorher
aus dem Kelch getrunken hat, glaubt er ihr nicht. Kurz darauf wird er
an seines Vaters Sterbebett gerufen und gelobt, Renate aufzugeben, denn

„das Irdische ist eitel" (I,1129). Seine Liebe bleibt jedoch bestehen. Viele Jahre später wird ihm eine plötzliche Erleuchtung zuteil, und er sieht Renate in neuem Licht — „ . . . aus meiner Jugend tritt ein Engel auf mich zu . . ." (I,1136). Renate besucht ihn von da an heimlich zur Stunde des Gottesdiensts, an dem er einer Krankheit wegen nicht mehr teilnehmen kann. Noch immer ist Renate bei den Leuten als Hexe verschrien, doch Josias — und mit ihm der Leser — „wissen besser, wer sie war" (I,1138).

Indem Storm hier dem Leser einen „authentischen" Bericht aus der Zeit des Barock und einen ergänzenden Brief aus der Zeit der Aufklärung vorlegt, ermöglicht er einen Wechsel der Perspektive und eine Beleuchtung des Problems aus zwei verschiedenen Epochen. Dadurch gelingt es ihm, einem persönlichen Problem eine zeitbezogene Dimension zu geben. Die Hauptfigur Josias sieht sich aufgrund des damaligen orthodoxen Christenglaubens vor das Problem der Entscheidung zwischen Seelenheil und irdischer Liebe gestellt, wobei dies damals notwendigerweise eine Entscheidung zwischen Gott und dem Teufel bedeutete. Alles, was dem traditionellen Glauben zuwiderlief, galt als Machwerk des Teufels. Josias kann unter dem Druck der religiösen Verhältnisse seiner Zeit nicht als Individuum handeln und wählt den orthodoxen Weg.

Ein zweiter Erzähler, Josias' Neffe Andreas, berichtet viele Jahre später rückblickend von der Lösung des Konflikts — der plötzlichen Erleuchtung von Josias —, die den Wandel der Zeit illustriert. Andreas, der schon ganz im Zeichen der Aufklärung aufgewachsen war, ist glücklich, daß für seinen Onkel endlich auch die neue Ära angebrochen ist, die es ihm ermöglicht, sich mit Renate zu versöhnen. Im Licht der neuen Erkenntnis wirkt Renates Verhalten nicht teuflisch, sondern fortschrittlich, Josias' Verhalten dagegen als irregeführt und verblendet. Josias' Glaube ans Jenseits und seine irdische Liebe sind nun keine Gegensätze mehr, aber für eine Erfüllung seiner Liebe ist es zu spät.

Eine dritte Perspektive, die des Ich-Erzählers in der Erzählgegenwart der Rahmenerzählung, gibt der Novelle eine allgemeine, überzeitliche Dimension. Der wichtigste Hinweis ist wohl, daß es „bis zu der neuesten, alle Traditionen aufhebenden Zeit" (I,1078) noch Menschen wie „Mutter Pottsacksch" gibt, die offensichtlich an die Existenz von Hexen glauben. Auch ist im Jahre 1878, dem Erscheinungsjahr der Novelle, die Macht der Kirche wieder erstarkt, und Bismarcks Kulturkampf hat einen erneuten religiösen Fanatismus hervorgerufen. Josias' Problem ist also noch aktuell, aber es stellt sich aus der Sicht des späten 19. Jahrhunderts anders und allgemeiner: Inwieweit darf sich ein Individuum überhaupt von religiösen Dogmen leiten lassen, da die Geschichte zeigt, wie wenig diese auf sachlicher Erkenntnis beruhen? Die Novelle gibt darauf keine Antwort; sie will dem zeitgenössischen Leser nur eine historische Entwicklung aufzeigen, die ihm bei der Suche nach der Antwort behilflich sein kann. Für sich selbst hatte Storm diese Frage längst zugunsten eines humanistischen Diesseitsglaubens entschieden.

Der Konflikt und seine Lösung bestimmen die Form der Novelle: Das persönliche Problem Josias' im Geist des Barock bildet den Kern der Erzählung. Daran schließt sich lösend und klärend der Brief des Neffen Andreas an, der ganz im Zeichen der neuen aufgeklärten Zeit steht. Daß anschließend die Rahmenerzählung nicht noch einmal aufgegriffen wird — daß es sich also um einen „offenen" Rahmen handelt —, wirkt wie eine Aufforderung zur Stellungnahme an den zeitgenössischen Leser.

Ein Fest auf Haderslevhuus (1885)

Eine Sage aus dem Neckartal mit dem Titel „Zur Hochzeitsfeyer" regte Storm zu dieser Novelle an; an Paul Heyse schrieb er darüber am 28. April 1885: „Ich habe die Geschichte nun frech nach dem Herzogtum Schleswig verlegt; und nach zwei Schlössern, die derzeit da waren; wie ich in ‚Grieshuus' den Stoff aus Italien hierher verpflanzte." Die Novelle spielt im 14. Jahrhundert.

Ritter Rolf, der „Leichtlebende" (II,502), ist mit Wulfhild verheiratet, einer schönen, stattlichen und herrischen Frau. Die sinnliche Begierde, die einst die beiden zueinander getrieben hat, weicht bei Rolf allerdings bald einem Gefühl der Beklommenheit: „Du wirst gefährlich, Wulfhild; du willst alles, mich und meine Leute!" (II,478). Immer deutlicher tritt die Herrschsucht der Frau zu Tage — „nur in den Stunden der Minne war Frau Wulfhild ihrem Manne untertan; zu anderer Zeit war ihr eigener Wille schwer zu beugen." (II,487). Rolf beginnt wieder, an andere Frauen zu denken.

Zufällig begegnet Rolf Dagmar, die in allem das genaue Gegenteil von Wulfhild ist. Wulfhild war schon eine voll erblühte Frau (eine Witwe), als Rolf sie heiratete; Dagmar ist fast noch ein Kind, von zarter Gestalt und unschuldigem Wesen. Man sagt, „ihr Körper sei gewesen, als habe ihre anima candida ihn selber sich geschaffen" (II,487). Dagmar liebt Rolf mit einer demütigen Hingabe, die aus einer reinen Seele kommt, während die herrische Wulfhild eine Mörderin ist — sie hat ihren ersten Mann vergiftet. Krass stellt Storm der „niederen Minne" Wulfhilds die „hohe Minne" Dagmars gegenüber. Rolf entscheidet sich für Dagmar; damit gerät er aber in Konflikt mit der Sitte (Wulfhilds Verbrechen ist unentdeckt geblieben). Storm zeigt an dem Einzelfall Rolfs ein über-zeitliches, allgemein menschliches Problem auf — den Konflikt zwischen persönlichem Wollen und überpersönlichem Gesetz, zwischen Individuum und Gesellschaftsordnung. Darin liegt die allgemeine Dimension der Novelle. Gleichzeitig ist dieser Konflikt repräsentativ für die Zeit des Übergangs von der hohen zur niederen Minne — für die Zeit des Ritter-tums.

Es wäre verfehlt, wollte man annehmen, Storm habe in dieser Erzählung eine Lanze für die individuelle Freiheit brechen wollen. Fritz Böttger irrt, wenn er schreibt: „Das Recht aber, für das sich der Dichter einsetzt, ist dasselbe geblieben, das Recht der allgewaltigen Liebe gegenüber allen gesellschaftlichen Konventionen, Vorurteilen und Intrigen." [4] Storm zeigt hier — wie in „Eekenhof" — die Tragik einer Liebe, welche die Sitte nicht gestattet, nicht gestatten darf. Der Dichter war von der Heiligkeit der Ehe überzeugt; an Paul Heyse schrieb er am 21. November 1875:

Welche Form, ist mir einerlei; ich verlange nur irgend eine, vom Staate anerkannte. Denn so lange wir nicht auch den Staat beseitigen wollen, dessen Fundament die Ehe ist, weil sie die Familie entstehen läßt, so lange genügt zur Schließung der Ehe nicht ein Be- und Anerkenntniß [sic] vor einem Freundeskreise, sondern es muß, und selbstverständlich in bestimmter Form, vor dem Allgemeinen, sei es die Kirche oder nach der Wandlung der Zeit der Staat, resp. vor deren Vertreter abge-legt werden. Auch darf dieß [sic] Verhältnis, das der Träger des Staa-tes ist, nicht nach Laune und Willkühr [sic] des Einzelnen aufgehoben werden können, sondern nur unter Bedingungen, die der Allgemein-wille (das Recht) als ausreichend anerkannt hat.

So lange Wulfhild also nicht als Giftmischerin entlarvt worden ist, hat sie das Recht auf ihrer Seite; Rolf und Dagmar gehen mittelbar daran zu-grunde. Als Dagmar erfährt, daß der von ihr geliebte Mann verheiratet ist und sie ihn niemals wiedersehen darf, erliegt sie ihrem Schmerz. Der rachedürstende Vater lädt darauf Rolf zu ihrer „Hochzeitsfeier"; Rolf stürzt sich mit der Toten auf seinen Armen von den Zinnen der Burg.

Mit dieser Lösung wird einerseits der allgemeinen sittlichen Ordnung Genüge getan, andererseits ist die Vereinigung der Liebenden im Tod auch der einzig mögliche Abschluß ihrer „hohen Minne" — der gemeinsame Tod ist die Hochzeitsfeier. Dagmars Liebe ist so unirdisch und schwärmerisch, ihre geistige Hingabe an den Geliebten so absolut, daß eine Realisierung ihrer Liebe auf Erden als unmöglich erscheint. Rolf kann sich einer solchen Liebe nur würdig zeigen, indem er Dagmar in den Tod folgt. Nirgends hat Storm die enge Verbundenheit von Liebe und Tod eindringlicher gestaltet als in dieser Novelle. Er folgt ganz der Gesellschaftsmetaphysik Gottfrieds von Straßburg, dessen Tristanroman er in der Novelle zitiert. Storm beschreibt — wie Gottfried — eine Zeit, in der man Abschied von Idealen nahm, in der sich das Bild von der Minne wandelte. Hugo Kuhn sagt in seiner Abhandlung „Die Klassik des Rittertums in der Stauferzeit 1170—1230" über Gottfried von Straßburg:

> Was Gottfried vor allem bei ihm [Thomas von Britannien] suchte und fand, war das Bild der Minne: Leben der Liebe als Liebestod (sieh z. B. Thomas 2497 ff.). Das ließ Gottfried in der Geschichte von Tristan und Isold das rechte Evangelium seiner eigenen, *neuen* Gesellschaftsmetaphysik ergreifen. Auch diese höfische Gesellschaftsmetaphysik ist nicht mehr optimistisch-allgemein. Auch sie ist resigniert, und noch mehr: sie ist exklusiv wie bei Walther, und zwar weit skeptischer noch als dort. „Alle Welt", die höfische Gesellschaft im allgemeinen, sucht nur Freude ohne Leid (45 ff.). Das richtet sich nicht etwa gegen Hartmanns „Freude", die ja stets in der Krise, im Leid erst bewährt war ..., sondern noch immer und doch neu gegen das eitle Streben nach Besitz und Genuß. [5]

Aus diesen Sätzen wird deutlich, daß Storms Novelle auch zeitbezogen ist. Bei Gottfried fand Storm seine eigene Verzweiflung über die gesellschaftliche Realität bestätigt. „Die Resignation an der Lebbarkeit des höfischen Ideals fand bei Wolfram Gestalt in Sigunes *magtuomlicher minne*, im Opfer der irdischen Liebeserfüllung, — für Gottfried gestaltet sie sich gerade in der skrupellosesten irdischen Liebeserfüllung, im Ehebruch." [6] Storm verschmolz in „Ein Fest auf Haderslevhuus" diese beiden Formen der Resignation: Rolf begeht Ehebruch und erfährt doch keine Liebeserfüllung. Auch indem man gegen die Sitte verstößt, kann man das

Ideal der Liebe nicht verwirklichen. „Leben im Tod, Tod im höchsten Leben der Liebeseinheit" ist der „zwiespältige Grundakkord"[7] bei Gottfried wie bei Storm.

Dem privaten Dreieckverhältnis in „Ein Fest auf Haderslevhuus" entspricht ein politisches, denn so wie in „Eekenhof" die Protagonisten
soziale Schichten repräsentieren, sind hier die Hauptpersonen Vertreter
politischer Interessen. Wulfhild ist eine Schauenburgerin aus Holstein;
ihre Sippe kämpft gegen den Dänenkönig Atterdag. Dagmar dagegen ist
die Tochter eines schleswigschen Ritters, der dem Dänenkönig treu ergeben ist. Rolf Lembeck, ebenfalls ein Holste, steht zwischen den Parteien.
Sein Vater war einst aus dem „grimmigsten Feinde" (II,468) des Dänen-
königs sein „dienstbeflissener Kanzler" (II,468) geworden, hatte sich aber
später wiederum von ihm losgesagt und sich zu den Grafen von Holstein,
den Schauenburgern, und zum Herzog Waldemar von Schleswig gestellt.
Claus Lembeck kennt keine politische, Rolf keine eheliche Treue; beide haben „etwas von der Fledermaus; beim Wolfe heut und morgen bei den
Falken" (II,508). Da aber Storm die politische Situation nicht in den Konflikt der Geschichte einbezog, bleibt das politische Geschehen Kulisse.

Sprache und Art der Darstellung erreichen in dieser Novelle nicht das
sonstige Niveau Storms. Heyse kritisierte vor allem die zu häufige Ver-
wendung des Wortes „süß", die Flucht mit „der schon drei Tage alten
Leiche" durch die Burg und den Sprung in die Tiefe.[8] Storm selbst be-
zeichnete den Schluß als ein „Wagstück".[9]

III. KRITIK DER WIRTSCHAFTLICHEN ENTWICKLUNG

Storm hat verschiedentlich versucht, die persönlichen Krisen und Konflikte seiner Helden auf allgemeine wirtschaftliche Entwicklungen in Deutschland zurückzuführen und ihnen so eine zeitbezogene Dimension zu verleihen. Das heißt aber nicht, daß die Betroffenen völlig Opfer ihres Milieus wurden—Storm motivierte die Konflikte stets auch durch besondere Handlungen und Eigenschaften der einzelnen Protagonisten. Es gibt hierfür zwei Gründe: Zum einen entsprach das Nebeneinander von Umwelteinfluß und persönlicher Eigenart seiner Auffassung vom Menschen. Das Individuum war für Storm zwar nicht absoluter Herr der äußeren Umstände, aber es besaß moralische Entscheidungsfreiheit. Zum anderen war Storms Kenntnis der wirtschaftlichen Entwicklung in seiner Zeit nicht sehr groß. Storm reiste wenig; seine Bekannten waren Künstler, Beamte, Bürger der Kleinstädte Husum und Heiligenstadt, einige Adlige und Bauern. Industrielle und Unternehmer gehörten nicht zu seinem Freudeskreis. Während seines Aufenthaltes in Berlin, wo die Industrialisierung der Wirtschaft besonders deutlich in Erscheinung trat, verkehrte er fast ausschließlich mit Mitgliedern literarischer Zirkel — des „Tunnel" und des „Rütli". Überdies ließ ihm seine prekäre finanzielle Lage nicht viel Bewegungsfreiheit.

Vier Faktoren der wirtschaftlichen Entwicklung im 19. Jahrhundert spielen eine Rolle in Storms Novellen: Die Folgen der Kontinentalsperre, die zunehmende Technisierung des Lebens im allgemeinen, die Konsequenzen der Industrialisierung für die selbständigen Handwerker und das Spekulantentum, das durch die Schnelligkeit des wirtschaftlichen Umschwungs gefördert wurde. In der Novelle „Angelika" motivierte Storm den Konflikt des Helden zum ersten Mal mit einer wirtschaftlichen Notlage, die für einen bestimmten Stand typisch sein sollte. Es wird jedoch nicht klar, welchen Stand Storm meinte, die „äußeren Verhältnisse" (I,123) bleiben im Dunkeln. Am Ende schreibt der Leser das Mißgeschick des Helden allein dessen persönlichem Versagen zu. Die Folgen der Kontinentalsperre werden (neben anderen, wichtigeren Faktoren) für das Schicksal Anne-Lenes in „Auf dem Staatshof" bestimmend. Das ständige Sinken der Landpreise läßt die Heldin, die letzte Überlebende einer adligen Großgrundbesitzersfamilie, völlig verarmen. Der Wandel in der Wirtschaftsstruktur des Landes wird am Ende der Novelle deutlich. Der

Sohn eines reichen Brauers kauft den Staatshof und bringt ihn wieder in die Höhe — der wieder aufgenommene Viehexport nach England gibt ihm die Möglichkeit dazu. Die Novelle illustriert, daß sich ein starkes Mittelbauerntum gegen die Großgrundbesitzer durchzusetzen begann.

Werden in „Auf dem Staatshof" die Änderungen in der Sozial- und Wirtschaftsstruktur als Wirken einer mystischen Gerechtigkeit gedeutet, so erscheint in der Novelle „In St. Jürgen" der finanzielle Ruin einer der Nebenfiguren als ungerechtes Schicksal: „ . . . es war anno sieben, zur Zeit der Kontinentalsperre; damals florierten die Spitzbuben und die ehrlichen Leute gingen zugrunde." (I,497). Die wirtschaftliche Notlage wird zwar das erste Glied einer langen Kette von Ursachen und Wirkungen, aber da letztlich doch die Charaktereigenschaften der Helden für das Problem der Novelle den Ausschlag geben, bleibt der Hinweis auf die Kontinentalsperre nur eine Ausschmückung des Hintergrunds. In „Späte Rosen" sind die zunehmende Technisierung der Wirtschaft und die damit verbundene Intensivierung des Berufslebens Faktoren, die das Glück des Helden für viele Jahre unmöglich machen. Mehr als in anderen Novellen stellt Storm hier die Arbeit als moralische Pflicht hin; privates Glück ist im besten Fall eine Belohnung, nicht aber Ziel der Arbeit.

Die Folgen der fortschreitenden Industrialisierung, die Storm in „Späte Rosen" nur angedeutet hatte, zeigte er in den Novellen „Pole Poppenspäler" und „Bötjer Basch" am Beispiel kleiner Handwerksbetriebe. Neue Fabriken werden eingerichtet, die rationeller als die kleinen selbständigen Familienbetriebe produzieren können. Pole Poppenspäler ist fleißig und tüchtig — ihm wird die Arbeit an den Maschinen der neuen Kattunfabrik übertragen. Andre aber, die weniger sorgsam arbeiten und einen liederlichen Lebenswandel führen, werden zu jenen „ewig wandernden Handwerksgesellen", die, „verlumpt und verkommen", (I,788) ihren Lebensunterhalt erbetteln. In „Bötjer Basch" wird das Problem der Industrialisierung nicht so einfach gelöst. Dem Böttchermeister Daniel Basch fehlt es weder an Fleiß noch an Geschick; dennoch droht ihm die Verarmung. Storm erkannte immer deutlicher, wie wenig der Einzelne gegen Zeitströmungen und soziale Entwicklungen auszurichten vermag. Wenn er sich nicht anpassen kann, ist der Mensch zum Scheitern verurteilt. Intuitiv sah Storm hier die Probleme der Wirtschaft und Gesellschaft des 20. Jahrhunderts voraus.

Spekulanten prangerte Storm in den Novellen „Carsten Curator" und „Zur ‚Wald- und Wasserfreude' " an. Storm scheint Menschen dieses

Schlages als eine Sonderform der Schwindler betrachtet zu haben — als Arbeitsunwillige, die durch Übervorteilung ihrer Mitmenschen rasch zu Geld kommen oder, wie Spieler, unverdiente Gewinne einstreichen wollen. Der Vater des Mädchens, das Carsten Curator heiratet, ist ein Spekulant, der sich schließlich das Leben nimmt. Der Sohn Carstens hat die Arbeitsscheu seines Großvaters und seiner Mutter sowie deren Neigung zur Leichtlebigkeit und Skrupellosigkeit geerbt. Doch nicht nur die Charakteranlage läßt den Menschen zum Spekulanten werden; politische Ausnahmesituationen stellen den eigentlichen Nährboden für eine solche Entwicklung dar. Für Carstens Schwiegervater ist die Zeit der Kontinentalsperre eine solche Ausnahmesituation, „wo die kleine Hafenstadt sich mit dänischen Offizieren und französischem Seevolk und andererseits mit mancher Art fremder Spekulanten gefüllt hatte" (I,1017). Carstens Sohn wird der Konjunkturaufschwung nach Aufhebung der Blockade zum Verhängnis. Die hohen Gewinnspannen im Exporthandel mit England verlocken zu gewagten Unternehmen. Auch in der Novelle „Zur ‚Wald- und Wasserfreude' " wird eine für Spekulanten günstige Zeit geschildert — die Gründerjahre. Der Held der Geschichte trägt — wie Carstens Sohn — negative Züge, die aber durch die Komik der Darstellung gemildert werden. Er versucht ebenfalls, rasche Gewinne auf Kosten seiner dummen Mitmenschen zu erzielen, scheitert aber ebenso wie Carstens Sohn. — Storm war offenbar der Ansicht, daß alle Spekulanten früher oder später das Unglück ereile und daß bürgerliche Ordnung und Tradition am Ende stets siegen würden. Er erkannte nicht, daß diese Leute Vorboten eines neuen, hektischeren Wirtschaftssystems waren. Von den Gründerjahren an nahm der Trend zu größerem Risiko und zur Machtkonzentrierung in der Wirtschaft rapide zu; noch heute ist der millionenschwere „Selfmademan" ein Ideal der westlichen Welt. Die eigentlichen Nachfahren der Spekulanten, wie Storm sie schilderte, wären etwa die Schieber und Kriegsgewinnler des 20. Jahrhunderts, die skrupellos aus dem Elend der Völker ihren Nutzen ziehen.

Zusammenfassend kann man sagen, daß wirtschaftliche Faktoren für die Konflikte in Storms Novellen eine sekundäre Rolle spielen. Nur in der „Wald- und Wasserfreude" und — in geringerem Maß — in „Bötjer Basch" gelang es Storm, den Konflikten eine auf das Wirtschaftsleben der Zeit bezogene, allgemeine Dimension zu geben. Eigentliche Wirtschaftsprobleme behandelte Storm nicht. In seinen letzten Schaffensjahren aber begann er das Wirtschaftssystem im Zusammenhang mit dem Gesellschaftssystem zu sehen. Beiden ist das Individuum hilflos ausgeliefert. In „Bötjer Basch" schilderte Storm zum ersten Mal die *un*verschuldete Verarmung eines alternden Mannes. Lebenslange Mühe und Arbeit haben ihm keinen ruhigen Lebensabend gesichert. Schärfer als in dieser Novelle, die Storm mit einem optimistischen Schluß versah, wird die Grausamkeit der materialistischen Gesellschaft in „Ein Doppelgänger" und im „Schimmelreiter" herausgestellt. Das Wirtschaftssystem kümmert sich um die Existenzmöglichkeiten des Einzelnen ebenso wenig wie die Gesellschaft um die Wünsche des Individuums. Versucht der Einzelne aber, sich zur Wehr zu setzen und sich sein Recht auf Leben und Selbstverwirklichung zu ertrotzen, dann rächt sich die Gesellschaft mit unmenschlicher Härte. Sie zwingt das Individuum, schuldig zu werden und bestraft es dann dafür.

Angelika (1855)

Ehrhard, arm und in schlecht bezahlter Stellung, hat keine Hoffnung auf die Zukunft. Er ist nicht mehr ganz jung; aber noch immer kann er nicht daran denken, die von ihm heimlich geliebte Angelika zu seiner Frau zu machen, da er sie „vor der geistigen und körperlichen Verkümmerung" bewahren möchte, „welche ... das gewöhnliche Los der Frauen seines Standes war" (I,112). So ist er entschlossen, alle Gedanken an eine gemeinsame Zukunft aufzugeben. Doch aller guten Vorsätze zum Trotz werden Ehrhard und Angelika eines Abends von ihren Gefühlen überwältigt, und sie gestehen sich gegenseitig ihre Liebe. Im ersten Augenblick des Glücks glaubt Ehrhard, Angelika werde ihm nun für immer angehören. Aber gleich darauf kehren seine Gedanken wieder in die herbe, unüberwindliche Realität zurück.

Angelika ist anders geartet. Sie ist jung, sie liebt das Leben und erwartet viel von der Zukunft. Als Ehrhard ihr seine wirtschaftliche Lage schildert und ihr jede Hoffnung auf eine Ehe mit ihm nehmen will, erwidert sie: „Es ist nun einmal so — wir müssen doch auch hoffen." (I,114). Der individuelle Konflikt zwischen beiden beruht auf der Verschiedenheit ihrer Persönlichkeit — ihres Alters und ihrer Einstellung zum Leben. Ehrhard stellt sich seine Zukunft wie seine Vergangenheit vor; seine Erfahrungen haben ihn in eine passive Resignation versinken lassen. Angelika ist zu jung und optimistisch, um jeder Hoffnung zu entsagen. Wird es den beiden gelingen, zusammen die Gegenwart zu meistern und ihre Liebe zu verwirklichen? Angelika liebt Ehrhard leidenschaftlich, doch Ehrhards resignierte Haltung bleibt nicht ohne Wirkung auf sie. Allmählich verliert sich bei ihr das Gefühl, „daß Liebe nichts wollen dürfe, als nur dem Geliebten angehören, daß in ihm das kleinste Regen der Neigung Anfang und Ende haben müsse." (I,127). Sie beginnt selbstsüchtig zu handeln und ganz dem Augenblick zu leben. Auch sie fügt sich nun — wie Ehrhard — dem „Drängen der Verhältnisse" (I,123); gern erfüllt sie den Wunsch der Mutter, eine Tanzveranstaltung zu besuchen, an der Ehrhard nicht teilnehmen kann.

Ehrhard leidet unter Angelikas Verhalten, aber noch immer bleibt er passiv — auch er lebt dem Augenblick. Erst als er deutlich sieht, daß Angelika ihm entgleitet, denkt er ernstlich an die Zukunft, so wie Angelika es am Anfang gewollt hatte. Doch es ist schon zu spät, die Entwicklung ist nicht mehr aufzuhalten. Zwar gelingt es Ehrhard endlich, in der Fremde seine finanzielle Situation zu verbessern, doch als er zurückkehrt, um Angelika zu seiner Frau zu machen, erfährt er, daß sie bereits verlobt ist. Er reist wieder ab. Der Tod ihres Bräutigams kann nichts mehr ändern — für Ehrhard führt kein Weg mehr zu Angelika, welche nicht mehr dieselbe ist, die er einst geliebt hat.

Beide, Angelika wie Ehrhard, versuchen, sich dem Partner und der Situation anzupassen. Doch dieser Versuch führt zu einem Rollentausch: Angelika begräbt ihre Hoffnung auf eine gemeinsame Zukunft, während Ehrhard schließlich beginnt, Pläne zu machen. Der Gegensatz zwischen beiden bleibt daher bestehen, und eine Lösung wird unmöglich. Wie in „Immensee" stellt Storm den Konflikt zwischen den beiden Hauptfiguren an den Anfang — es ist ein statischer Konflikt, der sich nicht aus der Handlung ergibt, sondern die Voraussetzung für das Folgende bildet. Den eigentlichen Inhalt der Novelle stellt der Versuch Angelikas und Ehrhards dar, ihre Liebe trotz der Gegensätzlichkeit ihrer Charaktere zu bewahren. Die Form der Novelle ist schlichter als die von „Immensee". Eine Rahmenerzählung fehlt; die verschiedenen Stadien der Entfremdung der Hauptfiguren werden in einzelnen Bildern in chronologischer Reihenfolge dargestellt. Im ersten Teil scheint eine Lösung des Problems noch möglich, im zweiten ist die Trennung gewiß.

Storms Freund Kugler kritisierte in seinem Brief vom 23. 12. 1855: „Sie laufen Gefahr, sich in das Subjektive zu verlieren . . . es scheint mir ein dringendes Erfordernis, daß Sie selbst Ihrem Subjektivismus eine recht herzhafte Objektivität entgegenstellen. . .".[1] Fritz Böttger widerspricht dieser Ansicht: „Es gehört zur Schwäche Kuglers, daß er eine sich häufig wiederholende soziale Erscheinung für eine Ausnahme und eine reine Subjektivität hielt. ... Das Problem der zaghaft ausgestreckten Hand in der Liebe erhielt eine soziologische Begründung, die es zur typischen Erscheinung einer bestimmten gesellschaftlichen Schicht in einer bestimmten historischen Epoche stempelte." [2] Besitzt die Novelle also eine zeitkritische Dimension? Böttger übersieht, daß Storm Ehrhards wirtschaftliche Lage deutlich mit dessen Charakter — also subjektiv — motiviert: „Aber er war von jenen Menschen, deren Wesen auf die nächsten Dinge zwar mit Sorgfalt und Ausdauer gerichtet, denen aber der Glaube an die Erreichung eines Außerordentlichen versagt ist, weil ihre Phantasie ihnen die vielfachen Möglichkeiten nicht vorzuhalten vermag, durch deren Verwirklichung sie allein dazu gelangen könnten." (I,113). Überdies läßt Storm den Leser über die Laufbahn Ehrhards, „die Ungunst seiner vergangenen Jahre" (I,113) und die Art seiner beruflichen Anstrengungen völlig im Dunkel. Hatte Storm in „Immensee" einen allgemeinen Konflikt an Figuren aufgezeigt, die keine Individualität besitzen, so schildert er hier einen individuellen Konflikt, dem der aktuelle und überzeitliche Bezug fehlt. Der Grund liegt wohl darin, daß die wirtschaftliche Lage als Motivierung von Ehrhards Resignation und Passivität nur ein Ersatz war: Storm gestaltet in dieser Novelle seine Beziehung zu Dorothea Jensen. [3] Aber eine Ehebruchsgeschichte konnte oder wollte Storm seinen Lesern nicht zumuten. Storm erkannte die Schwäche seiner Novelle selbst; doch „wegen der scharfen psychologischen Analyse" [4] behält die Novelle „Angelika" ihren Wert; sie bedeutet einen neuen Beginn in Storms Schaffen.

In St. Jürgen (1867)

Diese Novelle basiert auf zwei Konflikten: einem allgemeinen Gewissenskonflikt zwischen Pflicht und Neigung einerseits und einem persönlichen Konflikt zwischen zwei verschiedenen Charakteren andererseits. Agnes Hansen hat ihrem Jugendgespielen und Mündel ihres Vaters, Harre Jensen, versprochen, seine Frau zu werden. Kurz nach dem Heiratsversprechen stellt sich heraus, daß Agnes' Vater — durch die Zeitumstände verarmt — sich an dem ihm anvertrauten Erbe Harres vergriffen hat. Agnes steht bedingungslos zu ihrem Vater. Hatte sie erst erklärt: „ ... die Sorgen meines Vaters drückten auch mich" (I,498), so erscheint ihr nun Vater Hansens schwerste Stunde als die „trostvollste" ihres

Lebens, denn „zum ersten Mal konnte ich meinem Vater die Liebe seines Kindes geben" (I,505). Die Liebe und die Verpflichtung dem Vater gegenüber sind stärker als die Zuneigung zu Harre, der in die Fremde ziehen muß, um neues Kapital für seine Zukunft mit Agnes zu erwerben: als Harre sie zu einem letzten Treffen bittet, wartet er vergebens. Bei einer allerletzten, *zufälligen* Begegnung erklärt sie ihm: „Ich konnte nicht, Harre; mein Vater wollte mich nicht von sich lassen." (I,517—518).

In der Fremde gerät Harre in den gleichen Gewissens- und Gefühlskonflikt wie Agnes. Er hat sich bei einem Klavierbauer, dessen Familie ihn bald als Freund betrachtet , als Geselle verdingt; besonders die Kinder hängen „mit großer Liebe" (I,520) an ihm. Als der Meister im Sterben liegt, verspricht ihm Harre, so lange „bei den Seinen auszuhalten, bis das Gespenst [der Armut] ... sie nicht mehr würde erreichen können." (I,521). Damit bricht Harre das Agnes gegebene Versprechen, und sie wartet ein Lebenlang umsonst auf ihn — auch er entscheidet sich in der Krise gegen den Partner. Ist es zunächst vor allem die Pflicht, die ihn zurückhält, so ist es später die Liebe — sein „Herz hing an den Kindern" (I,523).

Agnes und Harre besitzen offensichtlich verwandte Charaktere, die sie in ähnliche Konflikte geraten und zu gleichen Entscheidungen gelangen lassen. Beide sind keiner leidenschaftlichen Liebe fähig und passen sich nur zu bereitwillig den bestehenden Verhältnissen an. So können für beide wirtschaftliche Notlagen und die sich daraus ergebenden Verpflichtungen zum Schicksal werden. Beide lieben den Vater bzw. die Kinder mehr als den Partner, und so entscheiden sich auch beide dafür, den von ihnen Abhängigen zu helfen, auch wenn sie damit ein dem Partner gegebenes Versprechen brechen. Storm geht so weit, daß er sogar die wirtschaftliche Not, in der sich Agnes' Vater und Harres Meister befinden, analog motiviert: Die Wirtschaftslage, gepaart mit persönlicher Schuld — Vater Hansen zeigt abergläubische Torheit, Harres Meister mangelnde Umsicht — führt die Krisensituation herbei. Da die persönliche Schuld mehr ins Gewicht fällt als die allgemeine wirtschaftliche Entwicklung der damaligen Zeit, besitzt die Novelle keine zeitbezogene Dimension. Auch eine allgemeingültige Dimension fehlt. Die Ähnlichkeit der Charaktere, der Krisensituationen und der Entscheidungen bewirkt, daß der Konflikt zwischen den Hauptfiguren neutralisiert wird — zwischen Agnes und Harre besteht kein echtes Spannungsverhältnis. Indem Storm den Vater von Agnes sterben und die Zwangslage der Familie von Harres

Meister enden läßt, hebt er schließlich die bisherigen Gründe für die Trennung des Paares auf.

Nun stellt sich die Frage: Warum kehrt Harre so spät zurück? Storm läßt Harre folgende Erklärung geben: „Der Abgrund zwischen mir und meiner Jugend wurde immer tiefer; zuletzt lag alles wie unerreichbar hinter mir, wie Träume, an die ich nicht mehr denken dürfe. — Ich war schon über die Vierzig hinaus, da schloß ich auf den Wunsch der schon herangewachsenen Kinder das Ehebündnis mit der Frau, deren einzige Stütze ich so lange gewesen war." (I,523). Storm läßt also in Harres Charakter einen Zug gutmütiger Schwäche hervortreten und belastet Harre der wartenden Agnes gegenüber mit einer objektiven Schuld. Damit schafft er doch noch einen Konflikt zwischen den beiden Hauptfiguren, der aber ganz auf die individuelle Dimension der Novelle beschränkt ist. Harre und Agnes werden nicht zu tragischen Figuren; ihre schon in der Jugend zurückgesetzte Neigung, die in der ganzen Geschichte nie als Liebe bezeichnet wird, überzeugt im Alter noch weniger als früher. Storm erkannte den wunden Punkt der Novelle; am 5. März 1868 schrieb er an Klaus Groth: „ . . . jetzt, wo es alle Leute mir ins Ohr schreien . . . sehe ich's freilich wohl, daß ich den Harre lieber mit einer Schuld der Leidenschaft, als mit einer gutmütigen Schwäche hätte belasten sollen." [5] Es war wohl so: Storms erste Frau war vor kurzem gestorben; er fühlte, es sei jetzt nicht der Moment, eine leidenschaftliche Liebe ins Zentrum einer Novelle zu stellen — deshalb die unüberzeugende Motivierung.

Die Form der Novelle gestaltete Storm folgendermaßen: Ein Ich-Erzähler erinnert sich, daß ihm vor Jahrzehnten seine mütterliche Freundin Agnes Hansen ihre Lebensgeschichte erzählt hatte. Daran schließt sich eine zweite Erinnerung des Ich-Erzählers an eine Reise in die Heimatstadt, während der er Harre Jensen kennengelernt hatte, der ebenfalls in seine Heimat, zu Agnes, gereist war. Während der Fahrt hatte auch Harre dem Erzähler seine Lebensgeschichte mitgeteilt. Eine Szene, in der sich Harre und der Ich-Erzähler am Bett der eben verstorbenen Agnes gegenüberstehen, beschließt die Erinnerungen des Erzählers.

In Harres wie in Agnes' Bericht wird Vater Hansens Geschick — der ursprüngliche Anlaß zur Trennung — erwähnt: von Agnes ausführlich, da sich ihr Konflikt daraus ergibt; von Harre kurz, da es nur eine Vorbereitung zu seiner Konfliktsituation in der Fremde darstellt. Die Analogie der Konfliktsituationen wird formal dadurch hervorgehoben, daß das Geschehen in *zwei* Lebensbeichten dargestellt wird, die fast dieselbe Zeitspanne behandeln. Die zweifache Perspektive verschiebt zwar die Akzente, aber sie bringt in der Hauptsache eine Ergänzung, nicht eine Veränderung des Bildes. C. A. Bernd bezeichnet „In St. Jürgen" als „perhaps the most artistic achievement among the author's early prose creations" [6] und betont besonders die kunstvolle Konstruktion der Erinnerungssituationen und die immer wiederkehrenden Hinweise auf die unaufhaltsam entfliehende Zeit. Gewiß, die Novelle ist kompliziert aufgebaut, der Stimmungsgehalt ist groß, und es wimmelt von Symbolen. Doch das tragende Gerüst der Erzählung, die Konstruktion der Konflikte, befriedigt nicht. Stuckert spricht daher mit Recht von einer „Überbelastung der Gefühlsseite" und „freischwebender Sentimentalität" [7]; Goldammer nennt die Novelle „sentimental" [8].

Zur „Wald- und Wasserfreude" (1878)

Diese Novelle Stoms besitzt eine individuelle, eine zeitkritische und eine allgemeingültige Dimension. Um dies zu erreichen, legte Storm zwei Konflikte zugrunde: den persönlichen Konflikt des Mädchens Kätti mit der Gesellschaft (der auch für einen bestimmten Menschentyp repräsentativ ist) und den zeitgebundenen, wirtschaftlich-sozialen Konflikt des Herrn Hermann Tobias Zippel, der einen neuen Unternehmertyp (im Gegensatz zu der alten, traditionsgebundenen Gesellschaft) verkörpert. Diese Konflikte sind nur lose miteinander verbunden.

Zippel trägt kaum individuelle Züge; er gehört zu den Geschäftsleuten, die für die Gründerjahre typisch sind. Immer auf der Suche nach neuen lohnenden Projekten, nützt er die wirtschaftliche Konjunktur aus, um die Menschheit mit neuen fortschrittlichen Einrichtungen zu beglücken. „Allerlei Handelsgeschäfte" (I,1139) haben ihm zu einem kleinen Vermögen verholfen, aber seine unruhige Natur gibt sich damit nicht zufrieden. In einer kleinen, schläfrigen Provinzstadt gründet er die erste Bäckerei, die mit einer Konditorei gekoppelt ist. Damit nicht genug. Der Reihe seiner Unternehmungen fügt er noch eine Tapetenhandlung hinzu — „d. h. was man wirklich so Tapeten nennen konnte; denn vor ihm, wie er händereibend zu versichern pflegte, hatten die Leute sich ihre Stuben nur mit einer Art von buntem Löschpapier verkleistert" (I,1139). Die Bürger wissen jedoch Zippels Bemühungen um den Fortschritt nicht zu schätzen — seine Tapeten sind ihnen zu teuer. Kurz entschlossen verläßt Zippel daher das „Nest" und seine „knickerige Gesellschaft (I,1147). In einem malerisch gelegenen Dorf kauft er ein Gasthaus, erhebt es zum „Etablissement" und verleiht ihm im Stil der Gründerjahre den pompösen Namen „Hermann Tobias Zippels Wald- und Wasserfreude" (I,1149). Ein Tanzsaal mit Musik, eine Veranda und ein Bootsverleih, den im Winter fröhliches Treiben auf dem Eis ablösen soll, harren der Gäste. Mit den alten Besitzern, so bemerkt der Erzähler lakonisch, „verschwanden neben den alten Geschichten auch die billigen Preise, der goldgelbe Rahm und die frischgekarnte Butter" (I,1148). Zippel dagegen will „zeigen, was aus diesem Erdenfleck zu machen sei, den seine dummen Vorgänger so lange als totes Kapital von Hand zu Hand gegeben hatten" (I,1148—1149).

Am deutlichsten erhellt ein kurzer Dialog zwischen Zippel und einem ortsansässigen Bauern den Unterschied zwischen dem alten und dem neuen Geist: „ ‚Ja, ja, Nawer', sagte der Bauer in seinem Platt, ‚dat kost't wat!' ... Herr Zippel sah ihn fast entsetzt an. ‚Kost't was, meint Ihr? — Bringt was ein, lieber Freund! Bringt was ein!' " (I,1149). Storm entschied den Konflikt jedoch nicht zu Gunsten Zippels. Bei einem weiteren Projekt übernimmt sich Zippel finanziell und muß den Konkurs anmelden. Die früheren Besitzer kaufen das Gasthaus zurück und mit ihnen „ist die alte patriarchalische Bauernwirtschaft, sind die billigen Preise und die Gäste wieder eingezogen" (I,1193). So realistisch Storm den Konflikt sah — die Lösung entsprach der allgemeinen wirtschaftlichen Tendenz nicht, sondern entsprang einem Wunschdenken. Storm verabscheute die Seite des wirtschaftlichen Fortschritts, die einen solchen Menschentyp hervorgebracht hatte.

Zippels Tochter Kätti ist ebenfalls eine unruhige Natur. Sie ist eine „berufen schlechte Schülerin" (I,1140); nur der Geographiestunde gewinnt sie Interesse ab, denn die Vorträge des Lehrers gewinnen zuweilen „den Ton der Sehnsucht in die weite, weite Welt" (I,1140), den Kätti nur zu gut versteht. Im Gegensatz zu Zippel will sie die Gesellschaft nicht ändern; sie fühlt sich weder in der bürgerlichen Umgebung der Provinzstadt, noch in dem „Etablissement" der „Wald- und Wasserfreude" wohl. Sie weiß auch nicht, warum sie eigentlich fortgehen will. Auf eine Frage ihres Freundes Sträkel-Strakel singt sie zur Antwort:

> Ein Vöglein singt so süße
> Vor mir von Ort zu Ort;
> Weh, meine wunden Füße!
>
> ...
> Ich wandre immer fort. (I,1153)

Kättis Unruhe ist romantischer Natur. Ihrem Fernweh kann sie nur durch Musik und Gesang Ausdruck verleihen. So singt sie sehnsüchtig zur Gitarre und spielt Klavier. Schließlich hält sie es nicht mehr aus. Als eine „Sängerbande" (I,1156) die „Wald- und Wasserfreude" besucht und ihr von Wien und Baden-Baden vorschwärmt, geht Kätti mit ihr. Das Mädchen erinnert an die romantische Künstlerfigur des „Musikus" in Storms „neuen Fiedelliedern":

> Hei! da bin ich ausgerissen;
> Schöne Welt, so nimm mich nun!
> Durch die Städte will ich schweifen,
> An den Quellen will ich ruhn. (II,885)

Der zweite Teil der Novelle ist eigentlich nur ein Zwischenspiel. Kätti wird — von dem armseligen und unmoralischen Leben der Sängergruppe enttäuscht — von einem Jugendfreund zu ihrem Vater zurückgebracht. Die Liebe zu ihrem „Retter" scheint ihren Konflikt zu lösen; für ihn wäre sie bereit, ein normales bürgerliches Leben zu führen. Doch das Glück ist ihr nicht so hold wie dem Musikus in den „Fiedelliedern". Der junge Mann heiratet aus sozialem Ehrgeiz eine Majorstochter. Wieder zieht Kätti in die Ferne, diesmal bleibt sie verschollen.

Der Konflikt zwischen Kätti und der Gesellschaft ist der des romantisch veranlagten Menschen überhaupt. Die Lösung ist — im Gegensatz zum Schicksal Zippels — tragisch. Kätti kann weder in der alten, in Konventionen erstarrten Gesellschaft leben, noch in der neuen, die nur dem Geld nachjagt. Den Zusammenstoß mit der Gesellschaft kannte zwar der ‚echte' Romantiker auch, aber damals konnte man der Gesellschaft noch ausweichen, konnte mit Gleichgesinnten in die Ferne ziehen. Doch diese Zeit ist längst vorbei. Kätti muß erfahren, daß die „Sängerbande" zwar herumzieht, aber nichts Poetisches an sich hat. Der Führer der Gruppe ist ein verkappter Zuhälter, die hübschen weiblichen Mitglieder pflegen sich meist rasch der mondänen Demimonde einzugliedern. Für künstlerisch-individuelle Entfaltung und ein ungebundenes freies Leben ist in der Welt kein Platz mehr. Darin liegt die allgemeine Dimension der Novelle. Heute wäre Kätti wohl bei den „Hippies" zu treffen.

Gottfried Keller äußerte sich am 23. März 1879 in einem Brief an Storm zu der Novelle: „Dieses spurlose Verschwinden der Heldin Ihrer Geschichte ist echt tragisch und zugleich neu, auch allseitig richtig herbeigeführt ...". Storm war kritischer; er war sich bewußt, daß die Liebesgeschichte Kättis nicht recht in die ursprüngliche Konzeption der Novelle paßte. An Erich Schmidt schrieb er am 12. 1. 1879: „Die erste Hälfte ist auf eine frische Vagabondengeschichte abgesehen, und es folgt nun in der zweiten die sentimentale Geschichte eines eifersüchtigen Mädchenherzens. Wer nun zu fest sich an den Charakter der ersten Hälfte hält, für den fällt die zweite ab, und jedenfalls trägt der Autor die Schuld."[9]

Bötjer Basch (1886)

Die Novelle war ursprünglich für die *Deutsche Jugend* bestimmt, eine Zeitschrift, in der 1874 schon „Pole Poppenspäler" erschienen war. Am 10. Juni 1874 hatte Storm an Emil Kuh geschrieben: „Ich habe aber selbstverständlich den Stoff, ohne Rücksicht, ob die Geschichte von Alten oder Jungen gelesen werden soll, lediglich seiner eigenen Natur gemäß behandelt. Das Gegenteil wäre ja ganz unkünstlerisch." In „Bötjer Basch" wurde Storm diesem Grundsatz untreu. Der Optimismus der Novelle wirkt gewollt, die Erzählweise ist humorig, nicht wirklich humorvoll — man merkt es der Geschichte an, daß Storm sie für ein bestimmtes Publikum geschrieben hat. Das Gottvertrauen und der Glaube an die menschliche Gesellschaft, die aus diesem Werk Storms sprechen, stehen in krassem Gegensatz zu Storms sonstiger Weltanschauung. Fritz Böttger erklärt diese Tatsache als Folge des „Altershumanismus" von Storm.[10] Interpretiert man die Novelle genauer, so wird deutlich, daß Skepsis und Pessimismus darin nicht fehlen; sie werden nur vom optimistischen Schluß überdeckt.

Wie viele Novellen Storms aus den achtziger Jahren enthält auch diese keinen eigentlichen Konflikt; am individuellen Fall des Böttchers Daniel Basch wird das allgemeine Problem der Vereinsamung mit zunehmendem Alter aufgezeigt. Daniel Basch ist fünfzig Jahre alt, als ihn seine siebzigjährige Schwester verlassen und sich in einem Altersheim zur Ruhe setzen will. Noch kann Basch der Einsamkeit entgehen. Er heiratet, es wird ihm ein Sohn geboren. Doch das glückliche Zwischenspiel währt nur sechs Jahre. Im zweiten Kindbett stirbt Daniels Frau. Der Sohn Fritz beginnt bereits, selbständig zu werden: „ . . . ich brauch keine Mutter mehr, ich bin ein Junge." (II,543). Bald wächst Fritz heran, wird Lehrling bei seinem Vater, geht darauf als Geselle nach Hamburg. Daniel Basch bleibt allein zurück. Die Arbeit nimmt ab — Großbetriebe beginnen die kleinen Handwerker zu verdrängen. Nur die Briefe von Fritz bringen Freude in des

Meisters Haus. Doch nun geht der Sohn nach Kalifornien; nur einmal kommt noch ein Brief von ihm. Schließlich stirbt Baschs alte Schwester, und ein ehemaliger Kamerad von Fritz verbreitet das Gerücht, Fritz sei tot. Das einzige, was Meister Basch bleibt, ist ein Dompfaff, der einst Fritz gehört hat. Als ihm dieser gestohlen wird, verzweifelt Basch am Leben. Er sucht „nach einer Pforte, durch die er aus der Welt hinauskonnte; zu ihr [seiner Frau], zu Fritz, nur nicht mehr in der leeren Welt!" (II,573). Einerseits treibt das Geschehen einer tragischen Lösung zu, andererseits bereitet die humoristische Beschreibung auch ernster Szenen den Leser auf ein versöhnliches Ende vor. Als Basch in einem Tümpel den Tod sucht, retten ihn junge Leute — „die Jugend hatte sich seiner angenommen" (II,574). Wenig später kehrt Fritz zurück, und schließlich wird auch der Dompfaff wieder gefunden. Storm wollte zeigen, daß es in der Hand der jungen Generation liegt, die Alten vor der Vereinsamung zu bewahren. Da die Lösung aber nur mit Hilfe des Zufalls, der dreimal bemüht wird, herbeigeführt werden kann, wirkt sie selbst im speziellen Fall Baschs unglaubwürdig. Es scheint fast, als habe Storm durch die Lächerlichkeit der Details die optimistische Lösung ironisieren wollen. In diesem Fall würde die Unlösbarkeit des Problems betont, statt verdeckt, und die Novelle erhielte eine allgemeingültige, überzeitliche Dimension.

Ebenso widersprüchlich wie die Handlung mit ihrer tragischen Entwicklung und ihrer heiteren Lösung ist auch die Schilderung der Gesellschaft. Basch wird mit ihr unter drei Aspekten konfrontiert: als wirtschaftlicher, religiöser und als ‚menschlicher' Gemeinschaft. Der wirtschaftliche Fortschritt in der kleinen Stadt wird durch „eine große neumodische Brauerei mit einem eigenen Böttcher" (II,550) symbolisiert. Keiner kümmert sich darum, ob Meister Daniel nun noch genug verdient; keiner fragt, was aus den kleinen selbständigen Handwerkern werden soll, wenn die Industrialisierung zunimmt. Aber auch hier versucht Storm, ein optimistisches Bild zu zeichnen. Als Fritz mit neuen „amerikanischen" Werkzeugen zurückkehrt, kommt „Arbeit genug; denn die Teilnahme des ganzen kleinen Gemeinwesens hatte sich den beiden zugewandt" (II,582). Wie lange wird die Teilnahme anhalten?

Mit der christlichen Nächstenliebe scheint es bei Baschs Mitbürgern nicht weit her zu sein; sie erschöpft sich in Phrasen. Der Ich-Erzähler versucht Basch über den vermeintlichen Tod des Sohnes zu trösten: „ . . . möge Gott Euch trösten, Meister Daniel; die Welt ist ja so reich." (II,564). Gleich darauf schämt er sich seiner „dummen Weisheit" (II,564). Als Basch nach seinem Selbstmordversuch schwer erkrankt ist, spricht der Erzähler „das alte Wort [Gott besser's!] wie ein Gebet" (II,577) und fügt hinzu: „Gott wird ja gnädig sein!" (II,577). Wenig später scheint er sich von Gott zu distanzieren: „ . . . sein [!] Herrgott sandte ihm [Basch] den sanften Schlummer der Genesung". (II,582). Inwieweit erweist sich die Gesellschaft als menschliche Gemeinschaft? Kann sie einen alten Menschen vor der Einsamkeit bewahren? Das kleine Mädchen Magdalena, das manchmal zu Basch zu Besuch kommt, kann ihm den Sohn nicht ersetzen. Es kommt außerdem, um den Dompfaff singen zu hören, nicht um Basch zu trösten. Ihr Bruder Tiberius stiehlt den Vogel aus Bosheit. Die Mieterin, die von Basch ins Haus genommen wird, kann das Los des Böttchers auch nicht erleichtern. Als Fritz schreibt, er komme in zwei Jahren zurück, ist ihr erster Gedanke, daß sie dann wohl ausziehen müsse. Der Sohn eines Kellerwirts, „trunkfällig und großmäulig" (II,561), der Basch erzählt, sein Sohn sei nicht mehr am Leben, schlendert nach seinem Bericht „gleichgültig, die Hände in den Hosentaschen, weiter" (II,563). In der Nacht, in der der Dompfaff gestohlen worden ist, sucht Basch den Vogel im strömenden Regen im Garten. Die Nachbarn beobachten ihn, aber sie sind ohne Mitgefühl: „Laß ihn! . . . die Verrückten können mehr vertragen als du; was will er mit seinem Vogel nachts im Garten laufen?" (II,570). Der Vorfall ist am nächsten Tag „ein Spaß für die ganze Stadt" (II,571). Am deutlichsten zeigt sich das herzlose Wesen der Gesellschaft, als Basch Selbstmord begehen will. Eine Schar junger Burschen folgt ihm auf seinem Todesgang, doch kommt keinem der Gedanke, ihn zurückzuhalten; „die allen Menschen eingeborene Begier, das letzte, Schauerliche einmal selbst in nächster Nähe zu erleben, trieb sie vorwärts" (II,573). Und der Erzähler fügt hinzu: „Daß Meister Daniel unter einem Hurra der Knaben in die Tiefe gesprungen sei, ist eine Lüge, die schadenfrohe Menschen sich später zugerichtet haben. Die Jugend ist nur selten böse . . ." (II,574). Auch die Rettung Daniels und die momentane Hilfsbereitschaft der Leute nach der Rückkehr seines Sohnes können das negative Bild von der Gesellschaft nicht auslöschen. So bleibt der Eindruck zwiespältig. Der versöhnliche Schluß ist zu sehr von Zufällen abhängig, als daß er mahnend oder vorbildlich wirken könnte. Der Erzählton, der die optimistische Lösung vorbereiten soll, trägt ebenfalls dazu bei, die Geschichte als Anekdote erscheinen zu lassen. Das Problem der Novelle besitzt eine zeitkritische und eine überzeitliche Dimension, aber die Lösung zerstört sie wieder.

IV. KRITIK DES POLITISCHEN GESCHEHENS

Theodor Storm ist häufig als unpolitischer Mensch und Dichter klassifiziert worden. Selbst seine patriotischen Gedichte, in denen sich Storms politisches Engagement am deutlichsten zeigt, wurden schon zu seinen Lebzeiten viel weniger beachtet als seine Liebeslyrik. Fontane schreibt in seinen Erinnerungen an Theodor Storm: „Man hat sich daran gewöhnt, ihn immer nur als Erotiker anzusehen; aber seine vaterländischen Dichtungen stehen ganz ebenbürtig neben seiner Liebeslyrik, wenn nicht noch höher." [1] In einem Brief an Emil Kuh (2. 10. 1871) wehrte sich Storm gegen eine einseitige Klassifizierung als „Erotiker": „Eins möchte ich jetzt schon bemerken. Ist in Ihrer Besprechung meiner Gedichte nicht die männliche oder — wie soll ich sagen — Charakterseite derselben etwas zu wenig betont?" Drei Jahre später (Brief vom 27. 11. 1874) kritisierte er eine andere Rezension Kuhs aus demselben Grund: „Vergleichen Sie einmal meine — wie soll ich sagen? patriotische Lyrik mit der eines jeden anderen Dichters. Hätte da nicht ein Wort gesagt werden sollen? Daß Sie diese ganze starke Seite meiner Lyrik übersehen haben, liegt in Ihrer Natur, die sich wesentlich dem Sinnigen neigt." Storm selbst legte also größten Wert auf die „männliche" Seite seiner Lyrik, in der sich sein patriotisches Gefühl aussprach. Darf man aber Patriotismus mit politischem Engagement gleichsetzen? Storm war Politiker, weil für ihn die Liebe zur Heimat und demokratische Grundsätze die Basis jeder Politik bildeten. Seine Sozialkritik ist daher oft auch politische Kritik und umgekehrt. Thomas Mann schreibt:

Wir sahen andererseits, daß die feinsten Typen aus Deutschlands bürgerlich-vorbourgeoiser Epoche, daß Geister wie Uhland und Storm politischer Leidenschaft nicht entbehrten, daß aber ihr Politikertum, das heißt ihr Demokratismus selbstverständlich eines, durchaus eines Inhalts war mit ihrem nationalen Gefühl, ihrer Vaterlandsliebe; daß sie Politiker und Demokraten waren, insofern sie Patrioten waren, und daß diese drei Wörter: Politik, Demokratie, Vaterland ihnen wie allem politischen Bürgertum ein und dasselbe Pathos, eine und dieselbe Sehnsucht und Forderung bezeichneten. [2]

Storms politisches Engagement läßt sich für die Zeit von 1848 bis 1871 durch seine Handlungen und Briefe einerseits und seine Gedichte und

Novellen andererseits nachweisen. Franz Stuckert charakterisiert Storm als „unpolitische Natur"; erst als der Krieg in Schleswig-Holstein unmittelbar in Storms Leben einzugreifen begann, d. h. nach 1850, hätten sich in seinem Herzen Zorn und Empörung geregt. [3] Hans-Erich Teitge hat dieses Bild von Storm korrigiert. [4] Er wies nach, daß Storm 1848 als Korrespondent für die Schleswig-Holsteinische Zeitung, das Presseorgan der neuen Provisorischen Regierung, schrieb. Diese Regierung, 1848 in Kiel gebildet, bekannte sich — gegen die Eiderdänen — zur Aufrechterhaltung der Landesrechte und strebte die Aufnahme Schleswig-Holsteins in den Deutschen Bund an. Im selben Jahr schuf Storm das Gedicht „Ostern" und die Novellenskizze „Im Saal". Diese kleine Erzählung spielt zwar im privaten Kreis einer Familie, aber der geschilderte Gegensatz zwischen den Generationen besitzt eine politisch-soziale Dimension. Die Aufbruchstimmung des Jahres 1848, die in ganz Deutschland herrschte, spiegelt sich in den Hoffnungen der jungen Generation auf ein neues demokratisches Staatswesen, in dem der Adel keine Vorrangstellung mehr besitzen würde. Storm selbst war voller Optimismus. In einem undatierten Brief (Mai 1848) schrieb er an Theodor Mommsen: „Ich sehne mich nicht nach der stillen Zeit; nein, ich finde es recht lustig in der Welt, obgleich mein Alter immer das alte verrottete Europa mit den Prairien vertauschen will ...". Der Krieg der Schleswig-Holsteiner, die von Preussen unterstützt wurden, gegen Dänemark fand jedoch bald sein vorläufiges Ende. Nach dem Waffenstillstand zwischen Preußen und Dänemark im Juli 1849 leistete die Bevölkerung Husums passiven Widerstand. Storm bildete keine Ausnahme, er unterschrieb sogar zwei „illoyale Adressen" [5] gegen den von den Dänen eingesetzten Amtsmann Davids. An Mörike schrieb Storm am 12. Juli 1853 über diese Zeit: „Bei dem Bruche zwischen Dänemark und den Herzogtümern habe ich natürlich zu meiner Heimat gehalten, namentlich aber nach Beendigung des Krieges es für meine besondere Pflicht geachtet, meine Mitbürger, so weit ich dazu Gelegenheit hatte, gegen die Willkür der neu eingesetzten Königl. Dänischen Behörden mit voller Rücksichtslosigkeit zu vertreten." Nach der Niederlage bei Idstedt entstanden die Gedichte „Im Herbst 1850" und „Gräber an der Küste" und die kleine Novelle „Ein grünes Blatt". Der Konflikt, der dieser Novelle zugrunde liegt, besitzt eine aktuelle politische Dimension; er basiert auf der verzweifelten Situation Schleswig-Holsteins, ohne daß der Name des Landes genannt wird. Noch wollte Storm die Hoffnung auf ein selbständiges Schleswig-Holstein nicht aufgeben; am Ende der

Novelle wird zum Kampf aufgerufen. Doch Storm wußte, daß in „dieser Blütezeit der Schufte" (II,957) — wie es in einem Epilog heißt — diese Hoffnung ein Wunschtraum sei. 1854 erschien „Ein grünes Blatt" im Jahrbuch *Argo* in Berlin; den Epilog hatte Storm auf Wunsch Fontanes allerdings gestrichen. Fontane, der damals einer der Herausgeber der *Argo* war, hatte am 11. April 1853 an Storm geschrieben: „ . . . [wir] stimmten aber darin alle überein, daß wir es in unsern respektiven Stellungen nicht riskieren könnten, die Äußerungen solches Grimms und solcher Hoffnungen mit auf unsere Kappe zu nehmen." Storm nahm auch weiterhin kein Blatt vor den Mund; am 14. Oktober 1850 berichtete er seinem Freund Brinkmann: „Wie sehr mich wenig politischen Menschen denn doch diese Zeit aufgeregt hat, mögen Sie daraus entnehmen, daß es unter den Dänen hier heißt, ich rase vor Patriotismus." Als sich die Situation in Storms Heimat auch 1851 nicht besserte, entstand das Gedicht „1. Januar 1851", und Storm gab der dänischen Oberjustizbehörde die geforderte Erklärung, weshalb er nicht praktiziere: „Ich erklärte mich dahin, daß, obgleich ich mich bei den politischen Bewegungen nicht betätigt, dennoch mein Gefühl und meine Überzeugung auf seiten meiner Heimat sei, daß ich dies am wenigsten jetzt verleugnen wolle, wo diese Sache beendet und verloren sei." [6]

1852 wurde der Londoner Vertrag über die dänische Erbfolge geschlossen, und dem mißliebigen Storm wurde schließlich seine Lizenz als Advokat entzogen. Im Dezember 1853 übersiedelte er nach Potsdam und schrieb das Gedicht „Abschied". In Preußen fand er keine zweite Heimat. Der begeisterte Empfang, den vor allem Fontane dem Dichter bereitete, schmeichelte Storm zwar, aber das Verhalten der preußischen Regierung in der Schleswig-Holsteinischen Frage, die Adelsherrschaft und die „Berliner Luft" im allgemeinen mißfielen ihm. Storms offene Kritik wiederum verstimmte die Berliner Freunde, die ihn gelegentlich als hochmütig und provinziell bezeichneten. Sein Lokalpatriotismus und seine Liebe zur Demokratie stießen auf wenig Verständnis. Am 7. Mai 1854 schrieb Storm seinem Vater: „Der preußische Menschenverbrauch im Staatsmechanismus, den die Mehrzahl auch nur in der Hoffnung auf ein Bändchen im Knopfloch auszuhalten vermag — die ganze Zukunft lag so trostlos vor mir . . .". In Heiligenstadt gestaltete sich das Leben angenehmer für Storm, aber auch dort wurden sein Adelshaß und seine Sehnsucht nach der Heimat nicht geringer. In der Novelle „Im Schloß" (1861) kritisierte er den Adel stärker als je zuvor. 1862 empörte sich Storm darüber, daß die preußische Regierung versuchte, die Justizbeamten bei den Wahlen zu beeinflussen. Nachdem er Theodor Mommsen — vergeblich — gebeten hatte, seinen privaten Protest in die *Vossische Zeitung* zu setzen, schrieb er am 10. Mai 1862 an den Vater:

> Was die Erlasse unserer Minister betrifft, so sind sie an sich eine grobe Unsittlichkeit, ein öffentlicher Demoralisationsversuch des Beamtenstandes ... Meine Kollegen waren wohl derselben Meinung wie ich, sie waren auch entrüstet über die unehrenhaften Zumutungen; aber wie es dann geht — Gleichgültigkeit, Bequemlichkeit, Feigheit oder Habsucht beherrschen immer die Menge, und unter Tausenden wird kaum einer sein, der unter schwierigen Verhältnissen das auch tut, was er für recht erkannt hat. Das hat mit Demokratie und Monarchie (der Gegensatz ist hier das verrottete Junkertum) nichts zu tun. ... „Intelligenz und Sittlichkeit" sind die Kräfte, die zur Geltung kommen müssen, und die nicht dulden können, daß Beschränktheit und Unsittlichkeit regieren, in welcher Form dies schließlich geschieht, darauf kann nichts ankommen.

Im selben Jahr entstand die Weihnachtsidylle „Unter dem Tannenbaum". Wieder ist die politische Situation in Schleswig-Holstein die Voraussetzung für den autobiographischen Konflikt in der Novelle. Storm weigerte sich auch im Exil, den „status quo" in seiner Heimat anzuerkennen; er hoffte, die junge Generation werde einst auch ohne die Hilfe Deutschlands das dänische Joch abschütteln. Brinkmann kritisierte den Lokalpatriotismus in dieser Novelle; Storm erwiderte ihm am Osterabend des Jahres 1863: „Deinen Einwand muß ich ganz zurückweisen; das ist eben Heimat, und das ist eben Heimatgefühl; daß es dem größeren Gefühl für das Vaterland — wie vielleicht dieses dem Weltbürgergefühl — untergeordnet werden muß, gebe ich zu; aber es hat darum doch seine eigene volle menschliche Berechtigung ...".

In der Novelle „Abseits" (1863) behandelte Storm den Konflikt Schleswig-Holsteins noch einmal — diesmal aus der Sicht der Zurückgebliebenen, und indem er das Heimatgefühl mit dem Nationalgefühl verband: „Wir wollen einen jungen festen Fuß auf unsere heimatliche Erde setzen; denn trotz alledem, ... ich lasse es mir nicht nehmen, die Herrlichkeit der deutschen Nation ist im Beginnen; und wir von den äußersten deutschen Marken, wir Markomannen, zu Leid und Kampf geboren, wie einst ein alter Herzog uns geheißen — wir gehören auch dazu!" (I,375). Zu dieser veränderten Haltung mag einerseits Brinkmanns Kritik, andererseits aber auch der politische Stimmungswechsel in Deutschland beigetragen haben. Im Oktober 1863 beschloß der deutsche Bundestag, gegen Dänemark vorzugehen, das — entgegen den vertraglichen Abmachungen — Schleswig völlig annektieren wollte. Während in „Abseits" das Gefühl der Hoffnung vorherrscht, spricht aus dem Gedicht „Gräber in Schleswig" (1863) Storms erbitterte Ohnmacht den Zuständen in seiner Heimat gegenüber. Dort heißt es: „Ich aber schrei es in die Welt hinaus:/ Die deutschen Gräber sind ein Spott der Feinde!" (II,964). Am 5. Dezember 1863 schrieb Storm an den Vater: „Unsere Aufregung in betreff Schleswig-Holsteins ist natürlich größer als unsere Hoffnung. Hoffnung und Furcht, Sorge um Euch und ohnmächtiger Zorn liegen beständig miteinander im Streit." Und am 21. Dezember 1863 erklärte er: „Meinen Beruf habe ich zunächst dahin erkannt, durch das poetische Wort die nationale Begeisterung zu unterstützen." Wie sehr für Storm Politik und Demokratie — gerade im Hinblick auf Schleswig-Holstein — Synonyme waren, wird aus den folgenden Zeilen deutlich: „Es ist mir sehr wohl bewußt, daß der überall unausbleibliche Kampf zwischen der alten und der neuen Zeit bei uns ein hartnäckiger werden muß. Diesen sozialen Kampf in meiner Heimat noch erleben und rüstig durch das begeisterte Wort mitkämpfen zu können, ist in bezug auf das äußere Leben mein allerheißester Wunsch." [7] Sozialer Kampf — das hieß für Storm Kampf gegen den Adel. An Brinkmann schrieb er am 18. Januar 1864: „Kommt die Sache bei uns in Ordnung, so wird — nun, ich wills Dir in Versen sagen:

. . .

Der Junker muß lernen den schweren Satz,
Daß der Adel in unseren Zeiten
Zwar allenfalls ein Privatpläsier,
Doch sonst nichts hat zu bedeuten.
Insonders lerne Hinz und Kunz
— Und das ist ein Stück, ein hartes —,
Daß diese hochhinschauenden Herrn
Sind keineswegs was Apartes.

. . .

Wenige Wochen später aber trat eine Desillusionierung ein. Storm schrieb am 8. Februar 1864 an die Eltern: „An ein selbständiges Schles-

wig Holstein scheint man kaum noch zu denken. ... Zweierlei: Hoffnung
der Heimkehr und Haß gegen die deutsche Feudalpartei hält jetzt mein
Herz in beständiger Schwingung ...". Storm wünschte zwar die Befreiung
der Heimat von ganzem Herzen, aber der Preis, die drohende Annektie-
rung durch Preußen, schien ihm fast zu hoch. In dem Gedicht „1864"
steht die Strophe:

> Nun ist geworden, was du wolltest;
> Warum denn schweigest du jetzund?
> — Berichten mag es die Geschichte;
> Doch keines Dichters froher Mund. (II,965)

Storm kehrte als Landvogt nach Husum zurück. Dort wuchs seine Erbitterung gegen Preußen noch, der er auch offen Ausdruck gab. Daß unter
der preußischen Militärverwaltung Mut dazu gehörte, läßt sich aus
einem warnenden Brief Pietschs vom 22. 12. 1864 ersehen: „Wir hatten
hier bereits einige Besorgnisse um Dich, da Frl. v. Gossler von Nach-
richten über Deine heraufbeschworene Mißliebigkeit und Ungnade im
hiesigen Ministerium erzählt hat. Nimm Dich lieber etwas in acht,
bester Freund. Mit Euern Sympathien für den Angestammten werdet Ihr
das preußische ‚Militärjoch' doch nicht los, vielleicht aber eines schönen
Tages Eure Stellen. Denn daß Ihr schließlich doch annektiert werdet, denke
ich, wird sich so erfüllen, wie ich es von ganzem Herzen hoffe und
wünsche. Fluche und zürne mir darum nicht." Storm antwortete ihm am
27. 12. 1864: „Es wäre übrigens hübsch, wenn die Preußen sich so an
die Stelle der Dänen setzten, daß sie ihrerseits uns jetzt wegjagten, ent-
spräche ja auch ganz der Bismarckschen Räuberpolitik. Wenn nicht die
freche Junkerherrschaft bei Euch jetzt mindestens auf meine Lebensdauer
in Aussicht stände, so hätte ich objektiv nicht so viel gegen die preußische Annexion; so aber möchte ich mir den Ärger doch lieber sparen."
Auch in den folgenden Jahren konnte sich Storm mit der politischen Lage
nicht abfinden — auch wenn er sie in seinen Werken nicht mehr behandelte. In einem undatierten Brief (Anfang 1865) schrieb er an Pietsch:
„Ich lebe übrigens eigentlich wie in einem fortwährenden moralischen
Katzenjammer; diese politische Situation ruiniert einen innerlichst; in der
eignen Heimat von der Willkür Fremder abzuhängen, ein vollständig
wehrloses Objekt, das ist noch schlimmer, als simpelweg hinausge-
schmissen zu werden, was ja denn auch jeden Augenblick geschehen
kann." Aus den befreundeten Befreiern waren fremde Willkürherrscher

geworden; hätte sich Storm zwischen der Heimat und dem Deutschen Bund entscheiden können, hätte er sicher die Heimat gewählt. Noch am 13. Mai 1866 klagte Storm in einem Brief an Dorothea Jensen: „ . . . die traurige Lage des Landes, die uns fortwährend in Zwiespalt mit unsrer Ehre und unserm Gewissen zu bringen droht, der tiefe Haß, den ich gegen die Partei habe, die Preußen und uns regiert, und deren Träger uns als Vorgesetzte entgegentreten — . . . Du glaubst nicht, wie ich fortwährend darüber ein Gefühl der Trauer und der Verlassenheit . . . in mir trage . . .". 1867, am 16. August, schrieb Storm an Pietsch: „Wir fühlen alle, daß wir lediglich unter der Gewalt leben; das ist um so einschneidender, da sie von denen kommt, die wir gegen die fremde Gewalt zu Hilfe riefen und die uns jetzt selbst als einen besiegten Stamm behandeln, nachdem sie uns von der andern Gewalt befreit haben; die uns, ohne uns zu fragen, unser Recht nehmen und uns nach Gutdünken ihre zum Teil abscheulichen Gesetze diktieren . . . Das ist die Stimmung des Landes, das ist meine Stimmung."

Von 1868 an läßt sich aus Storms Korrespondenz ersehen, daß er politisch resignierte; persönliche Probleme begannen, das politische Geschehen aus seinem Bewußtsein zu verdrängen. Erst der Krieg gegen Frankreich im Jahre 1870 weckte sein politisches Interesse wieder. Obwohl er anfangs den Krieg als „nationale Sache" betrachtete, wurde er bald skeptisch. Am 3. August 1870 schrieb er an seinen Sohn Ernst: „Ich kann mich des Gedankens nicht erwehren, daß diplomatische Zweideutigkeit und ein eventuelles Eroberungsgelüste auch diesseits [des Rheins] vorhanden gewesen." Storm durchschaute instinktiv die politischen Winkelzüge Bismarcks und distanzierte sich davon. Am 8. August 1870 schrieb er an Ernst: „Ich bin natürlich auch zu ‚Schutz- und Trutzliedern' aufgefordert; aber leider ist zu vieles, was meine Begeisterung niederdrückt, wenn die alten Nerven auch noch den Saft hergäben." In den „Zerstreuten Kapiteln" — im „Amtschirurgus" und in der „Halligfahrt" — finden sich die Spuren von Storms wiedererwachtem Ressentiment gegen Preußen — ohne daß sie allerdings diesen Skizzen eine politisch-aktuelle Dimension geben.

Antifranzösische Gefühle — eine Folge des Krieges — finden sich in der Novelle „Es waren zwei Königskinder". Es wird die schwierige Situation eines Mannes geschildert, der halb Franzose, halb Deutscher ist. Vielleicht schwebte Storm das Problem Elsaß-Lothringens vor, das nun offiziell zu Deutschland gehörte, aber innerlich in seinen Gefühlen gespalten war. Der politische Aspekt ist aber so schwach angedeutet, daß er bei einer Interpretation der Novelle kaum ins Gewicht fällt.

Fassen wir zusammen. Wenn Storm auch keine Neigung zur Politik besaß, so schloß er doch nicht die Augen vor dem politischen Geschehen um ihn. Er vertrat seine patriotischen und demokratischen Überzeugungen mit großem Mut und unter persönlichen Opfern. Zwar beschränkte sich sein Interesse fast völlig auf die Schleswig-Holsteinische Frage, aber seine Kritik am preußischen Staat und an der herrschenden Feudalpartei ist indirekt auch eine Kritik an der Machtpolitik, die damals in ganz Europa betrieben wurde. Er teilte auch nicht die nationalistische Euphorie, die nach der Reichsgründung in Deutschland überhand nahm; als alternder Mann und Vater von acht Kindern nahm er die Situation schließlich als gegeben hin. Sein letzter „Widerstand" gegen die preußische Staatsmaschinerie bestand darin, daß er sich vorzeitig pensionieren ließ. — In seinen Gedichten gab Storm seiner Heimatliebe und seinem Haß gegen Dänen und preußische Junker unverhohlen Ausdruck. Auch seine Novellen „Im Saal", „Ein grünes Blatt", „Unter dem Tannenbaum" und „Abseits" besitzen eine aktuelle politische Dimension. Diese erschließt sich allerdings erst bei genauem Lesen. Woran liegt das? Mangelndes Interesse an der politischen Situation kann, wie wir gesehen haben, nicht der Grund gewesen sein. Ruhte sich Storm in der Prosa wirklich von den Erregungen des Tages aus, wie er am 2. Dezember 1855 an Mörike schrieb? Es scheint, daß es Storm schwerfiel, die politische Realität in ein angemessenes poetisches Gewand zu kleiden. Er stellte sie daher in einen idyllischen Rahmen („Im Saal") oder nahm seine Zuflucht zu einer symbolischen Gestaltung des Problems („Ein grünes Blatt", „Unter dem Tannenbaum" „Abseits"). Für die zeitgenössischen Leser war der aktuelle Gehalt der Novellen klar genug; der heutige Leser dagegen, der die historische Situation erst rekonstruieren muß, übersieht ihn leicht. Überdies haben im 20. Jahrhundert die behandelten Probleme — der Kampf um Mitbestimmung bei der Regierung, die Verteidigung der Heimat, der Verlust der Heimat, der Widerstand gegen fremde Okkupatoren — solch erschreckende Ausmaße angenommen, daß dem modernen Leser eine „poetische" Behandlung solcher Themen als absurd erscheint. Prüft man Storms „politische" Novellen auf ihre Gültigkeit für die heutige Zeit, muß das Urteil negativ ausfallen. Betrachtet man sie dagegen in ihrem geschichtlichen Kontext, so dürfen sie durchaus als wirklichkeitsnah und - um ein oft mißbrauchtes Klischee zu verwenden - „socially relevant" gelten.

Im Saal (1848)

Die Novellenskizze entstand in dem Jahr der Revolution in Deutschland und der Volkserhebung in Schleswig-Holstein. In ihr schildert Storm den allgemein menschlichen Konflikt zwischen den Generationen, zwischen der alten und der neuen Zeit — auf zwei Ebenen: der familiär-privaten und der politisch-sozialen.

Anläßlich einer Kindstaufe erzählt die Großmutter ihrem Enkel, dem Vater des Täuflings, von ihrer Jugend. Sie spricht vom Urgroßvater, der „ein strenger akkurater Mann mit militärischer Haltung" (I,14) war, vom Großvater, der „ein sanfter friedlicher Mann" (I,18) war, und schließlich vom Vater ihres Enkels, der „ein strenger rücksichtsloser Mann" (I,18) war, aber „immer eine große Verehrung" (I,18) für den Großvater hatte. Strenge und Milde haben in den Generationen gewechselt, aber Achtung und Zuneigung haben in der Familie die Gegensätze stets überbrückt. Im Enkel finden sich nun beide Charakterzüge: Kampfbereitschaft und Rücksichtslosigkeit vom Urgroßvater und Vater, aber auch Milde vom Großvater. Die weiche Seite im Charakter des Enkels zeigt sich im Umgang mit der Familie, insbesondere der Großmutter. Er will für sie einen Kompromiß zwischen der alten und der neuen Zeit finden. So nennt er seine Tochter nach seiner Großmutter und will den Saal, in dem sie feiern, abreißen und wieder einen Ziergarten wie zur Zeit, als die Großmutter jung war, pflanzen lassen. Doch er weiß, daß man das Rad der Zeit nicht zurückdrehen kann. So sagt er scherzend: „ ... vielleicht kommt dann auch eines Sommernachmittags der Großvater wieder die ... Treppe herab, vielleicht — —" (I,19). Auch die Großmutter weiß, daß dieser Vorschlag nicht der Vernunft, sondern seinem guten Herzen entsprungen ist. Sie entgegnet ihm: „Du bist ein Phantast ... dein Großvater war es auch." (I,19).

Die harte, entschlossene Seite im Charakter des Enkels zeigt sich in seiner Stellungnahme zur politisch-sozialen Situation. Die Großmutter hat die Lage zu ihrer Zeit geschildert: „Es war damals freilich noch eine stille, bescheidene Zeit; wir wollten noch nicht alles besser wissen, als die Majestäten und ihre Minister ... jeder trug den Rock nach seinem Stande. Jetzt tragt ihr sogar Schnurrbärte wie Junker und Kavaliere. Was wollt ihr denn? Wollt ihr alle mitregieren? ... Und der Adel, und die hohen Herrschaften, die doch dazu geboren sind, was soll aus denen werden?" (I,17).

Der Enkel ist auf diesem Gebiet zu keinem Kompromiß bereit, er anerkennt die Vorrangstellung des Adels nicht mehr. Er will den Adel abschaffen — „oder wir werden alle Freiherrn, ganz Deutschland mit Mann und Maus. Sonst seh ich keinen Rat." (I,18). Das ist eine revolutionäre Sprache, auch wenn sie im Rahmen eines Familienidylls geführt wird. Die alte politische und soziale Ordnung muß von einer neuen abgelöst werden. In der Familie ist Rücksicht auf die Tradition angebracht, in öffentlichen Angelegenheiten jedoch ist sie falsch am Platze. Und wenn schon im privaten Bereich die Vergangenheit eigentlich unwiderbringlich ist — um wieviel weniger kann man in diesem Falle die politische Entwicklung aufhalten.

Storm hat einen zeitlosen Konflikt einerseits als Einzelfall andererseits als gesellschaftliches Phänomen behandelt. Indem er den Enkel als Glied seiner Familie und gleichzeitig als „zoon politikon" darstellt, gelingt es ihm, das Problem aus beiden Perspektiven parallel zu zeigen. Die Verschiedenheit der Haltung des Enkels in beiden Fällen betont die Trennung von persönlichen und öffentlichen Angelegenheiten. Die Schwäche der Darstellung liegt darin, daß der Konflikt als gesellschaftliches Phänomen nur an zwei Individuen im Familienkreis aufgezeigt wird. Weiß der Leser nichts von den politischen Ereignissen im Entstehungsjahr der Skizze, versteht er den Zeitbezug nicht. Wie in der Erzählung „Marthe und ihre Uhr" ist der Grund für das Entstehen dieses Konflikts das Verstreichen der Zeit, der Wechsel zwischen Jugend und Alter, der unabänderlich und unaufhörlich ist. Durch diese Motivierung gewinnt der Konflikt statischen Charakter und muß nicht aus einer besonderen Handlung entwickelt werden.

Auch in der Form der Novellenskizze kommt der dargestellte Konflikt zum Ausdruck. Die Gliederung in Rahmen- und Innenerzählung unterstreicht die Gegensätze von alter und neuer Zeit, alter und neuer Generation. In der Gegenwart der Rahmenerzählung ist der Enkel die Hauptfigur, in der Innenerzählung lassen die Erinnerungen der Großmutter die Vergangenheit und ihre soziale Ordnung wieder lebendig werden. Es entspricht dem liebevollen Kompromiß zwischen den Generationen innerhalb der Familie, daß verbindende Elemente angeführt werden: der Saal, der allerdings umgebaut werden muß, der Name der Großmutter, der dem Kind gegeben wird und schließlich „alte, liebe, oft erzählte Geschichten", die „nicht zum letzten Mal wiedererzählt" werden (I,13). Zwischen den verschiedenen Auffassungen von Staat und Gesellschaft vermitteln dagegen keine symbolische Gemeinsamkeiten.

Ein grünes Blatt (1850)

Auch die Novellenskizze „Ein grünes Blatt" muß vor dem Hintergrund des damals noch andauernden Konflikts zwischen Schleswig-Holstein und Dänemark gesehen werden — nur so erschließt sich ihre aktuelle politische Dimension. Schleswig-Holstein wurde von Preußen nicht mehr länger unterstützt und mußte nun ohnmächtig die Herrschaft der Dänen dulden. Den dieser Situation immanenten Konflikt zwischen Hoffnungslosigkeit einerseits und Kampfeswillen andererseits gestaltet Storm in dieser Skizze.

Die Hauptfigur, Gabriel, befindet sich mit einem Freund im Feldlager. Während Gabriel sein Gewehr putzt, liest der Freund in einer Art Tagebuch Gabriels von dessen Begegnung mit dem Mädchen Regine und seinem Abschied von ihr, da er in den Krieg ziehen muß. Wie lebendig diese Erinnerungen für Gabriel sind, zeigt sich daran, daß er ein damals gepflücktes, nun braun gewordenes Blatt als grün bezeichnet: „Noch einmal! ... Es ist grün, so grün wie Juniblätter!" (I,72). Worin besteht nun Gabriels Konflikt? Sollten ihn nicht die Gedanken an das geliebte Mädchen und die idyllische Ruhe und Schönheit der Heimat für den Kampf stärken? Das Problem ergibt sich aus Gabriels Einstellung zu seiner gegenwärtigen Lage einerseits und seinen Erinnerungen an Regine und die Heimat andererseits. Die harte Wirklichkeit des Krieges hat für Gabriel alles andere in den Schatten gestellt; die romantischen Bilder von Regine in der friedvollen heimatlichen Umgebung sind zwar in seiner Erinnerung lebendig, aber sie sind unwirklich geworden und gehören nun einer dichterischen Phantasiewelt an. Er gibt seiner Resignation bezeichnenderweise in einem Gedicht Ausdruck:

...

Und fänd' ich selber wie im Traume
Den Weg zurück durch Moor und Feld —
Sie schritte doch vom Waldessaume
Niemals hinunter in die Welt. (I,72)

Aus dieser Haltung heraus muß Gabriel der Krieg als hoffnungslos erscheinen. Als Patriot liegt Storm jedoch an einem optimistischen und aufrüttelnden Schluß. Er läßt den Freund die Lösung des Konflikts mit den ermutigenden Worten vorbereiten: „Und wenn sie doch hinunterschritte!" (I,72). Gabriel reagiert spontan: „Dann wollen wir die Büchse laden! Der Wald und seine Schöne sind in Feindeshänden." (I,72). Der Krieg, der zu Beginn der kleinen Novelle für Gabriel (wie für den Leser) als hinzunehmende Tatsache, ohne Bezug zu den Erinnerungen erschien, erhält nun neuen Sinn durch die Hoffnung auf Erfolg: noch können die Geliebte und die Heimat zurückerobert werden. Storm schrieb Anfang Oktober 1854 an Mörike, daß ihm „die Regine unter der Hand so etwas allegorisch zu einer Art Genius der Heimat geworden" sei.

Gabriels Konflikt ist zuerst ein persönlicher: der Krieg, den er zwar für Regine kämpft, hat ihm gleichzeitig die Hoffnung auf die Erfüllung seiner Liebe zu Regine genommen; er entsagt, wodurch der Krieg für ihn sinnlos wird. Durch die symbolische Überhöhung Regines erhält sein Problem auch eine zeitlose Dimension: es ist das Problem des Soldaten schlechthin, der ohne Hoffnung für die Heimat kämpft. Die Aufmunterung des Freundes überzeugt als Ursache des Stimmungsumschwungs im speziellen Fall Gabriels; als Lösung des politischen Problems befriedigt sie nicht. Storm hatte deshalb seiner Novelle einen Epilog beigefügt, der gleichzeitig die Aktualität des Problems deutlich macht. Er beginnt mit den Strophen:

> Ich hab es mir zum Trost ersonnen
> In dieser Zeit der schweren Not,
> In dieser Blütezeit der Schufte,
> In dieser Zeit von Salz und Brot.
>
> Ich zage nicht, es muß sich wenden,
> Und heiter wird die Welt erstehn,
> Es kann der echte Keim des Lebens
> Nicht ohne Frucht verlorengehen. (II,957)

Wie bereits erwähnt wurde, strich Storm auf ausdrücklichen Wunsch Fontanes diesen Epilog, der politisch hätte Anstoß erregen können.

Wie in allen früher entstandenen Novellen Storms entwickelt sich das Problem nicht aus dem Gang der Handlung, die fast völlig fehlt; es ist gewissermaßen statisch: die Kriegssituation steht in Konflikt mit der Erinnerungssituation — die Forderung nach Aktivität in Konflikt mit der passiven Resignation. Auch bei der Lösung des Konflikts hat Storm die Handlung nach innen verlegt und schildert nur das Ergebnis: der Leser erfährt vom Gesinnungswandel Gabriels nur durch seinen Ruf zu den Waffen. Analog zur inneren Gliederung der Novelle in die beiden unvereinbar scheinenden Situationen und die schließliche Lösung, zerfällt die Novelle auch in ihrer äußeren Form in drei Teile: Im ersten Teil wird die Gegenwart des Krieges geschildert, im zweiten Teil im Kontrast hierzu die Erinnerung an die idyllische Vergangenheit, und im dritten Teil schließlich folgt ein für die Zukunft ermutigender Ausruf, nachdem die Hoffnungen der Vergangenheit als realisierbar erkannt worden und damit zur Motivierung der Gegenwart geworden sind.

Unter dem Tannenbaum (1862)

Das allgemeine Problem, das die Stimmung dieser Novelle (denn von Handlung läßt sich hier kaum sprechen) trägt, ist das der verlorenen Heimat; es wird an einem individuellen Fall illustriert. Der Amtsrichter Paul, der mit seiner Familie in Mitteldeutschland leben muß, während er sich nach seiner Heimat am Meer zurücksehnt, ist Storm selbst. Die Motivierung des Gegensatzes von Wunsch und Wirklichkeit — die politische Lage in Schleswig-Holstein im Jahre 1862 — verleiht der Novelle eine zeitkritische Dimension.

Pauls Heimat ist die „jenes nördlichsten deutschen Volksstammes, der vor wenigen Jahren, und diesmal vergeblich, in einem seiner alten Kämpfe mit dem fremden Nachbarvolke geblutet hatte" (I,326). Pauls persönlicher Konflikt steht somit stellvertretend für den aller patriotischen Schleswig-Holsteiner, sein Unglück ist auch das ihre; während er in der Fremde leben muß, müssen sie die Besetzung der Dänen erdulden. Die Befreiung der Heimat würde auch ihm die Heimkehr ermöglichen. „ . . . wer wäre nicht gern geblieben, wenn er nur ein Stück Brot und jenes unentbehrliche ‚sanfte Ruhekissen' des alten Sprichworts sich hätte erhalten können" (I,327) sagt Paul; das haben die Dänen dem Amtsrichter, der nicht gegen sein Gewissen hat handeln wollen, unmöglich gemacht. Storm verdeutlicht die Situation der Familie, indem er ihre Gedanken und Gefühle am Weihnachtsabend, dem Fest der Hoffnung und Liebe, schildert. Paul und seiner Frau Ellen ist der immergrüne Tannenbaum zum Symbol der Heimattreue geworden: „ . . . wir müssen wieder einen Tannenbaum haben." (I,331). In der Fremde scheint er sich nicht finden zu lassen, und so trägt die Familie am Weihnachtsabend an ihrem Exil besonders schwer: „Es tut nicht gut, in die Fremde zu gehen, . . . wenn man daheim schon am eigenen Herd gesessen hat. — Mir ist noch immer, als sei ich hier nur zu Gaste, und morgen oder übermorgen sei die Zeit herum, daß wir alle wieder nach Hause müßten!" (I,331).

Wehmütig erinnert sich die Familie vergangener Weihnachtsfeste im Norden, auch des letzten vor ihrer Abreise: „Es war damals eine bewegte Zeit; sogar das Zuckerwerk zwischen den Tannenzweigen war kriegerisch geworden: unsere ganze Armee, Soldaten zu Pferde und zu Fuß! — Von alledem ist nun nichts mehr übrig!" (I,340). Diese Worte haben einen doppelten Sinn: Die schleswig-holsteinischen Truppen sind besiegt, und nun gibt es keinen Weihnachtsbaum, kein Zuckerwerk mehr. Im Weihnachtszimmer der Vertriebenen brennen Kerzen auf dem Tisch. „Aber droben unter der Decke des hohen Zimmers war es dunkel; der Tannenbaum fehlte, der das Licht des Festes auch dort hinaufgetragen hätte." (I,342). Auch diese Worte haben Symbolgehalt: Deutschland feiert das Weihnachtsfest; doch bis oben in den Norden fällt das Licht der Freude nicht; Preußen hat Schleswig-Holstein verraten und den Dänen ausgeliefert. So wie Pauls Familie in der Fremde, scheint auch Schleswig-Holstein von Freunden isoliert zu sein. Der Familie allerdings wird im letzten Augenblick unerwartet Hilfe zuteil — von einer „dankbaren Freundin" (I,346), die einen Tannenbaum und Zuckerwerk schickt. Wird auch Preußen Schleswig-Holstein noch zur Hilfe kommen? Der Sohn Pauls jedenfalls bewahrt den kämpferischen Geist; er befestigt einen „Dragoner auf schwarzem Pferde in langem graublauem Mantel" der „von dem Zuckerzeug des letzten heimatlichen Weihnachtsbaums" stammt, an dem Tannenbaum: „Vater, . . . es war doch schade um unser schönes Heer! — Wenn sie es nur nicht aufgelöst hätten — ich glaube, dann wären wir wohl noch zu Hause!" (I,347).

Der Vater ist zwar nicht resigniert, aber er ist pessimistisch; ihm liegt daran, in seinem Sohn — der jungen Generation — die Verbundenheit mit der Heimat wachzuhalten, damit sie sich eines Tages vielleicht selbst helfen kann: „Du kennst noch das alte Haus deiner Großeltern . . . die Stunde ist nicht mehr fern, daß es in fremde Hand kommen wird." (I,347). Der Tannenbaum, den die Freundin geschickt hat, soll zwar ein Symbol für nachbarliche Stammesfreundschaft sein, aber die politische Wirklichkeit sieht anders aus: „ . . . ‚ich will den Namen [der Heimat] nicht nennen; er wird nicht gern gehört in deutschen Landen; wir wollen

68

ihn still in unserm Herzen sprechen, wie die Juden das Wort für den Allerheiligsten.' Und er [Paul] ergriff die Hand seines Kindes und preßte sie so fest, daß der Junge die Zähne zusammenbiß." (I,349).

Die äußere Form der Novelle ist einfach — sie besteht aus zwei Kapiteln; die innere Struktur der Novelle ist wesentlich komplizierter. Das aktuelle Problem Schleswig-Holsteins motiviert den persönlichen Konflikt der Familie, welcher wiederum am Beispiel des fehlenden Tannenbaums aufgezeigt wird. Die Lösung des letzteren Problems symbolisiert nun ihrerseits die Hoffnung auf die Lösung des politischen Konflikts, wodurch der Kreis geschlossen wird. Eine allgemeingültige Dimension besitzt die Lösung nicht. Der Konflikt (in seiner persönlichen wie in seiner politischen Form) spiegelt sich in den zwei Erzählebenen: die Erinnerung kontrastiert mit der Gegenwart. Der Tannenbaum kommt als Leitmotiv immer wieder vor — als Symbol vergangenen Glücks, das in zeitlichen Stufen immer näher an die Gegenwart herangeführt wird. Im gegenwärtigen Exil jedoch gibt es keinen Tannenbaum; man lebt losgelöst von den Wurzeln der Tradition. Der Baum, der schließlich als Überraschung eintrifft, verbindet die beiden Erzählebenen, Erinnerung und Gegenwart. Er versöhnt einerseits mit der Fremde und gemahnt andererseits an die Heimat, die unersetzlich ist. Er ist aber auch ein hoffnungsvolles Symbol für die Zukunft — trotz des Skepsis Pauls werden die „Freunde" Schleswig-Holstein nicht vergessen.

Abseits (1863)

Storm schrieb diese „Weihnachtsidylle" wenige Monate bevor Preußen gegen Dänemark vorging, das im Begriffe war, Schleswig völlig zu annektieren. Zehn Jahre waren vergangen, seit er der politischen Lage wegen die Heimat verlassen hatte, doch sein Wunsch, zurückzukehren, und sein Haß gegen die Okkupatoren waren unverändert geblieben. „Das Gehöft lag in dem nördlichsten deutschen Lande, das nach blutigem Kampfe jetzt mehr als jemals in der Gewalt des fremden Nachbarvolkes war." (I,350). Das allgemeine Problem, das in der Novelle behandelt wird, ist der Widerstand gegen eine fremde Besatzungsmacht: es wird am aktuellen Beispiel Schleswig-Holsteins illustriert. Das Schicksal der Heimat bildet zunächst den Rahmen und Hintergrund für den Lebensweg der Hauptfigur, Mamsell Meta. Aus ärmlichen Verhältnissen stammend, bietet sich ihr erst in späteren Jahren die Möglichkeit, der Hoffnung auf ein bescheidenes Glück an der Seite eines langjährigen Bekannten Raum zu geben. Kurz vor der Hochzeit sieht sie sich vor die Entscheidung zwischen persönlichem Glück und familiärer Loyalität gestellt. Ihr Bruder und seine Familie, durch seine Teilnahme am Krieg gegen Dänemark in finanziellen Schwierigkeiten, können nur durch ihre Hilfe und durch ihren Verzicht auf ein eigenes Heim gerettet werden. Die Inschrift auf dem Grabstein eines für die Heimat Gefallenen wird auch ihr zur Richtschnur: „Niemand hat größere Liebe, denn die, daß er sein Leben lässet für seine Freunde." (I,362). Storm stellt die sittliche Verpflichtung der Familie und der Heimat gegenüber gleichrangig nebeneinander, sie sind für ihn im Grunde eins. Meta steht in einem Konflikt zwischen Pflicht und Neigung, wird aber nicht zur tragischen Figur, denn weder sie noch ihr Bräutigam Ehrenfried geben eine große Liebe auf. Schon in früheren Jahren hat er die Versorgung seiner Schwester seinem persönlichen Glück vorangestellt und erst nach ihrem Tod an die Gründung eines eigenen Hausstandes gedacht. Meta andererseits hat sich seit ihres Vaters Tod für den Bruder verantwortlich gefühlt. Beiden ist also die Verpflichtung der Familie gegenüber selbstverständlich. Im Gegensatz zu Ehrenfried teilt Meta den Haß gegen die Fremden und die Vaterlandsliebe ihres Bruders, die ihn die Heimat sogar über die Familie stellen läßt. „Ich konnte mein Leben nicht für meine Freunde hingeben, aber das bißchen Silber . . ., das konnte ich doch." (I,363).

Der einsame Hof in der Heide, der gegen Ende ihres Lebens Metas Eigentum werden soll, ist deshalb nicht nur ein Zeichen des Dankes von seiten des Bruders, sondern auch Symbol für einen Neubeginn in der Heimat. In diesem Sinne muß man wohl auch den Untertitel „Weihnachtsidylle" verstehen. Noch liegt das Anwesen abseits; das Schicksal der Alten war es, zu verlieren, zu verzichten oder zu emigrieren (wie Storm selbst). Die Hoffnung für die neue Generation aber bleibt, für Meta wie für Schleswig-Holstein, wenn es auch „langsamer als anderswo" (I,376) geht. Der Sohn des Bruders wird in die Heimat zurückkehren und für Meta den Hof bewirtschaften; Schleswig-Holstein wird in den Deutschen Bund aufgenommen werden. Das persönliche Verhalten Metas und ihres Bruders soll allen, die unter der Herrschaft der Dänen leiden, ein Vorbild sein — ein Aufruf, in Notzeiten die Pflicht gegenüber der Gemeinschaft über die persönlichen Wünsche zu stellen. In der Ausführung seiner Novelle setzt Storm das politische Problem in der Erzählgegenwart des Rahmens zunächst deutlich gegen das persönliche der berichteten Innen-

erzählung ab, zeigt aber mittels häufiger Rückkehr in die Erzählgegenwart, wie sehr die beiden Probleme unter sich verknüpft sind.

Es waren zwei Königskinder (1884)

Der Titel dieser Novelle, die Storm selbst „etwas leichte Arbeit"
nannte, [8] ist irreführend, denn es geht nicht in erster Linie um die unerfüllte Liebe zweier junger Menschen, sondern um das immer tiefere Versinken eines Mannes in eine wirklichkeitsferne Welt. Nach den Ansätzen
zu diesem Thema in „Der Herr Etatsrat" und „Schweigen" schildert Storm
nun die Entwicklung einer Nervenstörung zur Geistesverwirrung. Ob das
Ende (Selbstmord) als äußerstes Zeichen geistiger Umnachtung oder als
letzte Rettung vor dem Wahnsinn zu interpretieren ist, bleibt offen. Auch
in dieser Erzählung ist Storm bemüht, an dem individuellen Schicksal
der Hauptfigur Adolf Marx allgemein-menschliche und auch zeitgebundene
Züge sichtbar zu machen. Das Motto der Geschichte wird in der Rahmenerzählung gegeben: „kleine Ursachen und große Wirkungen" (II,380).

Vielerlei Umstände tragen zu der zunehmenden Geistesverwirrung von
Marx bei: „Marx hat mir einmal angedeutet, er sei, da er zum Musiker
bestimmt gewesen, schon als Kind zu übermäßigem Klavierspiel ange-
trieben worden, er habe nachher oft seine kleinen Hände nicht stillhal-
ten können; vielleicht lag hier der Urquell dieser Zustände. Überdies
trank er den stärksten Kaffee, bevor er sich des Morgens ans Klavier
setzte, und rauchte scheußlich schweren Tabak . . ." (II,396). Die Folge
dieses Lebens ist eine krankhafte Reizbarkeit des jungen Mannes — „zu-
mal seine Abhängigkeit von der Meinung anderer über ihn war völlig
quälend" (II,395). Es beginnt sich ein immer stärker werdendes Mißver-
stehen der Realität abzuzeichnen. So glaubt Marx, die Geliebte habe ihn
aufgegeben, obwohl er sie selbst zurückgestoßen hat und es nur eines
klärenden Wortes von ihm bedürfte, um sie zurückzugewinnen. „Denn
er litt wie an prickelndem Ehrgeiz, so auch an einem gesellschaftlichen
Hochmut; sein Vater war in den besten Familien ein geschätzter Mann
und stand in freundlichem Verkehr mit ihnen; der Sohn hatte oft nicht
ohne Gewicht zu mir davon gesprochen. Und jetzt liebte er eine Hand-
werkerstochter mit der ganzen Heftigkeit seines Wesens . . . Schon aus
seinem Tagebuch, hatte ich es herausgelesen, daß diese Gegensätze ihn
gequält hatten." (II,400).

Neben diesen persönlichen Faktoren tragen aber auch allgemeinere Umstände zu der Krankheit von Marx bei. Er ist Student, und die Lehrer an dem Konservatorium verlangen das Äußerste. Einen neuen Kommilitonen fragt Marx nur halb im Scherz: „Haben Sie denn auch die Nerven zu dem alleinseligmachenden Anschlag mitgebracht? Es kommt hier auf ein Menschenleben nicht groß an!" (II,383). Wie Archimedes im „Etatsrat" nimmt Marx seine Pflichten als Student sehr ernst; wegen einer durchbummelten Nacht versäumt er keine Stunde: „Wie ich später von dem Lehrer hörte, hatte er gerade damals vortrefflich gespielt; aber was es ihm an Nervenkapital gekostet, davon hat er nicht geredet." (II,395). Die nervliche Belastung durch Beruf oder Berufsausbildung ist heute mehr noch als damals ein allgemeines Phänomen. Dennoch erhält die Erzählung durch diesen Aspekt keine allgemeingültige Dimension. Nur für einen Menschen wie Marx, der durch Charakter, Erziehung und Konstitution schon vorbelastet ist, kann diese Situation zum Verhängnis führen.

Die Erzählung besitzt einen zeitbezogenen politischen Aspekt. Sie spiegelt das gespannte Verhältnis zwischen Deutschland und Frankreich in den siebziger Jahren — Marx ist der Sohn eines deutschen Vaters und einer französischen Mutter. In Frankreich wagt Marx nicht spazierenzugehen, aus Angst, überfallen zu werden. Die Art, wie der Erzähler — ein deutscher Freund von Marx — den Halbfranzosen behandelt, läßt Zweifel über die Freundschaft aufkommen. Der Ton, in dem der Ich-Erzähler und seine Kameraden zu und von dem „Halbfranzöschen" (II,388) sprechen, ist fast durchwegs von einer freundlichen Herablassung und nachsichtigen Toleranz getränkt, was Marx eigentlich kränken müßte. Storm scheint in den damaligen klischeehaften Vorstellungen vieler Deutscher von den Franzosen befangen gewesen zu sein: Marx ist von „gelblicher Gesichtsfarbe" (II,382), die ihn sofort als Franzosen ausweist; er „kann nicht ohne Wohlgerüche leben" (II,383), er schließt sehr schnell Duzfreundschaft; er ist romantisch und gallant, und er nährt sich „nötigenfalls von Schnecken und Knoblauch" (II,388). Marx selbst fühlt sich als Deutscher. Nur als er sich einmal aus Liebeskummer betrinkt, redet „aus dem Berauschten ... die Nationalität der Mutter" (II,404); er spricht französisch und flucht auf die Deutschen. Die darauffolgende Arretierung und Mißhandlung durch Soldaten (er wird mit Ruß geschwärzt) treibt Marx' Psychose zum Äußersten. Er glaubt sich „geschändet" (II,405), verhöhnt und von sensationslüsternen Journalisten verfolgt. Um der Gerichtsverhandlung zu entgehen, gibt er sich den Tod.

Dieser politische Aspekt der Erzählung verleiht ihr keine neue Dimension, denn er ist ebenfalls nur *ein* Faktor, der zum Tod von Marx beiträgt. Er zeigt jedoch deutlich die unglückliche Situation eines Mannes, der zwischen zwei feindlichen Nationen steht. Das ungünstige Licht, in dem der Erzähler mit dem „blonden, nordischen Haupte" (II,383) und seine Kameraden — trotz ihrer Freundschaft zu Marx — erscheinen, war von Storm wohl nicht beabsichtigt, denn der Erzähler ist sein Sohn Karl. Am 7. August 1885 schrieb Storm an Keller: „Die kleine Erzählung ‚Marx' [so lautete der Titel ursprünglich] ist ein Konservatorienerlebnis meines Sohnes, des Musiklehrers Karl, aus Stuttgart; er erzählte es eines Abends hier in den Sommerferien auf der Terrasse so lebhaft, daß ich es in den nächsten Wochen niederschrieb; ... Die Schwärzung des Armen durch die Soldaten ließ ich, im Banne der Wirklichkeit, stehen."

Im ganzen betrachtet zeigt die Erzählung dieselben — vielleicht durch das behandelte Problem bedingten — Schwächen wie „Schweigen". Da die Zeitumstände den Konflikt nicht eigentlich motivieren, besitzt die Geschichte keine zeitbezogene Dimension. Auch das Motto der Rahmenerzählung kann ihr keine allgemeine Dimension verleihen. Marx' Schicksal bleibt ein Einzelfall.

V. DIE STÄNDISCHE GESELLSCHAFTSORDNUNG

Man hat das 19. Jahrhundert das Jahrhundert der „industriellen Revolution" genannt. Der Übergang von der alten ständischen Gesellschaftsordnung zur Industriegesellschaft erfolgte in Deutschland nur zögernd; vor allem in Preußen blieb der Adel die staatliche Führungsschicht, die vorwiegend konservativ eingestellt war. Großindustrielle und Hochfinanz setzten sich nur langsam als neue Geldaristokratie durch, der bürgerliche Mittelstand nahm zwar neue Berufszweige in sich auf, mußte sich aber weiterhin mit einer gesellschaftlich und politisch untergeordneten Stellung begnügen. Als „vierter Stand" begann sich eine Lohnarbeiterschaft, das Proletariat, zu entwickeln. Außenpolitische Krisen wendeten in Deutschland die Gefahr größerer sozialer Auseinandersetzungen immer wieder ab — die nationalen überwogen die sozialen Interessen. Nicht so bei Storm. Seine politischen Ziele waren stets auch sozialer Art. Er kämpfte gegen die Vorrangstellung des Adels, aber auch gegen die Selbstgefälligkeit des Bürgertums und die Sturheit der bäuerlichen Bevölkerung. Storm maß den Wert eines Menschen an seiner Leistung in seinem jeweiligen Aufgabenbereich, nicht an Faktoren, die der Einflußnahme des Einzelnen entzogen sind. Es war Storms tiefste Überzeugung, daß kein Mensch durch seine Geburt, seinen Beruf oder seine Rasse einem anderen überlegen sei. Jede Art von Standesdünkel empfand er als unethisch und borniert. Er war allerdings realistisch genug, um zu wissen, daß Änderungen in der Gesellschaftsstruktur — auf friedlichem Weg — kurzfristig nicht zu erhoffen sind. Am 10. Mai 1862 schrieb er an den Vater: „Du wirst über den Idealisten lachen, lieber Vater, beziehungsweise etwas schelten, aber am letzten Ende pflegen die Idealisten doch recht zu behalten, wenn auch mitunter erst hundert Jahre, nachdem sie begraben sind." Storm hat die Langsamkeit der Entwicklung nicht unterschätzt.

Storms Adelshaß flammte während seines Exils in Preußen auf. In Potsdam wurde er zum ersten Mal unmittelbar mit einem Gesellschaftssystem konfrontiert, in dem Adel und Militär alle wichtigen Stellen im Staat einnahmen. Schon am 23. März 1853, nach seinem ersten Besuch in Berlin seit seiner Studentenzeit, schrieb Storm an Fontane: „Gleichwohl ist in der Berliner Luft etwas, was meinem Wesen widersteht, und was ich auch bis zu einem gewissen Grade zu erkennen glaube. Es ist, meine ich, das, daß man auch in den gebildeten Kreisen Berlins den Schwerpunkt nicht in die Persönlichkeit, sondern in Rang, Titel, Orden und dergleichen Nipps legt, für deren auch nur verhältnismäßige Würdigung mir, wie wohl den meisten meiner Landsleute, jedes Organ abgeht."

In der kleinen Erzählung „Posthuma" (1849) hat Storm zum ersten Mal in seinen Novellen einen Standesunterschied der Protagonisten angedeutet. Man kann aber noch nicht von einem Standeskonflikt sprechen — dafür ist die Handlung zu schwach skizziert. Die Novelle „Auf dem Staatshof" jedoch, die acht Jahre später entstand, besitzt deutlich eine soziale Dimension. Patrizier- und Adelsgeschlechter sind zum Aussterben verurteilt, wenn sie sich nicht mit dem Bürgertum mischen. In dieser Novelle verfuhr Storm noch milde mit dem Adel; er würdigte dessen kultivierte Sitten und schilderte das aufstrebende Bürgertum daneben als etwas grob und ungeschlacht. Der Adel braucht das Bürgertum ebenso sehr, wie dieses den Adel. Scharf ging Storm in der Novelle „Im Schloß" mit dem Adel ins Gericht. Am 7. April 1863 schrieb er darüber an Brinkmann: „Mein ,Schloß' braucht sich übrigens nicht vor den ,Problematischen Naturen' [Spielhagens] zu verstecken. In der Ballszene ist es mir gelungen, auch den kaum in die Erscheinung tretenden, fast ungreifbaren Hauch der Insolenz, wozu das Adelsinstitut den Menschen bringt, in einer Szene zu gestalten und vor den moralischen und ästhetischen Richterstuhl des Publikums zu stellen. So scharf und tief ist Spielhagen nirgends gegangen." Wie revolutionär Storms Novelle wirkte, zeigt sich daran, daß die *Gartenlaube* nur eine verstümmelte Fassung druckte und Alexander Duncker in Berlin die Drucklegung ablehnte. Storm selbst schrieb in einem undatierten Brief (März 1862) an die Eltern: „Ich werde dadurch wohl meine bisherigen Leser aus der Junkerpartei ... ein für allemal einbüßen, sowie alle, die nicht auf dem Standpunkt des reinsten Menschentums stehen ... Aber — diese Arbeit bin ich selbst, mehr als irgend etwas, das ich sonst in Prosa schon geschrieben hätte." Eindeutige Kritik am Adel übte Storm auch in „Aquis submersus" und „Eekenhof". In beiden Novellen sterben die geschilderten Adelsgeschlechter aus. Hochmut, Habgier und Dekadenz haben ihren Untergang herbeigeführt. Dadurch, daß die Handlung im 17. Jahrhundert spielt, wird die soziale Anklage einerseits historisch untermauert, andererseits gemildert. Aus beiden Werken spricht die Überzeugung Storms, „Adel und Kirche seien die zwei wesentlichsten Hemmnisse einer durchgreifenden sittlichen Entwicklung unserer, sowie anderer Völker" [1].

Immer wieder machte Storm seinem Haß gegen die Aristokratie in Briefen Luft. Am 5. Dezember 1863 berichtete er dem Vater von einem Vorfall, den er als symptomatisch ansah: „Eine Reisegeschichte von Constanze muß ich doch erzählen. Beim Absteigen in Hannover kann sie nicht mehr nach ihrem Wagen finden und bittet zwei Offiziere, sie nach dem Wagen Nummer soundso zu geleiten. Sie sind auch bereit und gehen mit ihr. Im Gehen fragt der eine: ‚Zweite Klasse, nicht wahr?' ‚Nein, dritte Klasse', antwortet Constanze. Da wenden die beiden aristokratischen Herren ihr den Rücken und lassen sie stehen, ohne ein Wort weiter an sie zu verlieren. Das ist der Geist unseres deutschen Militärs." Storm nahm diese Episode später in seine Skizze „Von heut und ehedem" auf. Am 18. Januar 1864 schrieb Storm an Brinkmann: „ . . . ich sage Dir, der Adel (wie die Kirche) ist das Gift in den Adern der Nation."

Es ist auffällig, daß Storms Angriffe gegen das Junkertum vor allem in die Zeit seines Exils und in die ersten Jahre nach seiner Rückkehr nach Husum fallen. Änderte sich später seine Einstellung zum Adel? Nein; aber einerseits begannen nun die Klassenschranken tatsächlich zu fallen, andererseits sah Storm die Gesellschaft in ihrer Gesamtheit in einem neuen, negativen Licht. In seinen Novellen „Im Nachbarhause links" und „Schweigen" berichtete er zwar von Verbindungen zwischen Adligen und Bürgermädchen, doch liegt in diesem „Ausgleich" nicht die soziale Dimension dieser Werke. Die dort geschilderten Ehen waren nicht nach Storms Sinn — sie wurden nicht im Geist liberaler Fortschrittlichkeit geschlossen sondern aus materialistischen Gründen. Der Adel ließ sich aus finanziellen oder gesundheitlichen Rücksichten dazu herbei; das Bürgertum glaubte, auf diesem Wege Prestige zu gewinnen. In der „Chronik von Grieshuus" versuchte Storm, das Naturgesetz aufzuzeigen, das für die menschliche Gesellschaft überhaupt bestimmend ist. Am Beispiel eines Adligen illustrierte er, wie das Individuum an diesem Naturgesetz zugrunde gehen muß, wenn es mit der sozialen Ordnung in Konflikt gerät. Das Mittel der Natur, sich zu rächen oder zu verteidigen sind Krieg und „Zufall". Ihnen fällt das Schwache — oder was sonst von der Regel abweicht — zum Opfer. Einen letzten Hieb gegen den Adel führte Storm in „John Riew'"; dort verführt ein dekadenter „Wasserschößling aus großer Familie" (II,452) ein törichtes Bürgermädchen. Dieser Vorfall ist nur *ein* sozialer Aspekt der Novelle.

Nach allem, was bisher angeführt wurde, könnte man vermuten, daß Storm selber den gesellschaftlichen Umgang mit „überzeugten" Adligen vermied. Das war aber nicht der Fall; die Landräte Alexander von Wussow in Heiligenstadt und Ludwig Graf zu Reventlow in Husum gehörten zu seinem engsten Freundeskreis. Sie brachten zwar für Storms Abneigung gegen den Adel wenig Verständnis auf, und Storm warf ihnen gelegentlich Hochmut vor, aber trotz dieser beiderseitigen „Schwächen" achteten und schätzten sie sich gegenseitig. Liliencron hat in seinem Brief an Hermann Friedrichs vom 25. 3. 1885 Storms persönliches Verhältnis zum Adel sehr amüsant charakterisiert: „Ueber meinen feinen, vornehmen, unsäglich eitlen, merkwürdigen Landsmann Th. Storm, den Adelshasser, auf allen Gütern meines kleinen Heimatlandes aber vom Adel sich gern verhätscheln lassenden Dichter schreibe ich schon lange ... Den müßten Sie kennen. Wirklich: ein Dichter! Ich sah ihn neulich auf einem Diner, wo man mich neben ihn setzte. Das erste war, daß er eine Flasche Rotspon umgoß; dann aber stürzten die Damen auf ihn ein, und alles war bald wieder gut. Es genierte ihn absolut nicht." [2]

Das bürgerliche Klassenbewußtsein wurde von Storm zum ersten Mal in der Novellenskizze „Im Sonnenschein" (1854) kritisiert. Das patriarchalische Familiensystem zwingt die junge Generation, die Vorurteile des Bürgertums gegen Adel und Militär zu respektieren. Storm erkannte bald, daß hierin kein ernsthaftes Problem lag. Der bürgerliche Mittelstand war — wenn sich die Gelegenheit bot — nur allzu bereit, die soziale Stufenleiter hinaufzuklettern. Gegenüber dem Kleinbürgertum und dem Proletariat wurden die gesellschaftlichen Schranken jedoch streng gewahrt. Die oberflächliche Bildung des etablierten Bürgertums prangerte Storm in der Novelle „Drüben am Markt" an. Ein „Emporkömmling", der sich durch Leistung und guten Charakter ausgewiesen hat, wird nur nach seiner äußeren Erscheinung und nach seinen Manieren beurteilt. Da diese „Tugenden" meist erst in der zweiten Generation erworben werden können, zwingt ihn die Gesellschaft in die Rolle des Außenseiters. Die „feinen Leute" besitzen selbst keine Herzensbildung — deshalb anerkennen sie diese auch bei anderen nicht. Storm verwertete in dieser Novelle, die nicht ohne Humor erzählt ist, seine Erfahrungen mit der Berliner Gesellschaft. Es ist fraglich, ob er sich bewußt war, daß er den Helden der Geschichte so zeichnete, wie er selbst seinen Berliner Bekannten erschienen war! Fontane schreibt in seinen Erinnerungen an Storm: „Es mag übrigens schon hier erwähnt sein, daß Storm nach Art so vieler lyrischer Dichter — und nun gar erst lyrischer Dichter aus kleinen Städten —, der Träger von allerhand gesellschaftlichen Befremdlichkeiten war, die, je nach ihrer

Art, einer lächelnden oder auch wohl halb entsetzten Aufnahme begegneten. Manches so grotesk, daß es sich hier der Möglichkeit des Erzähltwerdens entzieht." ³ Das Aussehen Storms beschreibt Fontane einmal folgendermaßen:

Es mochte zwölf Uhr sein, als wir ... beide das Verlangen nach einem Frühstück verspürten. Ich schlug ihm meine Wohnung vor ...; er entschied sich aber für Kranzler [die berühmte Konditorei]. Ich bekenne, daß ich ein wenig erschrak. Storm war wie geschaffen für einen Tiergartenspaziergang an dichtbelaubten Stellen, aber für Kranzler war er nicht geschaffen. Ich sehe ihn noch deutlich vor mir. Er trug leinene Beinkleider und leinene Weste von jenem sonderbaren Stoff, der wie gelbe Seide glänzt und sehr leicht furchtbare Falten schlägt, darüber ein grünes Röckchen. Reisehut und einen Schal. ... Storm trug ihn rund um den Hals herum, trotzdem hing er noch in zwei Strippen vorn herunter, in einer kurzen und einer ganz langen. An jeder befand sich eine Puschel, die hin und her pendelte. ⁴

Im Gegensatz zu dem Helden seiner Novelle blieb Storms „mit dem Charme des Naiven ausgerüstete Persönlichkeit ... am Ende doch immer siegreich" ⁵. Ein tragischer Konflikt zwischen Kleinbürgertum und Großbürgertum bildet den Inhalt der Novelle „Auf der Universität". Storm zeigt ohne Beschönigung die Skrupellosigkeit und Grausamkeit des gehobenen Mittelstandes, der ein Mädchen aus den unteren Schichten an sich zieht und zurückstößt, wie es seiner Bequemlichkeit entspricht. In der Heldin der Geschichte wird das Verlangen nach einem schöneren und freieren Leben geweckt, gleichzeitig wird ihr zu verstehen gegeben, daß für sie ein solches Leben unerreichbar ist. Als sie dennoch — unter Einsatz ihrer weiblichen Würde — den Sprung in die höhere Gesellschaftsschicht wagt, erfährt sie ihre tiefste Demütigung.

Aus den Novellen „Beim Vetter Christian" und „Pole Poppenspäler" spricht ein gedämpfter Optimismus. Der Gegensatz zwischen oberer und unterer Mittelklasse einerseits und Handwerkern und „fahrenden Leuten" andererseits wird durch Naivität („Beim Vetter Christian") und Mut („Pole Poppenspäler") überwunden. Storm war sich bewußt, daß er hier nicht die Regel, sondern die Ausnahme darstellte. Die versöhnlichen Lösungen beweisen immerhin, daß Storm in der bestehenden Gesellschaftsordnung einen Ausgleich für möglich hielt. Ein Ideal gesellschaftlichen Zusammenlebens wird in der heiteren Novelle „Die Söhne des Senators" geschildert. Ein Familiengarten wird zum Symbol der Welt. Früher war er ausschließlich seinen patrizischen Besitzern vorbehalten, jetzt wird er für alle geöffnet — bei den bürgerlichen Honoratioren angefangen bis zu den kleinen Angestellten und Arbeitern. Mit dieser Novelle — der letzten, die er in Husum vollendete —, schloß Storm die Behandlung bürgerlicher Standeskonflikte ab.

Nur in zwei Novellen schilderte Storm die sozialen Verhältnisse auf dem Lande — in „Eine Malerarbeit" und in „Draußen im Heidedorf". In beiden bedroht die starre bäuerliche Tradition, die keinerlei soziale Flexibilität kennt, das Glück eines Menschen, der sich ihr nicht unterwerfen will. Im ersten Fall fühlt sich ein Bauernsohn, der den väterlichen Hof übernehmen soll, zum Künstler berufen. Er fügt sich dem Machtspruch des Vaters schweren Herzens; durch das Eingreifen eines Außenstehenden wird ihm das Kunststudium schließlich doch ermöglicht. Das Schicksal dieses Bauernjungen ist für den eigentlichen Konflikt der Novelle aber nur von untergeordneter Bedeutung; es verleiht ihr keine allgemeine gesellschaftskritische Dimension. In „Draußen im Heidedorf" gestattet es das ungeschriebene Gesetz der dörflichen Gemeinschaft nicht, daß der Erbe eines Hofes die Tochter einer Hebamme heiratet: „Überdies, ... ihr Großvater war ein Slowak von der Donau und, Gott weiß wie, bei uns hängengeblieben; dazu die alte Hebamme mit ihrem Kartenlegen und Geschwulstbesprechen, womit sie den Dummen die Schillinge aus der Tasche lockt — das hätte übel gepaßt in eine alte Bauernfamilie!" (I, 614). Dennoch spielt der Standesunterschied keine ausschlaggebende Rolle — die entscheidenden Faktoren im bäuerlichen Leben sind Geld und Besitz. In „Eine Malerarbeit" läßt der Vater den Sohn ziehen, weil man ihn überzeugt hat, daß durch die Kunst schnell viel Geld zu verdienen sei. In „Draußen im Heidedorf" ist die Tochter der Hebamme keine passende Partie, weil sie nichts besitzt außer einem hübschen Gesicht; sie selbst ist ihrerseits nicht an der Heirat interessiert, weil der Hof des jungen Bauern verschuldet ist. Am Adel hatte Storm Hochmut und Fortschrittsfeindlichkeit kritisiert, am Bürgertum Selbstgefälligkeit und Oberflächlichkeit. Die bäuerliche Gesellschaft analysierte Storm mehr, als daß er sie kritisierte. Er zeigte, daß auf dem Lande für Gefühle kein Raum ist, daß jede Entscheidung nach materialistischen Gesichtspunkten getroffen wird. Seine richterliche Praxis hatte Storm gelehrt, daß Traditionen nirgends tiefer wurzeln als auf dem Lande, und daß ein Bauer durch seinen Beruf beinahe *gezwungen* wird, „praktisch" zu denken. Storm schilderte die bäuerliche Gesellschaft ebenso nüchtern und realistisch wie Jeremias Gotthelf, von dem er zumindest die Novelle „Kurt von Koppigen" kannte und schätzte.

Eine Kritik der Gesellschaft — der Bauern, Bürger und Junker — in „poetischer" Form findet sich in Storms Märchen — in der „Regentrude", in „Bulemanns Haus" und in „Der Spiegel des Cyprianus". Mit Hilfe des Übernatürlichen wird darin nicht nur das menschlich gute, sondern auch das sozial richtige Verhalten belohnt und das böse bzw. falsche bestraft.

Die „modernste" sozialkritische Novelle Storms sei zum Schluß erwähnt. In „Von Jenseit des Meeres" wandte sich Storm gegen das Rassenvorurteil. Was veranlaßte Storm, dieses Thema zu behandeln? In einem undatierten Brief (April 1845) erzählte er seiner Braut Constanze Esmarch: „Gestern habe ich zum erstenmal die Kinder des Woldsen aus St. Thomas gesehen ... ; sie sind, so viel ich weiß, mit einer Kreolin erzeugt, mit der der Vater in dem dort gewöhnlichen Konkubinatsverhältnis lebt. Der Junge ist häßlich, ein Woldsen. Das Mädchen aber, Du wirst sie Dir im Sommer gewiß noch oft nach hinten durch den Garten holen, denn der blaße Teint, die fremdartigen spanischen Augen sind wirklich interessant." Eine weitere Begegnung mit einem Farbigen hatte Storm in Segeberg. In einem Brief (undatiert, im Juli 1863) an seine Frau heißt es: „Eben geht der Sohn des Präsidenten von Liberia, ein junger Neger, hier vorüber, der in Altona auf Schulen und mit Stehmanns Söhnen hier in den Ferien ist; er soll Medizin studieren." Es war aber wohl nicht der persönliche Kontakt mit diesen Menschen, der Storm veranlaßte, auch Farbigen „ein ganzes Menschentum" (I,443) zuzugestehen. Er brauchte die konkrete Erfahrung nicht — seine Aufgeschlossenheit basierte auf seinen liberalen Grundsätzen. In „Von Jenseit des Meeres" griff Storm — mit dem Problem eines Mischlings, der zwischen zwei Rassen und zwei Kulturstufen steht — einen sozialen Konflikt auf, der erst in der Gegenwart in seinem vollen Umfang deutlich geworden ist. —

Posthuma (1849)

Das Problem, das in dieser Novelle behandelt wird, ist das der ungleichen Liebe. Ein Mädchen liebt einen Mann; er jedoch begehrt sie nur. Diese Ungleichheit der Gefühle wird durch weitere Gegensätze unterstrichen: Sie trägt den Tod schon in sich — er gehört ganz dem Leben an.

Sie stammt aus ärmlichen Verhältnissen und achtet die gesellschaftlichen Konventionen nicht; seine „schönen vornehmen Hände" (I,53) deuten auf einen höheren Stand. Er schämt sich des Mädchens und wagt sie nur heimlich zu sehen: „Nachts im kalten Vorfrühling, in ihrem vertragenen Kleidchen kam sie zu ihm in den Garten . . ." (I,53).

Der Gegensatz von Tod und Leben illustriert und motiviert den Konflikt, ohne ihm eine überpersönliche, zeitlose Dimension zu geben. Da das Mädchen dem Tod geweiht ist, kann es bis zur Selbstaufgabe lieben — „sie tat ihm alles" (I,52). Der Mann in seiner Selbstsüchtigkeit „liebte sie nicht" (I,53), solange sie lebte. Der angedeutete Standesunterschied und die ungleiche Einstellung der Gesellschaft gegenüber geben dem persönlichen Konflikt einen realen Hintergrund; da sie aber nur Ausschmückung, nicht Motivierung des persönlichen Problems sind, besitzt die Skizze keine sozialkritische Dimension. Die Lösung des Konflikts bringt der Tod — „seit ihrem Tode ist seine Begierde erloschen" (I,54), und er wird von einer postumen Liebe zu der Toten erfüllt. Damit hat das Mädchen durch ihre Liebe den Tod überwunden — in seiner Liebe und Erinnerung ist sie wieder zum Leben erstanden. Storm entwickelt den Konflikt nicht aus der Handlung, sondern begründet ihn mit der Gegensätzlichkeit von Gegebenheiten. Die Lösung des Problems verlegt er „nach innen". Die Form spiegelt den Konflikt und seine Lösung: die Skizze zerfällt in drei Teile. Im ersten Teil wird der Zustand des ärmlichen, einsamen Grabes des Mädchens geschildert — Tod und Vergessen; im zweiten Abschnitt wird die Situation des Mannes, seine Erinnerung an das Mädchen und sein eigenes herzloses Verhalten beschrieben. Im dritten Teil werden die gegensätzlichen Gefühle, werden Tod und Leben versöhnt: Er lebt, aber er „ist gezwungen, eine Tote zu lieben". (I,54). Sie ist tot, aber sie lebt nun in seiner Liebe.

Im Sonnenschein (1854)

Storm veranschaulicht hier den Generationenkonflikt an einem individuellen Fall. Ihre Liebe zu einem adligen Offizier bringt Fränzchen in Konflikt mit dem Vater. Da dieser „ein harter Mann" mit „strengen Linien" und einem „starken Mund" ist, der „seine Söhne bis in ihr dreißigstes Jahr erzogen" hat (I,109—110), muß sich Fränzchen dem Willen des Vaters beugen. Dies fällt ihr umso schwerer, als sie das einzige von den

Kindern ist, das „bei Gelegenheit mit dem Vater ein Wort zu reden wagte." (I,109). Auch der Offizier ist keine schwache Natur. Sein Kampf um Fränzchens Hand wird allegorisch dargestellt [6]: er will eine Blüte vor einer Raupe retten. „Aber die Sonnenstrahlen ... blendeten ihn; er mußte die Augen abwenden." (I,102). Selbst den Schatten der Raupe kann er mit seinem Stock nicht treffen — „über ihm ging der Sommerwind durch das Gezweige" (I,102—103). Wie Fränzchen sieht er sich einer Macht gegenüber, der er hilflos ausgeliefert ist.

Indem Storm die Perspektive wechselt, gelingt es ihm, diesem individuellen Konflikt eine aktuelle sozialkritische Dimension zu verleihen. Während im ersten Teil der Novelle der Erzähler den Standpunkt eines unsichtbaren Beobachters einnimmt, läßt er im zweiten Teil die Schwägerin Fränzchens und deren Enkel Martin den Konflikt aus einer Distanz von über 60 Jahren betrachten. Auf die Frage Martins nach Fränzchen klärt ihn die Großmutter über die damaligen Verhältnisse auf: „ ... was wißt ihr junges Volk auch, wie es dazumalen war. Ihr habt die harte Hand nicht über euch gefühlt; ihr wißt es nicht, wie mäuschenstille wir bei unsern Spielen wurden, wenn wir den Rohrstock unseres Vaters nur von ferne auf den Steinen hörten. ... Ihr seid glückliche Kinder; aber deines Großvaters Schwester lebte in den alten Tagen." (I,109).

Es wird deutlich, daß Fränzchen und ihr Offizier ebenso am Vater als Individuum wie an der allgemeinen patriarchalischen Familienordnung jener Zeit gescheitert sind. Bei den damaligen Verhältnissen *mußte* ein solcher Generationenkonflikt mit dem Sieg des Vaters enden. Gleichzeitig steht der Konflikt zwischen Vater und Tochter stellvertretend für einen Standeskonflikt. Fränzchen denkt liberal; der Vater aber ist stolz auf sein Bürgertum. Er ist „sehr gegen das Militär" (I,108) und wünscht keinen adligen Offizier als Schwiegersohn. „Im Sonnenschein" ist die einzige Novelle Storms, in der eine Liebe an bürgerlichen Vorurteilen gegen den Adel scheitert. Sollte Storm aus Opposition gegen die Vormachtstellung des preußischen Adels, die er in Berlin zu spüren bekam, eine solche Situation geschildert haben? Wie dem auch sei — er wandte sich gegen das bürgerliche Klassenbewußtsein ebenso sehr wie gegen die patriarchische Familienordnung. Darin liegt die sozialkritische Dimension des Konflikts.

Wie in „Marthe und ihre Uhr" und „Im Saal" ist es auch in dieser Novelle die Zeit, die den Konflikt begründet. Hebbel hatte 1843 in seiner Abhandlung „Mein Wort über das Drama" erklärt, „die wandelnde

Zeit und ihr Niederschlag, die Geschichte"[7] müßten dem Drama als Stoff dienen; das Drama „läßt daher nicht die Schuld aufgehoben, wohl aber den inneren Grund der Schuld unenthüllt. Doch dies ist die Seite, wo das Drama sich mit dem Weltmysterium in eine und dieselbe Nacht verliert."[8] „Im Sonnenschein" entspricht diesen Ausführungen Hebbels genau, wenn man soziale Verhältnisse im Sinne von Geschichte gelten läßt. Der Einzelne, der seiner Zeit voraus ist, der mit ihr in Konflikt gerät, muß scheitern; er trägt aber dennoch zu einem Wandel der Zeitverhältnisse bei. Darin liegt die allgemeingültige Aussage der Novelle. Diese Parallelen zum Drama Hebbels sind nicht überraschend, denn am 10. 7. 1851 schrieb Storm an seinen Freund Brinkmann: „Hebbels Sachen habe ich ebenfalls alle gelesen. Er ist bei allen Fehlern von den jetzigen Dramatikern doch der bedeutendste . . .". Auch später ließ Storms Interesse für Hebbel nicht nach, und er formulierte seine Maxime „die heutige Novelle ist die Schwester des Dramas"[9] sicherlich auch im Hinblick auf Hebbels Werk.

Die sich wandelnde Zeit ist es auch, die ihre selbst geschaffenen Konflikte wieder löst; sie mißt nicht nach Menschenleben: Fränzchen ist schon über 50 Jahre tot, und die Buchsbaumrabatten im Garten, äußerliches Kennzeichen jener Epoche, sind schon seit über zwanzig Jahren verschwunden, als wieder eine Situation in der Familie entsteht, die derjenigen Fränzchens ähnlich ist. Martin liebt ein offensichtlich fremdartiges, kapriziöses Mädchen, einen „Wildfang" (I,107), der keinen Respekt vor Traditionen hat. Aber nun sind die Verhältnisse günstig; selbstbewußt kann Martin sagen: „ . . . die fremden braunen Augen hat sie nun einmal; die kommen jetzt ohne Gnade in die Familie!" (I,107).

Im Gegensatz zum Konflikt überzeugt die Lösung nur im Einzelfall — sie ist ein Werk des Zufalls. Die Behauptung der Großmutter — „Ihr seid glückliche Kinder" — reicht als Beweis für den Anbruch einer neuen Zeit nicht aus. Der Grund für diesen Mangel, den Storm selbst empfand — „ . . . die zweite Hälfte gefällt, leider, kaum noch dem Verfasser." schrieb er im Oktober 1854 an Paul Heyse — liegt in der Darstellungstechnik. Storm setzt in dieser Novelle zwei Situationsbilder, formal den Szenen eines Dramas vergleichbar, ohne Verbindung nebeneinander. Im ersten wird der Konflikt in der Vergangenheit gezeigt, im zweiten die Lösung in der Gegenwart; eine Entwicklung zu dieser Lösung wird nicht geschildert. Die Art des Konflikts kommt diesem Aufbau entgegen: er ist von den betroffenen Personen aus gesehen statisch und kann von ihnen selbst nicht gelöst werden. Eine Darstellung des allmählichen Wandels der Zeitverhältnisse hätte den Rahmen einer Novelle gesprengt — ganz abgesehen davon, daß die soziale Realität des Jahres 1854 eine solche Lösung Lügen gestraft hätte. Paul Heyse kritisierte in seinem Brief an Storm vom 26. November 1854, daß die Novelle nur „Kopf und Schwanz" enthalte, doch liegt der Reiz dieses kleinen Werks — wie bei „Immensee" — weniger in der Handlung als in der Stimmung, die der Erzähler heraufbeschwört.

Auf dem Staatshof (1857/58)

Anne Lene van der Roden und ihre alte Großmutter sind die einzigen lebenden Nachkommen eines zweihundert Jahre alten Geschlechts, dessen letzter Besitz der Staatshof ist. In der patrizischen Tradition ihrer Familie erzogen, vermag sich Anne Lene nach dem Tod der Großmutter nicht in die bürgerliche Gesellschaft einzugliedern. Geburt und Erziehung sind die bestimmenden Faktoren in ihrem Leben. Sie verlobt sich mit einem Kammerjunker, dessen Charakter zweifelhaft erscheint; als sich herausstellt, daß sie keine reiche Erbin, sondern ein armes Mädchen ist, zieht sich der Bräutigam zurück. Anne Lenes Gesundheit leidet unter diesen Schicksalsschlägen, und sie isoliert sich noch mehr von der Gesellschaft. Sie fühlt sich alt und trauert um ihre Familie: „ . . . sie haben mich ja ganz allein gelassen." (I,168). Eines Abends besucht sie mit ihrem bürgerlichen Jugendgespielen Marx (dem Erzähler) den alten Rokokopavillon im Garten des Staatshofs. Sie betritt den morschen Boden, durch dessen Spalten das Wasser eines tiefen Grabens glitzert. Als Marx sie bittet: „Gib mir die Hand, ich weiß den Weg zur Welt zurück!" (I,168) wehrt sie heftig ab. Im selben Augenblick bricht sie durch den Boden und ertrinkt.

Das Besondere der Novelle liegt darin, daß die Ereignisse konsequent aus der Sicht eines relativ Unbeteiligten dargestellt werden: „Ich kann nur einzelnes sagen; nur was geschehen ist, nicht wie es geschehen ist . . ." (I,138). Die Schilderung wird auf diese Weise realistisch und geheimnisvoll zugleich — sie entspricht den Mächten, deren Wirken sich in der Geschichte der Menschheit nachweisen läßt, ohne daß ihr Wesen ergründet werden kann.

Anne Lenes Gefühle und die Motive für ihre Handlungen werden nicht definiert. Als eine Bettlerin auf dem Staatshof Anne Lene und ihre Familie der Hoffart und früher begangenen Unrechts anklagt, erfährt der Leser nicht, was in Anne Lene vorgeht, aber „nach einigen Tagen war das Diamantkreuz von Anne Lenes Hals verschwunden" (I,153). Von Anne Lenes Liebe zu dem Junker wird nicht gesprochen; Marx findet Anne Lene eines Nachmittags im Garten, den der Junker gerade verlassen hat: „Sie schien ganz einem innern Erlebnis zugewendet ..." (I,155). Nach der Auflösung der Verlobung antwortet Anne Lene auf die Frage, ob sie ihren Bräutigam sehr geliebt habe: „Ich weiß es nicht ..." (I,159). Und ebenso unbestimmt bleiben die Gründe für ihren Tod — war es ein Unfall, war es Selbstmord?

Fehlt der Novelle ein Konflikt? Berichtet sie nur vom traurigen Leben und Sterben eines Mädchens? In diesem Fall wäre die vage Charakterisierung ein großer Mangel. Anne Lenes Tragik liegt darin, daß sie eigentlich kein Individuum sein kann; sie ist das letzte Glied eines einst reichen und mächtigen Geschlechts. Ihr Ende ist auch das Ende ihrer Familie. „Die Hauptgestalt der Novelle, Anne Lene, scheitert nicht wegen einer unbegreiflichen Schwäche des Willens oder der Überzartheit ihres Gefühls, sondern an ihr vollzieht sich ein Schicksal." [10] Was wir über Anne Lene erfahren, ist ganz von der Familientradition bestimmt: ihre Manieren sind untadelig; sie tanzt vollendet Menuett; sie lehnt es ab, mit dem Schustersohn Simon zusammenzusein; sie nimmt an keinen Knabenspielen teil; sie trägt stets „die feinsten englischen Handschuhe" (I,150) — auch wenn sie kleine Arbeiten verrichtet. Der „Gegensatz ihres zarten Wesens zu der derben und etwas schwerfälligen Art des Landes" (I,150) ist nicht zu übersehen. Bei der Begegnung mit der Bettlerin vermeidet sie es ängstlich, mit ihrem Kleid an das der Frau zu streifen; bei der Wahl des Bräutigams ist ihr sein Stand wichtiger als sein Charakter. Nach dem Scheitern der Verbindung versucht sie zwar „die Anfänge des Landhaushaltes" zu lernen, aber „man fühlte leicht, daß die Teilnahme ... nur eine äußerliche war" (I,159). Schließlich lehnt sie auch die Werbung ihres Jugendgespielen ab. Die Familientradition in ihr — im guten wie im bösen Sinn — ist zu stark, als daß die Anklage der Bettlerin, die Lösung der Verlobung und die Werbung von Marx sie dazu veranlassen könnten, ihre Einstellung zum Leben zu ändern.

Die Novelle schildert die letzte Phase der Lösung eines Konflikts, der vor vielen Jahren begann und an dem Anne Lene noch leidet: „Neunzig Höfe, so hieß es, hatten sie [die van der Roden] gehabt, und sich im Übermut vermessen, das Hundert voll zu machen. Aber die Zeiten waren umgeschlagen; es war unrecht Gut dazwischen gekommen, sagten die Leute; der liebe Gott hatte sich ins Mittel gelegt, und ein Hof nach dem andern war in fremde Hände übergangen." (I,139). Wie in „Im Sonnenschein" sind es „die Zeiten", die Verhältnisse, mit denen der Mensch in Konflikt gerät und die sich daraufhin langsam ändern. Ob die Leute mit ihren Erklärungen recht haben, weiß der Leser nicht. Der Erzähler gibt darüber ebenso wenig Auskunft wie über Anne Lenes Tod: „ . . . ich weiß nicht, wie es zu Ende ging und ob es eine Tat war oder nur ein Ereignis, wodurch das Ende herbeigeführt wurde." (I,138).

Der Konflikt der Familie van der Roden besitzt neben seiner individuel,len eine allgemeingültige und eine zeitbezogene sozialkritische Dimension. Die Mitglieder der Familie van der Roden sind — schuldig oder schuldlos — in Gegensatz zum Zeitgeist geraten. Anne Lene ist keine Ausnahme — sie richtet ihr Leben nach überholten Traditionen aus. Jedes Individuum aber, das seiner Zeit entweder voraus ist oder der modernen Entwicklung nicht folgen will, ist zum Untergang verurteilt. Die sozialkritische Dimension des Konflikts ergibt sich aus Anne Lenes Einstellung zur zeitgenössischen Gesellschaft. Als Patrizierin lehnt sie das aufstrebende Bürgertum ab. Um überleben zu können, müßte der Adel bereit sein, im Bürgertum aufzugehen. Anne Lenes Schicksal wird damit zum warnenden Beispiel für den allzu klassenbewußten ersten Stand. Storms Sympathien sind in dieser Novelle auf der Seite des Adels. Wenn er ihm auch keine politische Führungsrolle zugestand, so erkannte er ihn doch als Kulturträger an.

Drüben am Markt (1860)

Der junge Doktor Christoph, ein Außenseiter und der „Held" der Geschichte, ist unwissentlich mit der etablierten Gesellschaft in Konflikt geraten. Christoph ist ein „reiner Tor", der glaubt, der Wert eines Menschen hänge nicht von gesellschaftlichen Äußerlichkeiten ab. Als Arzt genießt Christoph gesellschaftliches Ansehen, obwohl sein Vater nur ein Schneider gewesen war. Sein berufliches Können und sein heiteres, gutmütiges Wesen sollten ihm eigentlich die Sympathien aller erwerben. Doch in einem Punkt hat Christoph den Sprung in die höhere soziale Schicht nicht vollzogen: ihm fehlt der gesellschaftliche Schliff, den sein Freund, der Amtssekretär, in so hohem Maße besitzt; jener hat „Geschmack", ist „mit solchen Sachen aufgewachsen" (I,197). Der Doktor dagegen ist schüchtern, sein Benehmen ist oft unbeholfen und seine äußere Erscheinung — an sich schon wenig einnehmend — zeigt Zeichen der Vernachlässigung.

Er weiß um seine Ungeschicklichkeit — z. B. beim Tanzen — und lacht herzlich mit anderen darüber, denn sie ist für ihn eine Äußerlichkeit wie etwa die „roten Schuhe der Frau Kammerrätin" (I,192). Weil er auf Äußerlichkeiten keinen Wert legt und „nicht gern geniert" (I,198) ist, besucht er lieber die einfache Gaststube des Schifferhauses als den Musikabend des Kammerherrn, an dem die alte Exzellenz von Gnade und Leutseligkeit trieft und zu dem er auch „befohlen" (I,198) ist. Es kommt ihm nicht in den Sinn, daß in diesen Kreisen die gesellschaftliche Etikette über den Wert eines Menschen entscheiden kann — daß er den „feinen Leuten" (I,184) nicht nur als ungeschickt, sondern als komische und abstoßende Figur erscheint.

Christophs Werbung um Sophie, die Tochter des Bürgermeisters, bringt die Entscheidung des Konflikts. Wird sie genug menschliche Größe besitzen, um seine Schwächen zu übersehen? Der Doktor ist zuversichtlich. Hat sie nicht einmal selbst resolut einen kranken Angestellten ihres Vaters vertreten und damit gezeigt, daß ihr gutes Herz stärker ist als ihre Bindung an gesellschaftliche Regeln? Doch sie weist ihn ab. Sie ist so sehr in der Etikette befangen, daß sie ihm nicht einmal ihre Gründe mitteilt. Auch sein Freund bringt es nicht über sich, ihm die Wahrheit zu offenbaren. Verbittert zieht der Doktor die Konsequenzen: er will mit den feinen Leuten „drüben am Markt" nichts mehr zu tun haben und beschränkt den Verkehr mit ihnen allmählich ganz auf berufliche Visiten — einer solchen Gesellschaft zieht er die Gäste des Schifferhauses vor.

Zum ersten Mal behandelt Storm einen gesellschaftlichen Konflikt im Bürgertum selbst, der durch komische Effekte gemildert und verschleiert wird. Zunächst wirkt die Person des Doktors — mit der kleinen runden Gestalt, den kleinen kurzen Füßen, der unordentlichen Kleidung und dem widerspenstigen Haar — lächerlich. Diesen äußeren Zügen entspricht das heitere, zu Scherzen aufgelegte Wesen Christophs. Überdies wird das Geschehen von außen geschildert — Storm geht kaum auf die psychologische Seite des Problems ein —, so daß der Doktor auch dem Leser zunächst als der komische Außenseiter erscheint, als den ihn die Gesellschaft sieht. Es ergibt sich also ein Widerspruch von Handlung und Darstellung, von tragischem Konflikt und humorvoller Schilderung. Man kann daher „Drüben am Markt" weder als Resignationsnovelle bezeichnen, wie es Stuckert und Goldammer getan haben, noch als Humoreske. Die Novelle ist eine Gesellschaftssatire. Es ist bedeutsam, daß Storm das Geschehen weder konsequent aus dem Blickwinkel der Gesellschaft noch aus demjenigen des Doktors schildert. Im ersten Fall wäre die Novelle eine Karikatur eines Sonderlings — eine Humoreske, im zweiten Fall eine Resignationsnovelle.

Durch den wiederholten Wechsel der Perspektive gelingt es Storm, die Gesellschaft zu entlarven und gleichzeitig die Gefahr der Sentimentalität zu vermeiden. Die von Storm geschilderten „feinen Leute" zeigen alle Eigenschaften, von denen er 1854 in seinem Gedicht „Für meine Söhne" gewarnt hatte: Christoph ist äußerlich unschön, sie aber sind in ihrem Wesen abstoßend. Sie verhehlen dem Doktor gegenüber die Wahrheit und wissen nichts von den „goldenen Rücksichtslosigkeiten"; sie gefallen sich in „artigen Leutseligkeiten", doch eine Verbindung von Sophie und Christoph ist nicht möglich; einem Mann wie dem Amtssekretär, der seinem Freund gegenüber menschlich versagt hat, eröffnet sich eine Karriere, doch Christophs Wirken als Arzt bleibt ohne Anerkennung. Und so hat auch Christoph am Ende nur sich selber, wie es im Gedicht heißt (II,993). Am 23. März 1853 hatte Storm an Fontane über die Berliner Gesellschaft, gegen die sich sein Gedicht vornehmlich richtet, geschrieben: „Es scheint mir im *ganzen* ,die goldene Rücksichtslosigkeit' zu fehlen, die allein den Menschen innerlich frei macht und die nach meiner Ansicht das letzte und höchste Resultat der Bildung sein muß. Man scheint sich ... in Berlin mit der *Geschmacks*bildung zu begnügen, mit der die Rücksichtnahme auf alle Faktoren eines bequemen Lebens ungestört bestehen kann, während die Vollendung der sittlichen, der Gemütsbildung ... jeden Augenblick das Opfer aller Lebensverhältnisse und Güter verlangen kann." Christophs Bitterkeit ist nicht nur das Resultat seiner unerfüllten Liebe, denn auch der Freund und die etablierte Gesellschaft haben ihn enttäuscht. Sein Konflikt besitzt auch eine soziale Dimension: Christoph steht im Gegensatz zu den gesellschaftlichen Konventionen um 1860.

Im Schloß (1861)

In dieser Novelle behandelt Storm den religiösen und gesellschaftlichen Konflikt einer jungen Adligen. Ähnlich wie Anne Lene in „Auf dem Staatshof" steht Anna zwischen Vergangenheit und Gegenwart, Tradition und Fortschritt. Wie Anne Lene auf ihrem Staatshof lebt Anna in Müßiggang und Isolation auf ihrem Schloß. Während aber Anne Lenes Lebensweg durch das Schicksal ihres Geschlechts und ihre traditionsgebundene Erziehung völlig determiniert ist, hat Anna die Möglichkeit, sich zu entwickeln und sich zu entscheiden, denn ihre Erziehung ist nicht einheitlich: der Vater ist zwar hochmütig und in seinen religiösen und sozialen Ansichten konservativ, doch Annas Onkel, der ihr näher steht als der Vater, denkt in diesen Dingen fortschrittlich. Anna wird sich dieses Widerspruchs in ihrer Erziehung zunächst nicht bewußt; nach einem dreijährigen Aufenthalt bei einer Tante, die ganz vom Standesdünkel erfüllt ist, scheint sie „dressiert von innen und außen" (I,235) zu sein. Die Begegnung mit dem jungen bürgerlichen Hauslehrer Hinrich Arnold öffnet ihr jedoch die Augen: sie beginnt die traditionellen sozialen Wertvorstellungen in Frage zu stellen. Unter dem Einfluß des Onkels gibt sie ihren kindlichen Glauben an den „lieben Gott" auf, und Arnold lehrt sie eine „neue bescheidenere Gottesverehrung" (I,249), die auf den Erkenntnissen der Naturwissenschaft und der Geschichtsforschung basiert. Der religiöse Aspekt ihres Konflikts mit der Tradition sowie dessen fortschrittliche Lösung bleiben auf Annas individuellen Fall beschränkt, da eine allgemein gültige Motivierung fehlt. Storm, der jeden religiösen Zwang ablehnte, wollte keine neue Doktrin verkünden.

Anders verhält es sich mit dem zweiten Aspekt von Annas Konflikt. Hier stellt sich das Problem in erster Linie allgemein: Darf man den Wert eines Menschen nach seiner Abstammung bestimmen, da diese doch seinem Einfluß entzogen ist? In Annas speziellem Fall heißt das: Darf sie als Adlige den Bürgerlichen Arnold lieben und heiraten? Oder aus der Sicht des stolzen Bürgertums gesehen: Ist sie es wert, ihn zu heiraten? Böttger trägt nur dieser spezifischen Form des Konflikts Rechnung, wenn er das Problem der Novelle darin sieht, „inwieweit denn eine wirkliche Gemeinschaft zwischen Angehörigen einer versinkenden und einer aufsteigenden Klasse möglich sei." [11] Auch Goldammer spricht nur von dem Konflikt zwischen Bürgertum und Adel und von dem Streben des Bürgertums nach Gleichberechtigung.

Doch es geht Storm um mehr, als um die Überwindung der Kluft zwischen Bürgertum und Adel. Storm wendet sich in dieser Novelle gegen jede Art von sozialem Vorurteil, das auf der Abstammung und der Zugehörigkeit zu einer bestimmten gesellschaftlichen Schicht, sei es auch der des Bürgertums, beruht: Als Anna Arnold ihrerseits Hochmut gegen-

über dem Adel vorwirft, läßt ihn Storm sich verteidigen: „Nein, nein, ...
das ist es nicht, ich schätze niemanden gering." (I,252). Welche Maßstäbe
Storm gelten läßt, zeigt sich an der Haltung der alten Bäuerin, Arnolds
Großmutter. Sie begegnet Anna und ihrem Onkel mit großem Selbstbewußtsein, sogar mit Herablassung. Über Arnold aber sagt sie: „Er hätte
es besser haben können ... Aber der Vater wurde studiert; da muß nun
auch der Sohn bei fremden Leuten herum sein Brot verdienen." (I,242).
Diese Worte klingen hochmütig, doch im Unterschied zum Adel mißt die
alte Frau den Wert des Menschen nach seiner Leistung und seinem
Charakter, nicht nach seiner Geburt. Sie legt an sich selbst die strengsten
Maßstäbe: „ ... so ein abgenutzter alter Mensch muß sehen, wie er sein
bißchen Leben noch verdient ... es erträgt einer doch nicht allezeit, wenn
der andere so überzählig nebenher geht." (I,242). Gelten diese Sätze für
eine Familie, um wieviel mehr dann für die Gesellschaft! Bauern, Bürger
und Adlige sind ihrer Geburt nach gleichwertig; erst die Leistungen
schaffen die Rangunterschiede. Die Leistungen der arbeitenden Bauern und
Bürger sind offensichtlich; der Adel ist es, der seine Existenzberechtigung
nachweisen muß.

Auch die Lösung von Annas Konflikt ist allgemeingültig und individuell zugleich. Je mehr sich Anna von den alten Traditionen löst, desto
stärker wird ihre Liebe zu Arnold. Ihre Liebe ist die Folge ihrer geistigen Emanzipation, nicht umgekehrt. So liegt die Lösung des Konflikts
erst sekundär und nur im individuellen Fall Annas „in dem klaren Bekenntnis Annas zum höheren Wert einer leidenschaftlichen Liebe gegenüber ‚aparten Pflichtgeboten' und in der Erkenntnis, daß die Duldung
einer Konventionsehe ‚ein Augenblick der Schwäche' war", wie es Böttger formuliert. [12] Die eigentliche und allgemeine Lösung des Konflikts,
die Annas Liebe ermöglicht, liegt in der Absage an allen Hochmut und
an alle leere Konvention, im Beginn eines tätigen Lebens und in der Ent-
schlossenheit, die Konsequenzen für frühere Fehler zu tragen. Der Zufall
belohnt schließlich Annas Entscheidung. Ihr Mann stirbt, und Arnold
kehrt zu ihr zurück. Während Anne Lene in der Tradition verharrt war
und die Hand, die sie ins Leben hatte zurückführen wollen, von sich ge-
wiesen hatte, kann Anna sagen: „Nun Arnold, mit dir zurück in die
Welt, in den hohen, hellen Tag!" (I,264).

Der in dieser Novelle gestaltete Konflikt zwischen Tradition und Fortschritt besitzt eine individuelle, eine zeitbezogene soziale und auch eine
allgemeine überzeitliche Dimension: er illustriert die menschliche Ent-

wicklung (welche überlieferte Wertvorstellungen immer wieder in Frage stellen muß) an dem Konflikt eines adligen Mädchens, das sich zwischen traditionellem Sittenkodex und liberaler Fortschrittlichkeit entscheiden muß. Der Sieg des Fortschritts in ethischer wie sozialer Hinsicht wird in der Verbindung Annas mit einem Bürgerlichen veranschaulicht. Wirkt Anne Lenes Schicksal wie eine Warnung, so sind Anna und Arnold Vorbilder für eine neue Epoche. Sie sind „Kinder einer andern Zeit" (I,264).

Die Novelle weist formale Schwächen auf — wie Storm in einem Brief vom 20. 2. 1862 (an Pietsch) selbst feststellt. Dreimal wechselt Storm den Standpunkt des Erzählers, ohne jedoch die auktoriale Erzählhaltung aufzugeben. Der Wechsel vom Bericht aus der Sicht des Dorfes zur Szenenschilderung im Schloß und schließlich zur Ich-Erzählung Annas dient der Einkreisung des Konflikts; das Problem selbst aber wird von den einzelnen Standpunkten aus nicht verschieden beleuchtet. Im ersten Teil der Novelle werden die äußeren Anzeichen des Konflikts und seiner Lösung aus der Distanz des Dorfes geschildert. Während sich Anna früher müßig gezeigt und sich um die Dorfbewohner nicht gekümmert hat, ist sie später tätig, spricht „freundlich zu den Leuten" (I,223) und bittet um „treue Nachbarschaft" (I,223). Im zweiten und dritten Teil mischen sich Gegenwart und Vergangenheit zur psychologischen Motivierung des Konflikts und seiner Lösung.

Auf der Universität (1862)

Die Novelle ist ein fast analoges Gegenstück zu „Drüben am Markt"; während die Erzählung um den humorvollen Doktor Christoph in Dur geschrieben ist, ist „Auf der Universität" ganz in Moll gehalten. Wie der Doktor gerät Lore in Konflikt mit der selbstgerechten bürgerlichen Gesellschaft; wie im Falle des Doktors wird diese an Lore schuldig. Die Motivierung des Konflikts ist allerdings genau entgegengesetzt: Der Doktor gehört durch seinen Beruf zur vornehmen Gesellschaft; seine äußere Erscheinung und sein unbeholfenes Auftreten führen dazu, daß er im entscheidenden Augenblick zurückgestoßen wird. Lore dagegen erfüllt äußerlich alle Bedingungen einer vornehmen jungen Dame: sie ist von einer fremdländischen auffallenden Schönheit — eine schlanke elegante Erscheinung, die allgemein Bewunderung findet. Mit ihr zu tanzen ist keine Kunst — „es hätte niemandem mißglücken können" (I,270).

Doch sie ist nur eine kleine Näherin, Kind eines Schneiders (wie der Doktor), das sich keinen Platz in der etablierten Gesellschaft erringen kann. Die Gesellschaft wird an ihr schuldig, weil sie Lore zwar vorübergehend an sich zieht, jedoch keineswegs gewillt ist, sie auf die Dauer bei sich zu behalten.

Im Gegensatz zum Doktor erkennt Lore ihren Konflikt früh — die Gesellschaft, die dem Doktor gegenüber unaufrichtige Rücksicht hatte walten lassen, gibt Lore in grausamer Offenheit zu verstehen, daß sie nicht zu ihr gehört. In der Kindertanzstunde, zu der Lore als „Notknecht" (I,302) geholt worden ist, da eine Tänzerin fehlt, steht sie in den Pausen allein und blickt „finster zu den lebhaft plaudernden Mädchen hinüber, die . . . sich so gar nicht um sie kümmerten" (I,269). Und als eine „kleine Gnädige" (I,269) erkennt, daß Lores Kleid aus einem alten der Frau Bürgermeister geschneidert worden ist, bemerkt sie zynisch zur Mutter Lores: „Ihre Tochter ist ja heute sehr schön, Frau Beauregard!" (I,274). Die Mutter ist naiv genug, um geschmeichelt zu sein; Lore aber treten vor Zorn und Scham Tränen in die Augen. Nicht nur die jungen Damen stoßen sich an Lores Abkunft; ihr Tanzstundenpartner, der in sie verliebt ist, gesteht: „Einigermaßen hinderlich — ich will es nicht leugnen — war es mir, daß seit den Tanzstunden der französische Schneider mich mit einer auffälligen Gunst beehrte." (I,272). Da der Schneider, der natürlich-naiv fühlt, seine Tochter nach ihrem menschlichen und nicht nach ihrem sozialen Rang einstuft, will er dem Jungen zeigen, daß er sie ihm gern zur Frau gäbe.

Lore ist klug genug, die Situation richtig einzuschätzen. Als die jungen Leute auf dem Abschlußball ihren Vater verhöhnen, bekennt sie sich offen zu ihm und verläßt das Fest vorzeitig. Doch ihre Klugheit bewahrt Lore nicht davor, ihr Glück von Äußerlichkeiten abhängig zu machen. Die Tanzstunde bleibt nicht ohne verhängnisvolle Wirkung. Man hat Lore zwar gedemütigt, aber in ihr auch den Wunsch nach den Annehmlichkeiten des bürgerlichen Lebens geweckt. In einem Brief an Brinkmann (Osterabend 1863) charakterisierte Storm Lore folgendermaßen: „Eine zarte, erregte Mädchennatur, mit dem eingebornen Drang nach schöner Gestaltung des Lebens, dessen Erfüllung die äußeren Verhältnisse versagen. So geht sie von Jugend auf traumwandelnd am Abgrund hin. Ein Hauch genügt, sie hinabzustürzen."

Solange die Eltern leben, behält bei Lore die Vernunft die Oberhand. Bei einer Schlittschuhfahrt stößt sie Philipp, ihren ehemaligen Tanzpartner, zurück: „Geh doch zu deinen feinen Damen! Ich will nichts mit euch zu tun haben; mit dir nicht, mit keinem von euch!" (I,282). Sie weiß, daß der Tischlerlehrling Christoph besser zu ihr paßt. Daß sie trotz dieser Worte eine Schwäche für Philipp und die Welt, die er repräsentiert, behalten hat, zeigt sich am Abend eines Volksfests: Sie folgt der stummen Aufforderung, die sie in Philipps Blick liest, und geht mit ihm in den einsamen Schloßgarten. Nach einem flüchtigen Kuß eilt sie jedoch nach Hause: „Ich weiß es wohl ... du heiratest doch einmal nur eine von den feinen Damen." (I,294). Philipp weiß nichts zu entgegnen, und von nun an geht ihm Lore aus dem Weg.

Der Tod der Eltern und Lores Übersiedlung in eine Universitätsstadt führen die Krise herbei; jetzt wirken die Verlockungen und die Gefahren der vornehmen Gesellschaft in gesteigertem Maße auf Lore ein. Sie hat dort stets das unbeschwerte Leben der Damen vor Augen, für die sie näht, und dort begegnet sie dem schönen „Rauhgrafen", einem Korpsstudenten, auf den „die Weise der alten Junker, die Schwächeren rücksichtslos für ihre Leidenschaft zu verbrauchen, sich vollständig ... vererbt zu haben schien." (I,301). Ihre Verlobung mit Christoph scheint sie zu retten, doch das Glück ist ihr nicht hold. In seiner Abwesenheit wird er fälschlicherweise der Treulosigkeit bezichtigt, und sie glaubt die Gerüchte. Sie gibt nun der jahrelangen Versuchung nach und wagt den Sprung in die Welt des Bürgertums. Doch in der Person des Rauhgrafens, dem sie sich anvertraut, tritt ihr die Gesellschaft in ihrer grausamsten und skrupellosesten Form entgegen; er macht sie zu seiner Geliebten und nimmt ihr damit jede Hoffnung auf die Zukunft. Der einzige Mensch, der sie verstanden und an sie geglaubt hatte, ist tot — „mein Vater ... es hat mich sonst doch keiner so geliebt — er würde mich auch jetzt noch nicht verstoßen" (I,322). Lore wird sich „bewußt, daß nur das dunkle Wasser des Styx noch Hilfe bringen kann" [13] und geht in den Tod.

Lore geht an einem aktuellen sozialen Konflikt zugrunde — dem Gegensatz zwischen Großbürgertum und Kleinbürgertum. Ein Zufall hätte Lore retten können; indem Storm diese Lösung verschmähte, betonte er die Gesetzmäßigkeit von Lores Schicksal. Die allgemeine Dimension der Novelle ergibt sich aus ihrer „Moral": Die Gesellschaft muß dem Individuum die Chance geben, sich selbst zu verwirklichen. Heyse schrieb am 19. 12. 1862 an Storm: „Der Ausgang schiene mir nur dann berechtigt, wenn ein wahrhaftes gesundes und starkes Gefühl sie entweder zu dem Erzähler oder dessen Rivalen hinzöge. Nun aber liegt, wie ich glaube, auf Temperament, Naturell, ja auf der *Abstammung* mehr Gewicht, als für eine reine, tragische Wirkung heilsam ist." Brinkmann scheint ähnlich geurteilt zu haben, denn Storm entgegnete ihm in dem erwähnten Brief: „Die Liebe habe ich unter diesen Umständen absichtlich vermieden und mir dadurch allerdings meine Aufgabe sehr erschwert." Auch das Publikum reagierte nicht sehr positiv auf diese Novelle. Für die meisten von Storms Lesern lag die Schuld auf seiten Lores, da nur wenige Storms aufklärerischen Glauben an die Notwendigkeit des sozialen Fortschritts teilten. Einen augenscheinlich „verdienten" Tod konnten sie nicht als tragisch empfinden — die Moralauffassung des Bürgertums hatte sich seit Hebbels *Maria Magdalene* wenig geändert. Fontane, den Lore an die Emily in *David Copperfield* erinnerte, schrieb Storm allerdings am 13. 12. 1862: „ . . . ergreifend, aber nicht sentimental. Eine wirkliche ‚Tragödie', wie sie das Leben täglich spielt, keine Jammergeschichte."

Die äußere Form der Novelle — der autobiographische Bericht Philipps, chronologisch, mit selbstkritischen und gesellschaftskritischen Obertönen — entspricht der Behandlung des Konflikts: dieser wird bereits im ersten Kapitel eingeführt und in den folgenden Kapiteln konsequent verschärft. Nach den ersten vier Kapiteln scheint Lores Rettung noch möglich zu sein; in den weiteren vier Kapiteln geht Lore unaufhaltsam ihrem tragischen Ende entgegen.

Von Jenseit des Meeres (1863/64)

Das Problem in dieser Novelle ist das der Heimatlosigkeit, das auf einer individuellen und einer sozialen Ebene behandelt wird. Die Heldin steht einerseits zwischen Vater und Mutter, die getrennt leben, andererseits weiß sie nicht, zu welcher Rasse sie gehört — sie ist ein Mischling. Parallel zu diesem Problem läuft ein philosophischer Konflikt; Storm stellte romantischem Empfinden bewußt aufgeklärtes Vernunftdenken gegenüber.

Jenni ist von ihrem Vater, einem reichen Pflanzer, in jungen Jahren von ihrer Heimat St. Croix in Westindien nach Deutschland gebracht worden und dort in Pensionaten aufgewachsen. Ihre Mutter ist auf der heimatlichen Insel zurückgeblieben. Als Kind hatte Jenni die Mutter nicht vermißt, doch als sie, herangewachsen, bei Freunden das vertraute Zusammenleben einer Familie beobachten kann, ergreift sie Sehnsucht nach ihrer Mutter und Reue über ihr eigenes Verhalten: sie hat in all den Jahren kaum an ihre Mutter gedacht. Jenni neigt sonst durchaus nicht zur Empfindsamkeit; jetzt aber überläßt sie sich „erhabener Schwärmerei" (I,459). Sie wähnt, die Mutter verzehre sich in Leid um ihr verlorenes Kind: „ ... ich war ein gedankenloses Kind. Gott verzeihe mir das!" (I,457). Als Jenni auch ihrem Vater wegen ihrer Mutter Vorwürfe macht, kommt es zu einem heftigen Auftritt, und Vater und Tochter gehen im Streit auseinander. Jennis Problem ist also ein persönliches — sie vermißt ihre Mutter, und hat Schuldgefühle.

Die Motivierung dieses Problems ist jedoch überpersönlicher Art; sie verleiht der Novelle eine sozialkritische Dimension: Jenni ist der (unehelichen) Verbindung eines Weißen mit einer schönen, ungebildeten Farbigen entsprungen. Da Jenni selbst wie eine Weiße aussieht, hat sie ihr Vater auch innerlich zu einer Europäerin machen wollen. Paradoxerweise ist es gerade diese Erziehung, die Jenni in Konflikte stürzt. Neben dem romantischen Bild, das sie sich von der Mutter macht, hat sie nämlich ein weiteres romantisches Vorurteil übernommen: Sie ist davon überzeugt, daß sie aufgrund ihrer Abstammung zu „jenen anmutigen Kreaturen" gehöre, „denen der Verfasser [Sealsfield in seinem „Pflanzerleben"] kaum ein ganzes Menschentum zugesteht, die aber, nach seiner Schilderung, in ihrer verlockenden Schönheit die bösen Genien der eingewanderten Europäer sind." (I,443).

Daß dieser Gedanke nicht Jennis ursprünglicher Natur entspricht, sondern künstlich und angelesen ist, zeigt Storm in der Nachtszene im Lusthain. Als Alfred, der Sohn der befreundeten Familie, Jenni begegnet, sagt er: „Du bist es Jenni! .. Ich dachte, .. es sei die Göttin [Venus], die dort vom Postament herabgestiegen ist." (I,450). Jenni reagiert spontan und zerstört sofort seine Phantasien: „Hier sind keine Götter, Alfred; hier ist nur ein armes, hülfsbedürftiges Menschenkind." (I,450). Und um auch die Gefahr der Sentimentalität zu bannen, läßt Storm Jenni um Geld bitten. Wenig später zeigt sich der unheilvolle Einfluß von Sealsfields Buch auf Jennis Denken. Sie weist Alfreds Heiratsantrag zurück, da sie glaubt, als Farbige ihn nicht annehmen zu dürfen: „Ich weiß wohl, daß wir schön sind, ... verlockend schön, wie die Sünde, die unser Ursprung ist. Aber Alfred — ich will dich nicht verlocken." (I,452). Zunächst ist es nur Alfred, der sich von den romantischen Vorstellungen löst: „ ... sie war nicht schöner, die dämonische Göttin ... Nein, reiße dich nicht los; ich weiß es ja, du bist ein Erdenkind wie ich ..."

(I,453). Fast alle Interpreten dieser Novelle haben auf den romantischen Charakter dieser Szene hingewiesen und betont, wieviel sie Eichendorffs Novelle „Das Marmorbild" und Eichendorffs Gedicht „Schöne Fremde" verdankt. K. E. Laage interpretiert die „offene Anspielung" auf Eichendorff dahin, „daß er [Storm] seine Mondnacht- und Gartenszene ausdrücklich Eichendorff widmet" [14]. An anderer Stelle bemerkt Laage allerdings: „Trotzdem sind es eher die Unterschiede als die Übereinstimmungen, die bei näherer Betrachtung ins Auge fallen." [15] Was aber sind die Gründe für diese Unterschiede? Die Antwort liegt in der Idee der Novelle: Storm will sich bewußt vom romantischen Denken und Fühlen distanzieren.

Er wendet sich mit Entschiedenheit gegen die romantische Vorstellung von der dämonischen, gefährlichen Schönheit der Frau, die Sealsfield besonders den Farbigen zuschreibt. Böttger hat Unrecht, wenn er erklärt: „Als Hauptmotiv tritt die dämonische Wirkung exotischer Frauenschönheit hervor." [16] Als Alfreds Bruder Hans zugibt, daß Jennis Schönheit ihm gefährlich werden könnte, verteidigt Grete, seine Frau, Jenni leidenschaftlich: „Der Teufel ist in euch Männern!" (I,461). Der Wert eines Menschen wird also nicht durch seine Rasse bestimmt, sondern durch seine Erziehung und seine Handlungen — diese Aussage verleiht der Novelle eine allgemeingültige, nicht zeitgebundene Dimension.

Jenni versucht ihren Konflikt als Tochter wie als Farbige zu lösen, indem sie in ihre Heimat und zu ihrer Mutter zurückkehrt. Die Konfrontation mit der Wirklichkeit reißt sie jedoch aus ihren Illusionen. Sie ist völlig isoliert. Weder entspricht ihre Mutter dem romantischen Bild, das sie sich von ihr gemacht hatte (jene ist in ihrer einfachen Welt sehr glücklich und hat nicht um die Tochter getrauert), noch fühlt sie sich in St. Croix zu Hause. Das Bewußtsein, einer Gruppe von Menschen zuzugehören, mit denen sie nichts als ihre Abstammung verbindet, läßt sie schaudern: „Frühmorgens schon . . . wecken mich die Stimmen der schwarzen Arbeiter und Lastträger. Solche Laute kennt ihr drüben nicht; das ist wie Geheul, wie Tierschrei; ich zittre vor Entsetzen, wenn ich es höre, . . . denn hier in diesem Lande gehöre ich selbst zu jenen; ich bin ihres Blutes, Glied an Glied reicht die Kette von ihnen bis zu mir hinan." (I,465). Jennis Situation hat sich zum tragischen Konflikt verschärft: Sie besitzt einerseits keine Familie (die Mutter flößt ihr Scheu ein; mit dem Vater hat sich nie ein herzliches Verhältnis ergeben), andererseits keine Heimat. Aus Deutschland hat sie das Rassenvorurteil vertrieben, in St. Croix fühlt sie sich fremd. Mehr als zuvor ist sie nun „ein heimat- und mutterlos Kind" (I,442).

Storm gab der Novelle kein tragisches Ende. Sein Glaube an den menschlichen Fortschritt und seine eigene optimistische Stimmung — er war selbst gerade aus dem Exil nach Husum zurückgekehrt — ließen ihn einen versöhnlichen Schluß vorziehen. Alfred kommt mit einem liebevollen Brief von Jennis Vater nach St. Croix, heiratet Jenni und kann es nicht erwarten, in Deutschland „ein neues Haus mit ihr zu gründen und sein künftiges Geschlecht aus ihrem Schoße emporblühen zu sehen." (I,466—467). Die Familie Alfreds erwartet das junge Paar mit offenen Armen. Die Vernunft hat gesiegt. Später erkannte Storm selbst, daß ein tragisches Ende angemessener gewesen wäre. Turgenjews Urteil bestärkte ihn in dieser Meinung, aber er arbeitete die Novelle nicht mehr um. Die Schwäche des Werkes liegt jedoch weniger in der „Unkenntnis der sozialen Probleme in Übersee" [17], wie Böttger meint, als im Verkennen der sozialen Probleme in Deutschland.

In Bezug auf den individuellen Aspekt von Jennis Konflikt mag die Lösung noch annehmbar sein. Doch auch hierbei lassen sich Mängel nachweisen. Der Sinneswandel von Jennis Vater kommt plötzlich und wird nur schwach motiviert. Überraschend ist auch, daß Alfreds Vater, mit dem Jenni wegen ihres fremdländischen Temperaments „nie in ein zutrauliches Verhältnis" (I,429) gekommen war, keine Einwände gegen die Heirat erhebt. Alfred macht sich keinerlei Gedanken darüber, ob seine Kinder weißhäutig sein werden oder nicht.

In Bezug auf den allgemeinen Konflikt des Mischlings, der zwischen zwei Rassen steht, ist die Lösung — wenigstens für das Jahr 1864 — utopisch. Farbige waren damals in Deutschland Jahrmarktsattraktionen (man denke an die Asiatinnen in „Auf der Universität"), und es war undenkbar, daß sie je als vollwertige Mitglieder der Gesellschaft anerkannt würden. Selbst heute, nach mehr als hundert Jahren, erscheint eine solche Lösung als optimistisch.

Während Storm in der Novelle konsequent seinen aufgeklärten Standpunkt vertritt, wechselt die Darstellung des Geschehens — dem Charakter der jeweiligen Szene entsprechend. So werden z. B. Jennis Kinderstreiche in humorvollem, die Liebesszene im Lusthain in romantischem und Jennis Auseinandersetzung mit ihrem Vater in realistisch-hartem Stil dargestellt. Diese wechselnde Erzählweise gerät, wenn sie sich der romantischen Form bedient, in Widerspruch zum Inhalt, was der Novelle nicht zum Vorteil gereicht. Die äußere Form der Novelle entspricht der inneren Struktur: In einem Rückblick, der durch eine kleine

Rahmenerzählung eingeführt wird, werden in zwei Abschnitten Jennis Vorgeschichte und Kindheit und schließlich ihr Konflikt dargestellt. Drei Briefe berichten von der Lösung des Konflikts und weisen auf eine glückliche Zukunft hin.

Beim Vetter Christian (1873)

Am 15. Dezember 1873 schrieb Storm an Emil Kuh: „Bei dem beabsichtigten Essay möchte ich darauf aufmerksam machen, daß ‚Draußen im Heidedorf', ‚Vetter Christian' und die Märchen ‚Bulemann' und ‚Cyprianus' durch ihre epische Objektivität wohl eine Gruppe für sich unter meinen Produkten bilden." Nicht nur ihre epische Objektvität verbindet die Novelle „Beim Vetter Christian" mit der Novelle „Draußen im Heidedorf". Jene ist das humorvoll-heitere Gegenstück zu dem zwei Jahre früher entstandenen Werk, das in einem zynisch-resignierten Ton gehalten ist. Wie Hinrich Fehse vermag Vetter Christian sein Lebensschiff nicht selbst zu steuern. Ohne sich darüber klar zu werden, verliebt er sich und gerät in Konflikt mit der Gesellschaftsordnung seiner Zeit. Sein Problem besitzt neben der individuellen somit auch eine aktuelle soziale Dimension. Aber während Hinrich, dumpf und verzweifelt, vergeblich versucht, gegen seine verhängnisvolle Leidenschaft anzukämpfen und den „Bann des alten bäuerlichen Herkommens zu durchbrechen" (I, 616), ist Christian von einer entwaffnenden Naivität und verhält sich passiv: der Zufall spielt ihm sein Lebensglück ohne sein Zutun in die Hände.

Christian hat keine Ahnung davon, was in ihm selbst und um ihn herum vorgeht. Als er die junge Wirtschafterin Julie angestellt hat, kann er „nicht begreifen, weshalb auch drinnen die alten Wände plötzlich zu leuchten begannen" (I,651). Und als er sich in Julie verliebt, ist es ihm, „als habe er Fräulein Julien noch was Besonderes mitzuteilen; er suchte danach in seinem Kopfe, aber er konnte es dort nicht finden" (I,661). Die alte Haushälterin Karoline warnt ihn, er solle sich von Julie nicht bestricken lassen, aber er versteht sie nicht. Seine verliebte Unruhe strebt er „vergebens zu erforschen" (I,663). Im persönlichen Bereich versucht Karoline Christians Leben zu lenken. Ihre Eifersucht und ihr Mißtrauen Julie gegenüber lassen sie alles tun, um eine Heirat zwischen Christian und Julie zu verhindern. Als sie schließlich Julies Mutter zu Christian schickt, damit diese dem vermeintlichen unmoralischen Treiben ein Ende mache und ihre Tochter aus dem Hause nehme, versteht es Christian nicht: „ ... ich weiß noch diese Stunde nicht, was die gute Frau eigentlich von mir gewollt hat; ... doch ich bin gewiß, daß wir uns beide nicht verstanden haben. Dann aber sagte sie seltsamerweise, und ich habe noch immer nicht begriffen, wie sie dazu veranlasst werden konnte, ... sie könne ja nicht erwarten, sagte sie, daß ich eine Tochter von meines Onkels Kontoristen heiraten werde . . ." (I,671).

Christian versteht nicht, daß die Gesellschaft eine solche Verbindung eigentlich nicht gestatten kann: Julie ist arm und „aus gar keiner Familie" (I,664). Nicht nur Julies Mutter macht diesen Standesunterschied geltend, sondern auch Christians Verwandtschaft und Karoline sehen ihn als ernsthaftes Hindernis für eine Heirat an. Doch seiner Ansicht nach hat Christian „genug verstanden" (I,671): „Julien heiraten! ... das war es ja, was mir ... gestern nacht nicht hatte einfallen wollen." (I,671). Und so ist er, nachdem ihm vorher schon das Subrektorat seiner Gelehrtenschule und eine Erbschaft von einer seiner vielen Tanten in den Schoß gefallen waren, nun „ein vollständiges Glückskind" geworden (I,671). Julie ist in ihrem Charakter Christian ähnlich. Sie ist von „einer jugendlichen Unbeholfenheit" (I,652) im Umgang mit Menschen, obwohl sie tüchtig und geschickt ist. Ihre harmlos-unschuldige Güte läßt sie gar nicht auf den Gedanken kommen, daß ihre Position im Hause Christians mißdeutet werden könnte. So bleiben ihr Karolines Anspielungen auf mangelnde Sittsamkeit unverständlich. Scheint Margret in „Draußen im Heidedorf" wie von einem bösen Dämon getrieben, so waltet über Julie ein guter Geist: „Sie bemerkte dabei gar nicht, daß ein kleines Schutzengelchen mit weißen Schwingen, lächelnd, wie sie vorhin gelächelt hatte, auf dem ganzen Wege über ihrem Haupte flog." (I,668).

Wie Hinrichs Glück, so ist auch das Christians von zwei Seiten bedroht; doch Christians wie Julies heiter-harmlose Natur führt die beiden trotz Karoline (eigentlich gerade durch sie) zusammen und läßt sie auch die gesellschaftlichen Widerstände überwinden. Für Christian lösen sich alle Probleme von selbst, ja ohne daß er sie überhaupt bemerkt hätte. Hinrich dagegen wird durch seine blinde Leidenschaft zu Margret zum gesellschaftlichen Außenseiter und geht schließlich an ihrem vampirartigen, undurchschaubaren Wesen zugrunde. Emil Kuh schrieb am

9. Dezember 1873 über den „Vetter Christian" an Storm: „Die ganz unwillkürlich aus der Dichtung erblühende Idee: daß die harmlose Menschennatur zuweilen auch das Schicksal zur Harmlosigkeit gleichsam anleitet und anstiftet, wenn dieses eben Miene macht, seine beliebten schwarzen Striche zu ziehen, diese Idee ist rührend und erquickend zugleich."

Pole Poppenspäler (1874)

Im Mittelpunkt dieser Novelle stehen drei Personen: Joseph Tendler, der Puppenspieler, Lisei, seine Tochter, und Paul Paulsen (Pole Poppenspäler), der Kunstdrechsler. Für alle drei wird der Gegensatz zwischen der bürgerlichen Welt der Handwerker und der Welt der fahrenden Leute — ein Gegensatz, der durch einen Wandel in der Wirtschafts- und Gesellschaftsstruktur verschärft wird — zum persönlichen Problem. Als Paul und Lisei noch Kinder waren, hatte Joseph Tendler mit seinen Puppenspielen Erfolg, „denn derzeit ging man noch gern zu solchen Vergnügungen; nach Hamburg war eine weite Reise, und nur wenige hatten sich die kleinen Dinge zu Hause durch die dort zu schauenden Herrlichkeiten leid machen können" (I,744). Tendler wurde auch persönlich geschätzt; daß er zu den fahrenden Leuten gehörte, stempelte ihn noch nicht zum Asozialen. Die Menschen, die ihn und seine Familie kennenlernten, gaben bereitwillig zu, daß es „reputierliche Leute" (I,764) seien. Pauls Vater nannte Tendler „Herr Kollege" und lobte seine Sparsamkeit; Pauls Mutter gefiel die strenge Erziehung Liseis.

Die Zeiten ändern sich. Eines Tages wird Tendler ohne ausreichende Beweise des Diebstahls bezichtigt und behandelt, als sei er schon der Tat überführt. Er und Lisei gelten nun als Ausgestoßene: „Ach wir haben kei Heimat, kei Freund, kei Ehr; es kennt uns niemand nit!" (I,772). Lisei ist jung genug, um sich den veränderten Verhältnissen anpassen zu können. Sie liebt Paul und hat wie er die „Kuraschi" zu einer Heirat, welche die Gesellschaft aufs heftigste mißbilligt. Das Puppenspielen aufzugeben und seßhaft zu werden, fällt ihr nicht schwer. Anders Vater Tendler — „der alte Puppenspieler ließ ihm keine Ruhe" (I,781). Tendler ist zu alt, als daß er ein neues Leben anfangen könnte; er bekommt die ganze Härte einer veränderten Welt zu spüren. Als er nach langer Zeit wieder einmal ein Stück zu Aufführung bringen will, findet er ein völlig anderes Publikum vor: „Es war aber damals in unserer Stadt nicht mehr die harmlose schaulustige Jugend aus meinen Kinderjahren; die Zeiten des Kosakenwinters lagen dazwischen, und namentlich war unter den Handwerksburschen eine arge Zügellosigkeit eingerissen; die früheren Liebhaber unter den Honoratioren aber hatte ihre Gedanken jetzt auf andere Dinge." (I,782). Daß Paul versucht, die Aufführung „möglichst reputierlich" (I,782) zu arrangieren (sie soll nicht mehr im verfallenen Schützenhaus, sondern im Rathaussaal stattfinden und wird nicht mehr durch einen Ausrufer, sondern in der Zeitung angekündigt), kann die Katastrophe nicht abwenden. Allgemeines Vorurteil und persönliche Mißgunst wirken zusammen; das Spiel wird gestört und muß vorzeitig abgebrochen werden. Seitdem ist Tendler ein verstörter Mann. Als er schließlich stirbt und begraben wird, muß er eine letzte Schmach erdulden. Von unbekannter Hand wird Tendlers liebste Marionette, der Kasperl, in die Gruft geworfen. Diese Puppe ist das Symbol für Tendler und seine kindlich-fromme Kunst: „In seiner Jugend ... hat der selige Mann die kleine Kunstfigur geschnitzt, und sie hat einst sein Eheglück begründet; später, sein ganzes Leben lang, hat er durch sie, am Feierabend nach der Arbeit, gar manches Menschenherz erheitert, auch manches Gott und den Menschen wohlgefällige Wort der Wahrheit dem kleinen Narren in den Mund gelegt ..." (I,787).

Die sich wandelnden Zeiten haben Tendler gebrochen und seine Kunst zum Tode verurteilt; aber auch die bürgerliche Welt der Handwerker, die sich jetzt so erhaben vorkommt, ist nicht verschont geblieben. Davon zeugt das Schicksal des „schwarzen Schmidt" und seiner Söhne: „ ... der schwarze Schmidt ist schon vor Jahren im Armenhaus verstorben; damals war er Meister gleich mir; nicht ungeschickt, aber lüderlich in seiner Arbeit wie im Leben; der sparsame Verdienst des Tages wurde abends im Trunk und Kartenspiel vertan." (I,782). Der älteste Sohn des schwarzen Schmidt ist „einer jener ewig wandernden Handwerksgesellen geworden, die, verlumpt und verkommen, ihr elendes Leben von den Geschenken fristen, die nach Zunftgebrauch ... die Handwerksmeister ihnen zu verabreichen haben." (I,788). Die Zeit ist unerbittlich: wer sich ihr nicht anpassen kann (wie Tendler) oder wer ihren Anforderungen nicht gerecht wird (wie die Schmidts), muß zugrunde gehen. Der Wert des Menschen erweist sich darin, wie er sich in seiner Zeit und an seinem Platz bewährt. Paul und Lisei sind positive Beispiele hierfür. Sie setzen sich über gesellschaftliche Vorurteile hinweg und bleiben trotzdem angesehene und nützliche Glieder der Gesellschaft.

In seiner früheren Novelle „Im Schloß" hatte sich Storm dagegen gewandt, Klassenunterschiede — und damit Rangunterschiede — aufgrund der adligen oder nichtadligen Geburt eines Menschen zu machen. In „Pole Poppenspäler" spricht er sich dagegen aus, Werturteile aufgrund der Berufszugehörigkeit zu fällen. Beide Novellen basieren auf der Überzeugung Storms, daß man den Menschen als Individuum nach seiner Leistung beurteilen müsse. An den Einzelschicksalen von Tendler, Lisei und Paul zeigt er einen Wandel in der zeitgenössischen Gesellschaft auf; die Bewertung der Menschen nach ihrem gesellschaftlichen Stand wird als Vorurteil entlarvt. Wir haben es also wieder mit drei Dimensionen des Erzählens zu tun: eine individuelle, eine aktuellsoziale und schließlich eine allgemein-überzeitliche Dimension.

Storm bedient sich in dieser Novelle zweier Erzähler (ein Ich-Erzähler führt Paul als Erzähler ein) und schafft so zwei Perspektiven. Dadurch wird es ihm möglich, die Gültigkeit seiner Aussage besonders hervorzuheben: der Ich-Erzähler ist als Außenstehender objektiv; durch seinen Bericht erhalten Pauls Handlungen und Ansichten Allgemeingültigkeit. Vom Ich-Erzähler erfahren wir, daß Paul Paulsen ein „deputierter Bürger" (I,736) seiner Stadt geworden ist, daß er nicht nur von „anerkannter Tüchtigkeit in seinem eigenen Handwerk" (I,736) ist, sondern auch „Einsicht in die künftige Entwicklung der Gewerke überhaupt" (I,736) besitzt. Längst ist der Schimpfname Pole Poppenspäler in Vergessenheit geraten. Die höchste Anerkennung zollt der Ich-Erzähler Paulsen, wenn er über ihn sagt: „In den Gesprächen, . . . welche mein älterer Freund . . . mit mir führte, lernte ich Dinge kennen und auf Dinge meine Gedanken richten, von denen, so wichtig sie im Leben sind, ich später selbst in meinen Primaner-Schulbüchern keine Spur gefunden habe." (I,736—37).

Aquis submersus (1875/76)

Verschiedene Kritiker haben diese Novelle Storms ausführlich interpretiert, so zum Beispiel Clifford A. Bernd [18], Thea Müller [19] und Victor Steege [20]; unter dem Aspekt ihrer Erzähldimensionen wurde sie jedoch noch nicht behandelt.

Wie die meisten Novellen Storms gliedert sich „Aquis submersus"
in eine Rahmen- und eine Innenerzählung. Die Innenerzählung versetzt
den Leser in die Zeit des Barock, in die Mitte des 17. Jahrhunderts.
Gleich zu Anfang zeichnet Storm den politischen Hintergrund: „Durch
den plötzlichen Hintritt des Schwedischen Carolus war nun zwar Friede;
aber die grausamen Stapfen des Krieges lagen überall; manch Bauern-
oder Käthnerhaus ... hatte ich ... niedergesenget am Wege liegen
sehen und manches Feld in ödem Unkraut, darauf sonst um diese Zeit
der Roggen seine grünen Spitzen trieb." (I,952). Wichtiger jedoch ist die
gesellschaftliche Situation dieser Zeit: Adel und Bürgertum stehen sich
als streng geschiedene Stände gegenüber. Dieser Gegensatz verschärft
sich für den Künstler Johannes (den sein Künstlertum keineswegs vom
Bürgertum scheidet) zum Konflikt. Während Johannes zur Ausbildung
in Holland weilt und dort als Maler Erfolg hat, verliert er den Kontakt mit der sozialen Realität in seiner Heimat. Die liberale Gesellschaftsordnung in Amsterdam läßt ihn seine niedrige Geburt vergessen,
während in Deutschland der Adel, dessen Repräsentanten die Junker
Wulf und von der Risch sind, durch den Krieg verrohen. Als Johannes
zu dem Herrenhof seines Gönners, des Vaters des Junkers Wulf und
der schönen Katharina, zurückkehrt, wird er hart mit der Wirklichkeit
konfrontiert. Sein väterlicher Freund ist gestorben; Bullenbeißer mit
Stachelhalsbändern begrüßen ihn. „Der Junker [Wulf] fand nicht von-
nöthen, mir die Hand zu reichen; er musterte nur mein violenfarben
Wams und meinte: ‚Du trägst da einen bunten Federbalg; man wird
dich ‚Sieur' nun titulieren müssen!' " (I,960). Doch Johannes bleibt
selbstbewußt: „ ‚Nennt mich, wie's Euch gefällt!' sagte ich ... ‚Obschon
mir dorten, von wo ich komme, das ‚Herr' vor meinem Namen nicht
gefehlet ...' " (I,960). Die Gesellschafterin Katharinas, Bas' Ursel, em-
pfängt ihn mit kränkender Herablassung: „Nun, ... so eigentlich ge-
höret Er ja auch nicht zur Dienerschaft." (I,963). Junker Kurt von der
Risch ignoriert Johannes.

Der Konflikt des jungen Künstlers mit den beiden Junkern wird nicht
nur mit dem Standesunterschied motiviert, sondern auch individuell.
Schon ehe Johannes nach Holland ging, mißgönnte ihm Junker Wulf
das Geld, das sein Vater für die Ausbildung des verwaisten Knaben
aufwandte. Dazu kommt Junker Wulfs erbliche Veranlagung zur Härte
und zum Jähzorn. Junker Kurt dagegen quält seit seiner Kindheit die
Eifersucht, denn Katharina zog ihm schon damals Johannes vor. Die

wachsende Liebe zwischen Johannes und Katharina führt schließlich die Krise herbei.

Die Lösung des Konflikts wird ebenfalls doppelt motiviert — mit Wulfs Charakter einerseits und dem Hochmut seines Standes andererseits. Im Jähzorn hetzt Junker Wulf eines Abends seine Bluthunde auf Johannes. Um ihn zu retten, zieht ihn Katharina in ihre Kammer, wo die Liebenden die Nacht verbringen. Als Johannes am nächsten Tag bei Junker Wulf um Katharinas Hand anhält — „ich bin kein geringer Mann in meiner Kunst und hoffe, es auch wohl noch einmal den Größeren gleich zu thun" (I,987) — schießt ihn der Junker in seinem Standesdünkel wie einen Hund nieder. Während Johannes seine Wunde kuriert und dann eiligst nach Holland zurückkehrt, um Geld für „ein wohl bestellet Heimwesen" (I,989) für Katharina zu verdienen, entfernt der Junker seine Schwester aus dem Schloß.

Die historisch-soziale Dimension der Novelle überwiegt über die individuelle. Überdies sind Habsucht, Jähzorn und die Genußsucht, welche Katharina an dem Junker Kurt so abstößt, für Storm weniger individuelle Charakterzüge als typische Eigenschaften der Adligen. In Storms Notizheft „Was der Tag gibt" findet sich hierzu folgende Bemerkung: „Man würde durchaus fehlgehen, wenn man in ‚Aquis submersus' in der, freilich die bestehende Sitte außer acht lassenden, Hingebung des Paares die Schuld der Dichtung suchen wollte. Das hat dem Dichter ebenso ferngelegen wie etwa Shakespeare bei ‚Romeo und Julia'. Die Schuld, wenn man diese Bezeichnung beibehalten will, liegt auf der anderen Seite, ... auf dem Übermute eines Bruchteils der Gesellschaft, der ohne Verdienst auf die irgendwie von den Vorfahren eroberte Ausnahmestellung pochend, sich besseren Blutes dünkt und so das menschlich Schöne und Berechtigte mit der ererbten Gewalt zu Boden tritt. Nicht zu übersehen ist, daß es eben diese feindliche Gewalt ist, die das Paar einander fast blindlings in die Arme treibt." [21]

Mit der Trennung der Liebenden hätte Storm die Innenerzählung abschließen können — wenn man von dem ungeklärten Geheimnis der Bilder in der Rahmenerzählung absieht. Er tat es aus zweierlei Gründen nicht: erstens um die zeitkritische Dimension der Erzählung abzurunden, zweitens um der Innenerzählung eine allgemeingültige Dimension zu verleihen und sie damit zur Gegenwart der Rahmenerzählung in eine innere Beziehung zu setzen. Die Zeit des Barock ist nicht nur durch blutige Kriege und eine starre Ständeordnung gekennzeichnet, sondern auch durch die mächtige Stellung der Kirche und ihre Hexen-verfolgungen. Storm war überzeugt, daß es neben dem Junkertum vor allem die Kirche gewesen sei, die eine raschere geistige Entwicklung der Menschheit verhindert habe. Aus dieser Einstellung heraus wird verständlich, weshalb Storm in der zweiten Hälfte der Innenerzählung die erneute Begegnung von Johannes und Katharina so umständlich mit einem Hexenprozess motiviert. Johannes ist nicht nur in seinen sozialen, sondern auch in seinen religiösen Ansichten seiner Zeit voraus: „Ich ... hatte so meine eigenen Gedanken von dem Hexenwesen ..." (I,1002). Um dem Kind, das sie von Johannes erwartet, einen ehrlichen Namen zu geben, hat Katharina inzwischen ihre Einwilligung zur Heirat mit einem ungeliebten, fanatischen Prediger gegeben, der „gar die Bauern und ihre Weiber in die Stadt getrieben" (I,1009), um eine Hexe brennen zu sehen. Da Johannes zu den wenigen gehört, die dieser Verbrennung nicht beiwohnen wollen, trifft er Katharina allein zu Hause an. Die Schwäche des zweiten Teils der Innenerzählung liegt darin, daß Jo-hannes' religiöse Ansichten in keiner Beziehung zu der zweiten leiden-schaftlichen Begegnung der Liebenden stehen; die religiöse Situation der Zeit bildet nur den Hintergrund. Der Hexenprozess ist nicht mehr als ein Zufall, der das Treffen ermöglicht.

Der Konflikt im zweiten Teil der Innenerzählung ist rein individuel-ler Natur. Obwohl Katharina nun die Frau eines anderen ist und über ihr Kind wachen muß, das am Rande einer Wassergrube spielt, will Johannes sie für sich: „Aber meine Sinne zieleten nur auf das Weib, das sie begehrten." (I,1007). Er kann nicht verzichten. „Da wurd ich meiner schier unmächtig; ich riss sie jäh an meine Brust, ich hielt sie wie mit Eisenklammern und hatte sie endlich, endlich wieder! Und ihre Augen sanken in die meinen, und ihre rothen Lippen duldeten die meinen; wir umschlangen uns inbrünstiglich; ich hätte sie tödten mögen, wenn wir also miteinander hätten sterben können." (I,1008). Im Gegensatz zur ersten Liebesnacht kann man Johannes jetzt nicht von Schuld freisprechen. Nicht nur macht er ohne Rücksicht auf die Situation der Frau ältere Rechte geltend, er verschwendet auch keinen Gedan-ken auf sein Kind. Man kann Thea Müller nicht zustimmen, die schreibt: „Daß die Schuld des Johannes am Ertrinken des Kindes im Grunde et-was ganz Zufälliges und außerhalb seiner Willensmöglichkeiten Liegen-des sei, geht deutlich hervor beim aufmerksamen Lesen: aber auch nur dann." [22] Storm läßt sich Johannes nicht nur schuldig *fühlen*, er belastet ihn auch objektiv mit einer Schuld. So erklärt sich Storms Äußerung Emil Kuh gegenüber — Katharina müsse „noch mehr zu dem Kinde hindrängen, er sie dann noch in dieser Hinsicht rücksichtsloser zurückhalten" [23] —, eine Äußerung, welche Thea Müller überrascht und von ihr als Widerspruch zu Storms oben zitierter Stellungnahme zur Schuld empfunden wird.

Eine allgemeine — allerdings historisch gebundene — Dimension verleiht Storm der Innenerzählung, indem er zwei Erzählebenen einführt, was dem Leser aber erst im 2. Teil ganz klar wird. Es wird ausdrücklich betont, daß Johannes seine Lebensgeschichte als *alter* Mann niederschreibt. Durch die periodisch eingestreuten Reflexionen wird deutlich, daß Johannes eine seelische Entwicklung durchgemacht hat, daß er im Alter ein anderer ist als in seiner Jugend. Die von C. A. Bernd mitgeteilten Varianten des Novellenschlusses [24] bestätigen dies eindrücklich. Im Alter hat Johannes zu dem Lebensgefühl zurückgefunden, das typisch für seine Zeit ist: alles Irdische ist eitel. Das Symbol für diese Altersweisheit ist der Stein mit der Inschrift „Geliek as Rook un Stoof verswindt,/ Also sind ock de Minschenkind" (I,992), den Johannes über der Türe seines Hauses einmauern läßt. Er bereut nun seine „Verfehlungen" gegen Gott und die göttliche Weltordnung, zu der auch die Gesellschaftsordnung zählt. Ein Freund hatte Johannes gegenüber einst erklärt: „ . . . wir müssen freilich bleiben, wo uns der Herrgott hingesetzet." (I,964). Dazu bemerkt der Alte: „Weiß nicht, ob ich derzeit mit solchem einverstanden gewesen . . ." (I,964). Nun aber verurteilt er seine Leidenschaft für Katharina, sein Aufbegehren gegen sein — wie er jetzt glaubt — von Gott vorgezeichnetes Schicksal und sein mangelndes Vertrauen in Gott. Das nächtliche Zusammensein in Katharinas Kammer kommentiert er folgendermaßen: „Von dreien furchtbaren Dämonen, von Zorn und Todesangst und Liebe ein verfolgter Mann, lag nun mein Haupt in des vielgeliebten Weibes Schoß." (I,981). Die Sündhaftigkeit seiner Leidenschaft wird durch den gleich darauf folgenden Hinweis auf die antike Liebesgöttin betont: „Wenn, wie es in den Liedern heißt, mitunter noch in Nächten die schöne heidnische Frau Venus aufersteht und umgeht, so war es dazumalen eine solche Nacht." (I,981). Im Alter fragt sich Johannes: „O Hüter, Hüter, war dein Ruf so fern?" (I,981). Er ist zur Einsicht gekommen, daß die Hoffnungen und Pläne des Menschen sinnlos, ja sogar vermessen sind, wenn sie Gottes Willen nicht in den Mittelpunkt stellen: „Aber des Menschen Augen sehen das

Dunkel nicht, das vor ihm ist." (I,989). Deshalb ist es „doch anders kommen" (I,983), als Johannes geplant hat, und seine Suche nach Katharina ist „doch umsonst gewesen" (I,992).

Analog zur ersten Liebesszene ist die zweite im Garten des Pfarrhauses, in dem Katharina nach ihrer Heirat wohnt, beschrieben. Wieder begehrt Johannes gegen sein Schicksal — d. h. Gott — auf: „ ‚Ich will das nicht!' schrie ich; ‚ich will . . .' Und eine wilde Gedankenjagd rasete mir durchs Hirn." (I,1007). In seiner sinnlichen Leidenschaft respektiert er die Heiligkeit der Ehe nicht; Katharina allerdings ist sich der Sünde bewußt: „O, Jesu Christ, vergib mir diese Stunde!" (I,1008). Auch hier fehlt der Hinweis auf die antike Götterwelt nicht: „Unwillens schritt ich solchem Schalle [Katharinas Stimme] nach; so mochte einst der griechische Heidengott mit seinem Stabe die Todten nach sich gezogen haben." (I,1006).

Als sündhaft empfindet der alte Johannes auch seinen Stolz und Ehrgeiz als Künstler — hier berührt sich sein individuelles Selbstbewußtsein mit seiner Auflehnung gegen die Gesellschaftsordnung: „ . . . jedennoch war es alles eben Pfennigmalerei, und sollte demnach der Schüler van der Helsts [Johannes] hier in gar sondere Gesellschaft kommen. Da ich solches eben in meiner Eitelkeit bedachte . . ." (I,998). Johannes sieht also im Alter seine „Sünden" ein und büßt in Demut durch seine Einsamkeit. Ein Trost wird ihm zuteil — die Aussicht auf eine Lösung seines Problems. Er lebt in einer Zeit, in der das Leben nach dem Tode den Menschen eine Gewissheit ist. Er liebt Katharina noch immer, aber auf andere, geistige Art und sieht der „Wiedervereinigung mit den vorangegangenen Lieben in Demuth" (I,993) entgegen. Da er sich seiner Zeit wieder angepaßt hat, wird ihm auch das Glück zuteil, das sie zu bieten hat.

Die allgemeingültige Dimension der Innenerzählung beruht auf der Aussage: „Gleich so wie Rauch und Staub verschwindt,/ Also sind auch die Menschenkind." (I,949). Und nach dem Epilog der Novelle kann man ergänzen: und die Werke der Menschen. Denn Johannes' „Name gehört nicht zu denen, die genannt werden, kaum dürfte er in einem Künstlerlexikon zu finden sein . . ." (I,1015).

Es ist bedeutsam, daß neben den Bildnissen des ertrunkenen Knaben, seines Stiefvaters und seines Großvaters nur das Manuskript von Johannes und der Stein mit der Inschrift in die Erzählgegenwart des Rahmens hineinragen. Die Bilder selbst, von Johannes gemalt, sagen nichts aus. Sie geben ihr Geheimnis nicht preis, auch befinden sie sich an recht entlegenen Orten. Letzteres gilt auch von dem Manuskript, das im Grunde nur die Aussage des Steins wiederholt. Was es zusätzlich berichtet, gehört der Geschichte an. Storms eigentliches Anliegen war, in „Aquis submersus" das ewige Gesetz der Vergänglichkeit aufzuzeigen, wie es auch der Titel andeutet. Als einziges von den Relikten aus der Vergangenheit ist die Inschrift an der Giebelwand eines Hauses jedermann sichtbar — ihre Aussage ist noch immer gültig. Nur einen Vorbehalt macht Storm: „Die Worte mochten für jugendliche Augen wohl nicht sichtbar sein." (I,949). Ebenso wie er in der Innenerzählung zwei Zeitebenen einführte, teilte er auch die Rahmenerzählung in zwei Abschnitte ein — die Erlebnisse und Empfindungen des Ich-Erzählers als Junge und als älterer Mann. Die Geschichte der unglücklichen Liebe von Johannes und Katharina befriedigt die in der Jugend geweckte Neugier; der ältere Mann jedoch ist betroffen von der Inschrift, deren Gültigkeit ihm durch die Reflexionen des alten Johannes bestätigt werden. Damit wiederholt die Rahmenerzählung die Aussage der Innenerzählung: das Gesetz der Vergänglichkeit bleibt jeder geschichtlichen Weiterentwicklung zum Trotz bestehen.

Eekenhof (1879)

Storm vermeidet bewußt, seiner Geschichte allzu große Glaubwürdigkeit zu verleihen. Schon der erste Satz hüllt sie in geheimnisvolles Dunkel: „Es klingt wie eine Sage . . ." (II,36). Der Grund hierfür liegt in der Art des behandelten Konflikts zwischen Leidenschaft und Sitte. Im Mittelpunkt des Geschehens stehen drei Figuren: Junker Hennicke, sein Sohn Detlev und Heilwig, des Junkers uneheliche Tochter. Als das Mädchen heranwächst, kristallisiert sich das Problem heraus: Zwischen den Stiefgeschwistern, die von ihrem Verwandtschaftsverhältnis zunächst nichts wissen, keimt Liebe auf, während der Vater in der Tochter deren verstorbene Mutter liebt. Um jedoch die Gesetzwidrigkeit dieser Neigungen abzuschwächen, führt Storm das Motiv der Vorherbestimmung ein. Er stellt seiner Novelle die Beschreibung zweier Bilder voran — das Bild eines blonden Obristen und dasjenige einer schwarzäugigen, stolzen Frau — und erklärt: „Das verbundene Geschick dieses Paares soll für das des ganzen Geschlechts vorbestimmend gewesen sein ..." (II,37). Der Obrist trägt eine blutrote Narbe; auch Detlev wird einmal von seinem Vater mit der Peitsche ins Gesicht geschlagen, „daß das Blut hervorgeschossen ist" (II,59). Das Geschlecht ist zum Untergang bestimmt; sobald das Bild von Detlevs Mutter seinen Platz eingenommen hat, „kann der Schlüssel abgezogen werden" — alle sind dann „wie in einer Gruft beisammen" (II,38).

Vater und Sohn sind nicht gleichwertige Rivalen. Detlev ist hell, strahlend, ritterlich und gut. Seine Liebe wird durch seine Unwissenheit und das vorbestimmte Schicksal seines Geschlechtes entschuldigt. Junker Hennicke dagegen ist „ein Lump, ... der aus seines Weibes Hand gefüttert" (II,68) wird, der Trunk, Spiel und niedriger Leidenschaft hörig ist; berechnend, grausam, jähzornig. Er hofft auf den baldigen Tod seiner zweiten Frau, um mit Heilwig leben zu können. Er schreckt auch nicht vor einem Mordversuch an seinem Sohn zurück, dem er schon im Mutterleib den Tod gewünscht hatte. Zwar entgeht Detlev seinem Vater, doch tritt er sein Erbe nicht an und wird schließlich für tot erklärt. Von ihm und Heilwig „hat sich jede Spur verloren" (II,75). Damit hat sich das Geschick der Familie erfüllt. Hennicke ist seit dem Anschlag auf seinen Sohn ein „gebrochener Mann" (II,74); eine geheimnisvolle Kraft hat ihn gerichtet.

Die Verschiedenheit der Charaktere von Hennicke und Detlev wird durch die Rolle illustriert, die sie in der Gesellschaft spielen. Die soziale Funktion wird zum Ausdruck und Spiegel der Persönlichkeit. Detlev behandelt seine künftigen Untergebenen wie sein Großvater mütterlicherseits: milde und gerecht. Hennicke quält seine Pachtbauern und Hörigen und preßt den letzten Heller aus ihnen heraus. Auch die Art, wie Hennicke und Detlev Heilwig lieben, ist symptomatisch für ihre Einstellung zur Gesellschaft. Hennicke hat nur sein eigenes Glück im Auge, wenn er Heilwig zu seiner Erbin machen möchte — „nun sollte sie ihm bald nicht mehr entrinnen können!" (II,64). Detlev dagegen respektiert Heilwig und ist bereit, alles für sie zu opfern. Storm verlieh dem individuellen Problem dieser Novelle eine allgemein soziale Dimension, indem er Detlev und Hennicke zu Repräsentanten gesellschaftlicher Schichten machte: Hennicke vertritt den groben, heruntergekommenen Adelsstand des ausgehenden 17. Jahrhunderts, Detlev einerseits den Adelsstand in seiner längst vergangenen Blütezeit, andererseits die neue Schicht der Kaufleute, der er sich anschließt.

Die Söhne des Senators (1879)

Eines der wenigen humorvollen Werke Theodor Storms ist die No-
velle „Die Söhne des Senators", doch enthält auch sie einen ernsten
Kern. Das Leitmotiv ist der Ruf des alten Papageis — „Komm röwer"
(II,79), ein Aufruf zur Überwindung von Schranken, ein Aufruf zur
Versöhnung.

Das dargestellte Problem scheint zunächst ein ganz persönliches,
individuelles zu sein: Die beiden Söhne Friedrich und Christian Albrecht haben von ihrem Vater, dem Senator, unter anderem einen Garten geerbt. Beide beanspruchen ihn für sich. Storm macht es von
Anfang an klar, wer im Recht ist: Christian Albrecht, der seiner Mutter an „froher Leichtlebigkeit" (II,79) und Milde gleicht, braucht als
künftiger Familienvater den Garten. Der „Hagestolz" (II,82) Friedrich
dagegen, der dem Vater nachschlägt und als ernster, strenger und zuweilen heftiger Mann erscheint, pocht auf ein altes — inzwischen von
der Mutter vernichtetes — Dokument, das *ihm* den Garten zuerkannt
hatte. Ein hartnäckiges Festhalten an verbrieftem Recht steht also einer
flexiblen, der Situation angemessenen Haltung gegenüber; Friedrich
blickt auf die Vergangenheit zurück, Christian Albrecht orientiert sich
an der Zukunft. Da sich die Brüder nicht einigen können, läßt Friedrich eine Mauer zwischen ihren beiden Anwesen derart erhöhen, daß
die unteren Stuben in Christians Haus kaum noch Licht erhalten. Als
Christian nun seinerseits — indem er sich ebenfalls auf ein altes Dokument beruft — trotzig reagiert und Friedrich „den Halbschied" (II,96)
an den Kosten der Mauer aufdrängt, läßt dieser die Mauer für das
Geld noch einmal erhöhen. Bürgermeister wie Kirchenprobst — Symbole für Regierung und Kirche — können nicht vermitteln. Bald darauf
verreist Christian mit seiner jungen Frau und seinem kleinen Sohn.
In ihrer Abwesenheit erkennt Friedrich die Absurdität seines Vorge-
hens — durch den Ruf des Papageis wird er zur Vernunft gebracht.
Kurz entschlossen läßt er die Mauer versetzen, und zwar soll sie von
nun an den Garten vom Kirchhof — Symbol des Vergangenen und der
Vergänglichkeit — trennen. Bei der Rückkehr Christians einigen sich
die Brüder: der Garten soll ihnen gemeinsam gehören. Eine versöhnliche Szene beschließt die Novelle: Im Garten wird ein großer „Familien-
kaffee" (II, 113) abgehalten, zu dem Honoratioren der Stadt wie auch die
Angestellten des Hauses geladen sind, und die Brüder laden sogar die jungen

Zaungäste aus der Nachbarschaft ein, von den Stachelbeeren zu schmausen. Das persönliche Problem der Brüder, ihr Streit, der unnötig und lächerlich erscheint, wird also auf eine humorvolle und versöhnliche Weise gelöst.

Die Novelle besitzt auch eine zeitbezogene Dimension. Als Friedrich sich mit Christian versöhnt, überspringt er die niedere Mauer zwischen ihren beiden Grundstücken und sagt: „ ... dieser Sprung war nur ein Symbolum" (II,111). Der Inhalt der ganzen Novelle kann als symbolisch aufgefaßt werden; Storm gab dem Einzelfall eine allgemeine soziale Bedeutung, indem er ihm Symbolcharakter verlieh. Friedrich ist dem Vater nachgeschlagen, der ein Patrizier war und patriarchalisch für die von ihm oder der Stadt Abhängigen sorgte. Wenn die einfachen Leute aus der Nachbarschaft ihn in seinem „stattlichen Lust- und Nutzgarten" (II,77) sahen, betrachteten sie ihn mit „ehrerbietigem Schweigen" (II,79). Die Zeiten haben sich geändert, und Friedrich wird von den meisten jungen Zaungästen an der Staketpforte des Gartens gefürchtet. Sein Verhalten, das zur Zeit seines Vaters vielleicht angemessen war, wirkt nun verfehlt; sein Festhalten an dem alten Dokument des Vaters illustriert diese Tatsache. Christian dagegen ist aufgeschlossen, und ihm strecken sich die Finger durch die Pforte entgegen, wenn er im Garten ist — wie früher schon seiner Mutter. Der Garten wird zum Symbol der Welt und ihrer sozialen Ordnung. Zwischen Friedhof und dem Arbeiterviertel gelegen, war er zur Zeit des Vaters der Patrizierfamilie vorbehalten. Doch die „Familienfeste waren nun vorüber" (II,79), und Christian hätte es gerne gesehen, „daß eine hohe Planke oder Mauer hier [gegen den Friedhof] die Aussicht schließen möchte" (II,80). Die Vergangenheit soll die Gegenwart und Zukunft nicht trüben. Nachdem Friedrich eingesehen hat, daß er sich falsch verhalten hat, verwirklicht er den Wunsch seines Bruders, und bei dem nächsten Fest im Garten sind nicht nur Honoratioren der Stadt, sondern auch die kleinen Angestellten geladen, „jeder an dem Platze, der ihnen zukam" (II,113). Friedrich lädt auch die Gassenjungen aus dem Arbeiterviertel in den Garten ein. Die Welt ist für alle da, die Tore müssen geöffnet, die Schranken abgebaut werden. Jeder hat seinen Platz und seine Berechtigung in der Welt.

Storm hat somit ein individuelles Problem so dargestellt, daß es gleichzeitig zum Symbol eines sozialen Problems wurde. Die Lösung, die der Novelle ihre allgemeine, zeitlose Dimension gibt, heißt in beiden Fällen Aufgeschlossenheit und Versöhnlichkeit.

Schweigen (1882/83)

Zu den bevorzugten Themen der Dichter des Naturalismus gehörten Alkoholismus und Geisteskrankheiten. Schon bei Storm, der zumindest in der Darstellungskunst noch ganz im Banne des poetischen Realismus steht, zeichnen sich diese neuen Probleme der Menschheit in den Novellen ab. Storm schrieb am 12. Oktober 1884 an Theodor Mommsen: „ . . . man sagte einmal: das moderne Schicksal sind die Nerven; ich sage: es ist die Vererbung . . .".

In der Novelle „Schweigen" versuchte er zum ersten Mal, die Folgen und Nachwirkungen einer geistigen Erkrankung darzustellen. Am 27. November 1882 schrieb er darüber an Keller: „ . . . die Gemütskrankheit . . . gibt übrigens nur die Veranlassung zu einer Schuld, und diese, nicht die Krankheit und *deren* Heilung, was nach meinem Gefühle widerwärtig und für die Dichtung ungehörig wäre, gibt das organisierende Zentrum." Der junge Rudolf von Schlitz hat soeben eine Nervenkrankheit überwunden. Wird die Heilung Bestand haben? Halb im Scherz rät der Hausarzt Rudolfs Mutter, ihr Sohn solle ein „deutsches Hausfrauchen" (II,230) heiraten; in ähnlich gearteten Fällen wäre es dies Mittel gewesen, „was wohl erst die Heilung sicherstellte" (II,230). Sofort arrangiert die energische und — wenn es um ihren einzigen Sohn geht — skrupellose Mutter die Verbindung mit Anna, einer gesunden, jungen und gutherzigen Pfarrerstochter. Durch geschicktes Argumentieren verhindert es die Mutter, daß Rudolf Anna die Art seiner überstandenen Krankheit gesteht. Doch nachdem die Ehe geschlossen ist, beginnt Rudolf, der Anna leidenschaftlich liebt, sich Sorgen zu machen: „Es gibt eine schwarze Fliege, diese Sommerglut brütet sie aus, und sie kommt mit all den anderen zu uns, in dein Haus, in deine Kammer, unhörbar ist sie da, du fühlst es nicht, wenn schon der häßliche Rüssel sich an deine Schläfe setzt. Schon mancher hat sie um sich gaukeln sehen und ihrer nicht geachtet; denn die wenigsten erkennen sie; aber wenn er von einem jähen Stiche auffuhr und sich, mehr lachend noch als unwillig, ein Tröpflein Blutes von der Stirn wischte, dann war er bereits ein dem Tod verfallener Mann." (II,248). Die schwarze Fliege ist ein Symbol für Rudolfs seelische Qualen, über deren Ursprung er sich nicht klar ist. Er fürchtet, seine Krankheit könnte wiederkehren. Die Mutter drängt ihn um seinetwillen, Anna alles zu gestehen; aber jetzt ist es Rudolf, der auf Schweigen besteht. Er glaubt schweigen zu müssen, um das Glück seiner Frau zu erhalten; doch nur ein Bekenntnis könnte ihn von seiner wachsenden Unruhe befreien. Schließlich sieht Rudolf nur noch eine Lösung für seinen Konflikt: Selbstmord.

Die Schwäche der Novelle liegt darin, daß Rudolfs Gewissensqualen die Form von Hirngespinsten annehmen, die auf den Leser den Eindruck einer wirklichen Angstpsychose machen. Daher überzeugt der Schluß nicht: Rudolf schreibt einen erklärenden Abschiedsbrief — „daß er wahnsinnig sei, daß er es längst gewesen" (II,280) — und geht in den Wald, um sich zu erschießen. Im letzten Augenblick wird ihm bewußt, daß ihn nur sein Schweigen gequält hat: „ . . . er wußte es plötzlich, er fühlte es hell durch alle Glieder rinnen: der Arzt hatte recht gehabt; er war gesund . . . nicht eine Krankheit, aber eine Schuld war es, die seine Kraft gelähmt und ihn vor Schatten hatte zittern lassen." (II,283).

Storm versuchte die vollständige Heilung Rudolfs (wie der andern in der Novelle erwähnten Geisteskranken) dadurch zu motivieren, daß er die Krankheit auf konkrete äußere Ursachen zurückführte — Überlastung im Beruf, Enttäuschung in der Liebe. Es ist paradox, daß diese — nur angedeuteten — Gründe als Ursache einer Geistesverwirrung weit weniger überzeugen als die Entwicklung von Rudolfs Angstpsychose, die Storm als bloße Schuldgefühle entlarven will. Vielleicht wäre die Novelle besser ausgefallen, wenn Storm seiner ursprünglichen Konzeption gefolgt wäre. An die Gebrüder Paetel schrieb er am 14. Mai 1883: „Der Plan ging ursprünglich dahin . . . , daß die Liebe einer rechten, geistig gesunden Frau die Rettung bringen müsse aus dem Wirrsal; während des Schreibens aber kam mir der Gedanke, daß dadurch der Mann zu würdiger Weiterexistenz zuviel verlieren werde, wenn er nur durch die überlegene Kraft seiner Frau erhalten bleibe. So kam ich zu dem jetzigen Schluß, der ja aber nur ein Notdach ist, da alle letzten energischen Handlungen der Frau für die tatsächliche Entwicklung der Sache überflüssig werden und nur zur Illustration der Persönlichkeit der Frau dienen." [25] Auch sollte, wie Gertrud Storm berichtet, die Novelle „eigentlich tragisch enden, aber der Dichter wurde von seinen Töchtern gebeten, sie dieses eine Mal zu einem glücklichen Ende zu führen". [26] Storm ging von seinem ursprünglichen Plan ab — aber nicht aus tiefster Überzeugung, nicht, wie Böttger meint, in der „Stimmung des Ausgleichs und eines relativen Optimismus". [27] In Briefen an Paul Heyse, Gottfried Keller und seinen Sohn Karl klagte er über die Sprödigkeit des Stoffes und seine Unfähigkeit, ihn ganz in den Griff zu bekommen.

Der Mangel an innerer Folgerichtigkeit in der Novelle wirkte sich auf die Art der Darstellung aus. An Heyse schrieb Storm am 15. November 1882: „Ich selbst stecke wieder in einer so psychologisch düftligen Geschichte, wie der Hans Kirch, leider ohne dessen kräftiges Knochengerüst. Ich hasse das, dieses Motivieren vor den Augen des Lesers, ich habe es sonst stets nach Möglichkeit zu verschlucken gesucht . . .".

Neben dem individuellen Konflikt Rudolfs enthält die Novelle auch einen allgemein menschlichen Konflikt — eine Variation des Vater-Sohn-Konflikts. Rudolf ist ein Muttersöhnchen; da sein Vater früh gestorben ist, hat seine Erziehung ganz in den Händen der Mutter gelegen, die ihren Sohn beherrscht. Nur einmal versucht sich Rudolf gegen seine Mutter aufzulehnen, als er erfährt, daß Anna nichts von seiner wahren Krankheit weiß. Vergeblich. Annas Vater hat Rudolfs Willenschwäche aufgrund „der langen Weibererziehung" (II,239) erkannt und bittet deshalb Rudolfs Vorgesetzten, „nachträglich die Männererziehung" (II,247) noch dazu zu tun. Die Heirat bringt die Wende. Die Liebe zu seiner Frau hat Rudolf von seiner Mutter unabhängig gemacht und ihm ein neues Gefühl der Verantwortung gegeben. Gegen den Willen seiner Mutter wird er nun schweigen. Die Szene zwischen der einsamen herrischen Frau, die ihren Sohn leidenschaftlicher liebt als ihren verstorbenen Mann, und dem Sohn, der ihr nun zu verstehen gibt, daß ihm seine Frau mehr bedeutet als seine Mutter, ist wohl die beste der ganzen Novelle. Die Lösung des Konflikts zwischen Mutter und Sohn fällt wieder ab. Als Rudolf und Anna schließlich einem ungetrübten Glück entgegengehen, befällt die Mutter wie „mit Schlangenbissen . . . ein eifersüchtiges Weh" (II,286). Ihre Reaktion auf Annas Bitte — „Du mußt mich lieben, Mutter!" (II,287) — wirkt nicht überzeugend, da sie zu unvermittelt kommt: „Ein finstrer Blick war auf die junge Frau gefallen; dann aber lag sie an der Brust der Mutter, überschüttet von durstiger, ungestümer Liebe: ‚Ja, ja, mein Kind; ich sehe keine andere Rettung!' " (II,287).

Die Entfremdung von Mutter und Sohn durch dessen Heirat und die Abneigung gegen die Schwiegertochter, die „unschuldige Feindin" (II,287), kann als allgemeines, überzeitliches Problem gelten. Dennoch verleiht es der Novelle keine allgemeine Dimension (wie es Storm wohl beabsichtigte), denn die Loslösung vom Willen der Mutter ist nicht mehr als *eine* der Voraussetzungen für den eigentlichen Konflikt Rudolfs. Ähnlich verhält es sich mit der Gesellschaftskritik in der Novelle. Nur weil Anna eine Frau ist, „wie sie der Doktor ihrem Sohn verordnet hatte" (II,234), arrangiert Frau von Schlitz eine solche unstandesgemäße Heirat. „Nun, Rudolf, ... du hättest freilich andere Ansprüche machen dürfen; aber wir Frauen sind dankbarer als ihr Männer, und so wollen wir denn hoffen, das Mädchen werde sich dir um so mehr verpflichtet fühlen." (II,238—39). Hatte sich in der Novelle „Im Nachbarhause links" der Adel aus finanziellen Überlegungen herbeigelassen, Ehen mit Bürgermädchen zu akzeptieren, so tut er es hier aus gesundheitlichen Rücksichten. Doch Storm griff das Problem der Dekadenz nicht auf: weder für Rudolf noch für Anna spielen derartige Überlegungen eine Rolle, und für den Konflikt Rudolfs ist der soziale Hochmut der Mutter ohne Bedeutung. Auch der ausgleichende Einfluß des „gesunden" Bürgertums kommt nicht zur Geltung — Anna trägt nicht zur Heilung Rudolfs bei. So kann man in der Ehe von Rudolf und Anna kaum einen Ausgleich zwischen den Klassen sehen, wie Fritz Böttger es tut. Wahrscheinlich hatte Storm eine solche soziale Dimension seiner Novelle vorgeschwebt, aber im Text selbst wurde diese Konzeption nicht verwirklicht. Storm erkannte selbst, daß „Schweigen" nicht auf der Höhe seiner übrigen Novellen steht. An seinen Sohn Karl schrieb er am 14. April 1883: „Mit der Gesundheit geht's uns allen leidlich, nur ... daß meine Novelle mir entschieden mißraten ist, ohne daß ich's doch besser zu machen wüßte, und doch des elenden Geldes wegen nicht verbrannt werden darf ... so fühle ich die hereinbrechende geistige Unfähigkeit oft als ein nagendes Leid; aber ich kämpfe dagegen."

Zur Chronik von Grieshuus (1883/84)

Fritz Böttger schreibt über Storms Chroniknovellen: „Sobald es ihn drängte, seine antifeudale, radikalliberale Gesinnung künstlerisch zur Geltung zu bringen, wich er darum in die Vergangenheit aus." [28] Die Gründe Storms für seine Beschäftigung mit der Geschichte waren anderer Art. Da Storm in Husum und später in Hademarschen fast völlig isoliert vom Zeitgeschehen lebte und kaum Reisen unternahm, suchte und fand er in der Geschichte die Möglichkeit, größere Zeitspannen mit ihren sozialen und politischen Entwicklungen zu überblicken. Vor allem aber glaubte Storm, in historischen Erzählungen Gesetzmäßigkeiten der Weltordnung darstellen zu können. Je älter er wurde, desto dringlicher beschäftigte ihn die Frage: Nach welchen Gesetzen funktioniert unsere Welt? In „Aquis submersus" illustrierte er die „Ewigkeit der Vergänglichkeit"; in „Renate" die Langsamkeit des menschlichen Fortschritts, der für den Einzelnen oft zu spät kommt. Ein anderes Thema klingt in „Eekenhof" an — das Ende eines Geschlechts, das in Konflikt mit dem Naturgesetz, der Weltordnung, geraten ist. Auch in „Grieshuus" geht es um den Untergang eines Adelsgeschlechts; doch während Storm in „Eekenhof" die Ursachen der Katastrophe im Dunkeln ließ, versuchte er in dieser Novelle, das Wirken des Naturgesetzes zu erhellen.

Junker Hinrich ist, „wie auch sonst die meisten seines Stammes, jach zur Tat" (II,296). In ihm sind Jähzorn und Starrköpfigkeit — Zeichen eines extrem starken Willens — so sehr ausgeprägt, daß er in Konflikt mit der sozialen Ordnung seiner Zeit gerät. Er heiratet das Mädchen Bärbe, die Tochter eines Freigelassenen. Hinrich ist keineswegs Repräsentant einer neuen Zeit; er versucht nur sein Recht auf individuelle Freiheit zu wahren. Dies gelingt ihm nicht, ohne schuldig zu werden. Im Jähzorn erschlägt er seinen Zwillingsbruder, der die Gültigkeit seiner Ehe anfechten will. Doch trägt Hinrich die Schuld an dem Mord nicht allein — seine Familie, in welcher der Jähzorn erblich ist, ist ebenso dafür verantwortlich wie Hinrich selbst. Mit dem Tod Bärbes im Kindbett und der Ermordung des Bruders — beides geschieht am 24. Januar — endet der erste Teil der Novelle.

Seit seiner Tat ist Hinrich verschollen; seine Tochter aber lebt, heiratet und schenkt schließlich einem Sohn das Leben. Bleibt der Mord ungesühnt? Die menschliche Gerichtbarkeit kann weder Hinrich noch seinen Enkel Rolf belangen. Hinrich hat sich den Gerichten durch Flucht entzogen, Rolf kann nach den geltenden Gesetzen nicht verantwortlich gemacht werden. Dennoch ist auch Rolf schuldig — er ist ein typischer Vertreter seines Geschlechts. Er hat den Jähzorn seiner Ahnen geerbt, und in seinen Entscheidungen folgt er seinem individuellen Willen. So stößt er das Mädchen Abel nicht aus Rücksicht auf die gesellschaftlichen Regeln zurück, sondern aus zornigem Hochmut.

Nach vielen Jahren kehrt Hinrich als Diener nach Grieshuus zurück. Sein Leben war „unstet und flüchtig" (II,376) wie das Kains, aber noch ist seine Tat nicht gesühnt. Rolf kämpft auf der Seite der Schweden gegen die Russen; der Krieg wird bis ins schleswig-holsteinische Land, bis in die Nähe von Grieshuus getragen. Als Junker Hinrich seinen Enkel vor einem Überfall der Russen warnen will, ereilt ihn und Rolf der Tod: Am 24. Januar stirbt Hinrich auf mysteriöse Weise an derselben Stelle, an der er einst seinen Bruder erschlagen hatte; sein Pferd läuft in die Schlacht und lenkt Rolf ab, so daß die Lanze eines Feindes ihn niederstrecken kann. Zufall? Die Fixierung der Katastrophen an einen bestimmten Tag und Ort erinnert an romantische Schicksalsdramen; sie symbolisiert die Ohnmacht der Menschen, die einer außermenschlichen Gewalt ausgeliefert sind. Hinrichs Tod scheint die Vergeltung für den Mord an seinem Bruder zu sein. Doch er ist mehr; er ist die Vergeltung für Hinrichs Erbanlage und sein Aufbegehren gegen die objektive Weltordnung. Man kann nicht von einer Strafe im christlich-transzendenten Sinn sprechen, wie sie etwa in Zacharias Werners Drama „Der 24. Februar" wirksam wird. Hinrich selbst setzt zwar seine Schuld in Beziehung zu Gott; er glaubt, dieser habe ihn wie Kain gestraft. Doch sein Schwiegersohn modifiziert diese Auffassung: „ . . . unstet und flüchtig blieb er nach dem Fluch der Schrift ein langes Leben durch; denn seinen Zwillingsbruder hatte er im jähen Zorn erschlagen. Aber nicht wie Kain den Abel: der Bruder hatte ihm sein Glück, sein junges Weib, getödtet; und da zwang er ihn zum Kampf und erschlug ihn . . . Beim ewigen Gott! ich hätt ihn auch erschlagen!" (II,376). Die religiöse Deutung der Ereignisse wird durch den Volksglauben noch weiter relativiert; es heißt, „der Nachtspuk des Erschlagenen habe dem Junker Hinrich nun doch noch das Genick gebrochen und also ihn und sein Geschlecht vernichtet." (II,377). Auch die Erklärung eines Geistlichen — „Das sind nugae, und es passet nicht zu des Allweisen Güte . . ." — ist doppeldeutig. Entweder ist Hinrichs Tod ein Zufall — und das erscheint nach allem, was vorgefallen ist, als unwahrscheinlich — oder Gott kennt ebenso wenig Erbarmen wie das Naturgesetz.

Wofür büßt Rolf? So wie Hinrich an der Schuld seiner Ahnen — die zur Ursache für seine eigene Schuld wird —, trägt auch Rolf an der Schuld Hinrichs mit. Das Geschlecht hat sein Recht auf Leben verwirkt. Storm glaubte an keinen Gott, aber das Naturgesetz, das die Weltordnung aufrechterhält, hat alttestamentarischen Charakter — es straft die

Sünden der Väter an den Kindern und Kindeskindern. Darin liegt die allgemeine, überzeitliche Dimension der Novelle.

Das Instrument des Naturgesetzes ist der Krieg — ein Faktor in der Novelle, dessen Bedeutung bisher übersehen worden ist. Der Untergang des Geschlechtes von Junker Hinrich ist in dem Augenblick besiegelt, in welchem der Krieg in das Leben Hinrichs eingreift. Als Hinrich Bärbe im „Polackenkrieg" vor marodierenden Soldaten rettet und sich in sie verliebt, hat seine Stunde geschlagen — „eine schicksalsschwere, mit der die letzte seines Hauses angebrochen ist" (II,301). Die Zeit, die zwischen diesem Krieg und Rolfs Tod vergeht, zeigt nur, daß sich das Naturgesetz in großen Entwicklungsräumen manifestiert. Ein trügerischer Frieden liegt über dem schleswig-holsteinischen Land, der keine guten Früchte trägt. Hinrich heiratet Bärbe, Bärbe stirbt, Hinrich ermordet seinen Bruder; seine Tochter heiratet und gebiert einen Sohn; „aber die Mutter hatte doch all ihre Kraft dem Kinde hingegeben" (II,335) und stirbt nach wenigen Jahren. Als Rolf herangewachsen ist, ist auch die Zeit reif: ein neuer Krieg fordert Rolfs und — indirekt — Hinrichs Leben. Damit sind die Weltordnung und die soziale Ordnung wiederhergestellt; der Jähzorn des Geschlechts kann sich nicht mehr weiter vererben.

In keiner anderen Novelle verknüpfte Storm individuelle Schicksale mit so konkreten historischen Ereignissen wie hier. Dies lag nicht am Stoff; am 2. November 1884 schrieb Storm an Fontane: „Dr. Mannhardt, der viel in Italien gelebt hat, erzählt mir: ein dortiger Marquis habe ihm einmal mitgeteilt, bei seinem Gute wohne ein Einsiedler, aber er müsse ihm alle Jahr auf einige Tage im Gute Quartier geben, weil dann die ‚schlimmen Tage' seien, wo es nicht gut da draußen sei. —Ich fragte Mannhardt: ‚Woher kommen denn diese Tage?' — ‚Ich glaube', sagte er, ‚ein Brudermord oder so etwas war der Grund.' — Das war der Perpendikel-Anstoß. Ich glaube, es ist jetzt gut schleswig-holsteinisch." [29]

Indem Storm parallel zum individuellen Geschehen historisch-politische Ereignisse schilderte, erreichte er einen mehrfachen Zweck: Die Novelle erhielt eine räumliche und zeitliche Fixierung, die durch die Landschaftsschilderung noch unterstützt wurde. Die geschichtliche Situation diente gleichsam als Kulisse. Da Storm die politischen Verhältnisse aber auch aktiv auf das Leben Einzelner Einfluß nehmen ließ, verlieh er der Novelle eine sozialkritisch-zeitbezogene Dimension. Er wies auf den Hochmut des Adels, die Schwäche der Justiz, die allgemeine „Mißwirthschaft" (II,363) des „ränkesüchtigen Görtz" (II,345) und die Grausamkeit der Kriege hin. Kriege bedeuteten für Storm nicht nur historische Ereignisse, die von irgendwelchen Veranlassungen hervorgerufen oder zu politischen Zwecken absichtlich inszeniert wurden; ihre eigentliche Ursache sah er im Naturgesetz vom Überleben des Stärkeren.

Exkurs: Die Märchen

Schon als Kind war Storm von der Welt des Übernatürlichen und Phantastischen, die ihm im Märchen entgegentrat, fasziniert. „Märchen" war für ihn ein Sammelbegriff; er unterschied nicht zwischen Märchen, Sage oder Gespenstergeschichte. In seiner Vorrede zu den *Drei Märchen* aus dem Jahre 1865 schrieb er: „ ... nur das phantastische Element ist allen gemeinsam und muß die gewählte Bezeichnung rechtfertigen." [30] Wehmütig dachte er noch im Jahre 1870 an die „liebreiche Freundin" (I,558) seiner Jugend, Lena Wies, von der er die schönsten Geschichten seines Lebens gehört hatte: „Wie manchen Herbst- und Winterabend bin ich nach diesem kleinen Hause gegangen. — Gegangen? — Nein gelaufen, gerannt! — Es gab damals in unserer Stadt noch keine Straßenbeleuchtung; aber desto mehr Gespenster; ‚es übte vor', es ‚jankte' draußen im ‚Austrom', im Schlosse wurde nachts eine kleine braune Frau gesehen. Und das alles wurde mit jedem Abend bei mir lebendig ..." (I,558). Auch in seiner Vorrede zu den *Geschichten aus der Tonne*, wie die *Drei Märchen* in der zweiten Auflage benannt wurden, erinnerte sich Storm an seine Kindheit und an seinen Spielkameraden Hans Räuber, der das „Stücken vertellen" so gut verstand. [31]

Später versuchte Storm auch, eigene Märchen zu dichten. In „Hans Bär" (1837) gestaltete er, ganz im Stil der Grimm'schen Volksmärchen, einen Konflikt zwischen Gut und Böse, der auf wunderbare Weise gelöst wird. Das Märchen blieb eine schwache Nachahmung. Storm ging es wie Reinhard in „Immensee": „Von den Märchen, welche er ihr sonst erzählt und wieder erzählt hatte, fing er jetzt an, die, welche ihr am besten gefallen hatten, aufzuschreiben; dabei wandelte ihn oft die Lust an, etwas von seinen eigenen Gedanken hineinzudichten; aber, er wußte nicht weshalb, er konnte immer nicht dazu gelangen. So schrieb er sie genau auf, wie er sie selber gehört hatte." (I,24).

1842 begann Storm, zusammen mit Theodor Mommsen, Material für eine Sammlung schleswig-holsteinischer Sagen zusammenzutragen, die von Karl Müllenhoff später allein weitergeführt und 1845 unter dem Titel *Sagen, Märchen und Lieder der Herzogtümer Schleswig, Holstein und Lauenburg* herausgegeben wurde. Noch Jahrzehnte später gaben Storm diese Sagen stoffliche Anregungen zu seinen Novellen. Im Jahre 1849 schrieb Storm sein erstes eigenständiges Märchen, „Der kleine Häwelmann". Die kurze anspruchslose Geschichte, für Kinder im kindlichen Ton erzählt, enthält keinen echten Konflikt, sondern basiert auf dem Gegensatz von Traum und Wirklichkeit, Schlafen und Wachen, der sich bei Kindern so leicht verwischt. Diesem Märchen stand Hans Christian Andersen Pate. Storms nächster Versuch, „Hinzelmeier. Eine nachdenkliche Geschichte" (1850) — Erstdruck unter dem Titel „Stein und Rose" —, ist eigentlich kein Märchen; aber da Storm selbst den Begriff sehr weit faßte — „ich nehme Märchen im weiteren Sinne, wie auch Hauff es tat"[32] — ist diese Erzählung allgemein zu den Stormschen Märchen gerechnet worden. Auch sie enthält „das phantastische Element".

Hinzelmeiers Aufgabe ist es, den Eingang zum Rosengarten zu finden, wo die Rose wächst, welche ewige Jugend und Schönheit verleiht, und wo eine Rosenjungfrau seiner harrt. Stattdessen zieht es Hinzelmeier vor, den Stein der Weisen zu suchen. Zwar bricht sein natürlicher Drang nach Schönheit und Liebe immer wieder durch, aber er kann den Konflikt zwischen natürlichem Gefühl und verblendetem Erkenntnisstreben nicht lösen. Der dämonische Rabe Krahirius läßt ihm stets im entscheidenden Augenblick eine grüne Brille auf die Nase fallen, die ihm den Stein der Weisen in greifbare Nähe zu rücken scheint. Schließlich stirbt Hinzelmeier alt und verlassen im Schnee.

Das Märchen ist eine allegorische Darstellung des zwar abstrakten, aber realen Konflikts zwischen Gefühl und Vernunft, Poesie und Alltag, Leben und Sterben. Auch die Lösung ist märchenhaft, doch im Grunde realistisch und allgemeingültig: der Mensch muß einsam sterben und wird vergessen; keine Erkenntnis kann ihn davor bewahren. Die Liebe hätte im Märchen retten können; im wirklichen Leben kann sie das menschliche Los nur mildern: „ . . . die alte Liebe geht von Geschlecht zu Geschlecht, und das ist das Band zwischen Lebenden und Toten; denn die Sterbenden sind die Kinder der Gestorbenen und die Eltern der Geborenen. Aber wir streben vergeblich gegen die Macht der Vergessenheit; . . . nur so lange nach

meinem Tode möchte ich leben, als die, die ich geliebt, die mich geliebt."
Diese Worte hatte Storm am 31. Januar 1841 an Bertha von Buchan geschrieben. Im „Hinzelmeier" lassen sich zwei Ebenen unterscheiden: eine
reale, an die Wirklichkeit gebundene, und eine märchenhafte, übernatürliche. Aufgabe der letzteren ist es, die Realität zu deuten und zu erhellen.

Es ist vielfach darauf hingewiesen worden, daß Storm seine Märchen
zu einer Zeit schrieb, die von politischen Unruhen erfüllt war. Storm
hatte das selbst gefühlt und dem „Hinzelmeier" (wie auch früher
schon dem „Häwelmann") einen erklärenden Vorspruch mit auf den
Weg gegeben:

> Ein wenig Scherz in die ernste Zeit,
> Einen Lautenklang in den wirren Streit,
> In das politische Versegebell
> Ein rundes Märchenritornell!

Doch die „Flucht aus dem Unbehagen an der kriegerischen Wirklichkeit" [33] war nicht so vollkommen, wie man auf den ersten Blick
meinen könnte. Storm zog sich in diesem Märchen von der Realität des
Konflikts zwischen Schleswig-Holstein und Dänemark nicht völlig zurück; er bagatellisierte den Konflikt scherzhaft und betrachtete ihn
unter einem anderen Blickwinkel. So ist die ironisch-satirische Szene
zu verstehen, in der Hinzelmeier den Teufel, den „Stein des Anstoßes"
(I,88), aus der Welt schießt. Der Teufel besitzt die „ultima ratio
regum" (I,87), eine Kanone, mit der er die Welt in die Luft sprengen
will. „ ‚Alle Wetter!' schrie Hinzelmeier, ‚das ist ja aber eine Radikalkur,
eine wahre Pferdekur!' ‚Ja', sagte der Teufel, ‚ultima ratio regum!
versichere Sie, es gehört eine übermenschlich gute Natur dazu, um so
etwas auszuhalten!' " (I,88). Diese Szene steht zu dem eigentlichen
Konflikt des Märchens in keiner inneren Beziehung und gibt ihm daher auch keine zusätzliche Dimension.

Hatte Storm im „Hinzelmeier" die Wirklichkeit spielerisch in ein
märchenhaftes Gewand gekleidet, so setzte er sich in den Geschichten
„Am Kamin" (1861) [34] mit übernatürlichen Erscheinungen auseinander.
In allen diesen kurzen Erzählungen wird der Wirklichkeit eine phantastische Begebenheit gegenübergestellt, die einerseits ein spezielles Problem
darstellt, andererseits die allgemeine Frage aufwirft, ob und wie solche
Erscheinungen erklärt werden können. Da wird von seltsamen Träumen,
von einer Ankündigung des Todes, einem Gespenst, dem merkwürdi-

gen Untergang eines Geschlechts (dasselbe Motiv wie in der Novelle „Auf dem Staatshof"), einem Toten, der keine Ruhe findet und ähnlichem berichtet. In keinem der Fälle wird eine echte Lösung gegeben; nur die Wirkung dieser Vorfälle — Grauen und Entsetzen — wird kommentiert: „Wenn wir uns recht besinnen, so lebt doch die Menschenkreatur, jede für sich, in fürchterlicher Einsamkeit; ein verlorener Punkt in dem unermessenen und unverstandenen Raum. Wir vergessen es; aber mitunter dem Unbegreiflichen und Ungeheuren gegenüber befällt uns plötzlich das Gefühl davon ..." (II,835). In diesen Spukgeschichten ist das Übernatürliche, das der Mensch weder verstehen noch beeinflussen kann, ein realer Bestandteil der Wirklichkeit geworden.

Seine persönliche Einstellung zu Spukerscheinungen erklärte Storm am 4. August 1882 Gottfried Keller gegenüber: „Ich stehe diesen Dingen im einzelnen Falle zwar zweifelnd oder gar ungläubig, im allgemeinen dagegen anheimstellend gegenüber; nicht daß ich Un- oder Übernatürliches glaubte, wohl aber, daß das Natürliche, was nicht unter die alltäglichen Wahrnehmungen fällt, bei weitem noch nicht erkannt ist."

Im Winter des Jahres 1863/64, kurz vor Beginn des erneuten Krieges um Schleswig-Holstein, überkam Storm — „trotz dieser politischen Aufregung, vielleicht gerade durch sie, weil sie ihr Gegengewicht verlangte" — der „fast dämonische Drang zur Märchendichtung". [35] Er wußte um die Schwächen seiner bisherigen Versuche; seinem Freund Brinkmann bekannte er, daß er jetzt die Fähigkeit in sich fühle, die er sich „seit zwanzig Jahren vergebens oft gewünscht" habe. [36] Wies „Hinzelmeier" noch Anklänge an die romantischen Kunstmärchen (besonders E. T. A. Hoffmanns), die Lügengeschichten des Baron von Münchhausen und die Streiche der Schildbürger auf, so sind die neuen Märchen Storms selbständige Werke, die „kein einziges verbrauchtes Motiv" [37] enthalten. Man muß die „Regentrude", „Bulemanns Haus" und den „Spiegel des Cyprianus" zusammen betrachten, gewissermaßen als Trilogie, um ihre Eigenart ganz erschließen zu können. Auffällig ist zunächst — wie auch immer wieder betont worden ist —, daß Storm in diesen Märchen von einer ganz realen, konkreten Konfliktsituation ausgeht. Das „phantastische Element" liegt nicht mehr in der allegorischen Darstellung eines abstrakten Konflikts und seiner (negativen) Lösung wie im „Hinzelmeier", noch verursacht es den Konflikt wie in den Spukgeschichten, sondern es ermöglicht die Lösung. „Solange für die Wünsche und Hoffnungen des Volkes eine reale Erfüllung noch nicht

erkennbar und erreichbar ist, bietet das Märchen mit seinen übernatürlichen Gestalten und seinen ‚wunderbaren' Ereignissen phantastische
Lösungen an. Indem nun Storm auf Motive und Requisiten des Volks-
märchens zurückgreift, gewinnt er die Möglichkeit, Ideen in künstlerische
Bilder umzusetzen, die er anders nicht oder noch nicht zu gestalten
vermag." [38] Goldammer hat recht, wenn er einen Bezug zur politisch-
sozialen Situation des Volkes annimmt. Es sind jedoch keine neuen
Ideen, die Storm auf diese Weise gestaltet; in allen drei Märchen klingt
derselbe sozialkritische Ton an, den wir bereits in Storms früheren Novellen („Auf dem Staatshof", „Drüben am Markt", „Im Schloß", „Auf der
Universität") gefunden haben. Daß dieser aber auch in Storms Märchendichtung nicht neu ist, beweist die erwähnte Szene im „Hinzelmeier". Die
politische Situation ist insofern von Bedeutung, als für Storm Politik eigentlich immer Sozialpolitik bedeutete. Alle drei Märchen sind so angelegt,
daß ihr sozialer Aspekt von entscheidender Bedeutung für den Konflikt ist
und diesen in eine neue, aktuelle Dimension erhebt. Es entspricht dem
Wunschbildcharakter der Lösung, daß sie mit Hilfe des „phantastischen
Elements" herbeigeführt wird. Darüberhinaus aber differenziert Storm die
Märchen nach gesellschaftlichen Ständen und stimmt in vollendeter Weise
jeweils Handlung, Form und Erzählton darauf ab.

Die „Regentrude" spielt im bäuerlichen Milieu und gleicht daher
dem echten Volksmärchen am meisten. Der Konflikt ist vielschichtig;
im menschlichen Bereich steht neben dem sozialen Gegensatz von Armut und Reichtum, Ohnmacht und Macht, der philosophische Gegensatz von Ratio und Emotion, aufgeklärtem Glauben an den technischen
Fortschritt und kindlichem Glauben an das traditionelle Brauchtum. Im
Bereich der Natur entsprechen diesen Gegensätzen diejenigen zwischen
Regen und Feuer, Fruchtbarkeit und Vernichtung. Daß Storm den
sozialen Aspekt des Konflikts so deutlich herausarbeitete, beweist,
wie wichtig er ihm war.

Da die Lösung dieselbe Vielschichtigkeit wie der Konflikt zeigt,
konnte Brinkmann das Märchen „von einem Allegorie- oder Tendenz-
standpunkt aus" [39] betrachten und kritisieren (man darf in der er-
wachenden Regentrude durchaus die erwachende Germania sehen). Storm
wehrte sich dagegen: „ ... wenn Dir diese drei sämtlich aus unmit-
telbarster naiver und hingebendster Anschauung entstandenen Dichtungen
nicht die reinste Freude gemacht, so gebe ich es auf, noch etwas zu
schreiben, was Du für poetisch berechtigt halten könntest. ... Auch

das spricht wohl für meine Dichtung, daß ich ganz instinktiv im Sinn und Geist der germanischen Mythologie geschrieben."[40] Storm lehnte damit nicht prinzipiell jede symbolische Ausdeutung seiner Märchen ab, sondern er verwahrte sich gegen die Unterstellung, er habe die Märchen *bewußt* auf eine bestimmte Tendenz hin konzipiert, denn in diesem Falle wären sie — wie „Hinzelmeier" — Allegorien geblieben. Aber wenn Storm auch betonte, daß er „aus ... naiver ... Anschauung" und „instinktiv" geschrieben habe, so verrät die Tatsache, daß der soziale Aspekt des Konflikts in allen drei Märchen in Variationen wiederkehrt, doch eine bewußte Planung.

„Bulemanns Haus" nannte Storm eine „seltsame Historie";[41] an Brinkmann schrieb er darüber: „ ... es ist Schwarzbrot darin, mit derberen Strichen gezeichnet; grenzt mehr an die Sage oder Spukgeschichte; es ist grotesk-phantastisch."[42] Der „Held" der Geschichte ist ein Bürger, der Schauplatz eine Stadt. Ausschließlicher als in der „Regentrude" „instinktiv" geschrieben habe, so verrät die Tatsache, daß der soziale Gegensatz von Arm und Reich. Durch seine rücksichtslose Habgier und seinen hartherzigen Geiz versündigt sich Bulemann an seinen Mitmenschen. Die Lösung erfolgt auf phantastisch-groteske Weise: Der Fluch von Bulemanns Halbschwester — „Mögest du verkommen bei deinen Bestien!" (I,415) — erfüllt sich, denn Bulemann „bedachte nicht, daß die Flüche der Armen gefährlich sind, wenn die Hartherzigkeit der Reichen sie hervorgerufen hat." (I,416). Seine beiden Katzen Graps und Schnores (die Anspielung auf „grapschen" und „schnorren" ist offensichtlich) wachsen zu ungeheurer Größe heran und verdammen ihn zu einem Los, das schrecklicher ist als der Tod: Von ewigem Hunger gequält muß Bulemann eine Existenz zwischen Leben und Sterben führen, einsam und vergessen, von der Gemeinschaft der Lebenden wie der Toten abgesondert. Seine Strafe ist das Grauen, von dem in den Geschichten „Am Kamin" die Rede war.

Die lieblichen, heiteren Elemente, die sich in der „Regentrude" finden, fehlen in diesem Märchen — im Inhalt wie in der Erzählweise. Die Geschichte wird sachlich und hart berichtet; der Humor ist ins Groteske umgeschlagen. Das Bild einer versöhnlichen Lösung hat der Vision einer unbarmherzigen Vergeltung weichen müssen; Storm ist von der humorvollen Schilderung zur offenen Anklage gegen den menschlich-sozialen Konflikt von Arm und Reich übergegangen. „Bulemanns Haus" ist nicht nur „das Phantasma des verödeten Herzens",[43] sondern auch das Phantasma eines skrupellosen Bürgertums. Als Storm die Märchen zu schreiben begann, war er voller Optimismus gewesen: „ . . . ich denke, es soll Weihnachten 1865 ein ganzer Band ‚Märchen von Th. Storm' auf vielen Weihnachtstischen liegen." schrieb er am 18. Januar 1864 an Brinkmann. Doch schon am 8. Februar 1964 mußte er den Eltern berichten: „ . . . in dem dritten [Märchen], ‚der Spiegel des Cyprianus', bin ich stecken geblieben. Ich werde jetzt zu sehr zerstreut." Dieses Märchen Storms sollte sein letztes bleiben.

Im „Spiegel des Cyprianus" steigt Storm noch tiefer als in „Bulemanns Haus" in die Vergangenheit hinab. Wie es seinem Inhalt entspricht, ist in diesem Märchen „der vornehmere Ton der Sage angeschlagen" [44], denn diesmal befaßte sich Storm nicht mit Bauern oder Bürgern, sondern mit Adligen — den Grafen und Junkern des 17. und 18. Jahrhunderts. Wieder ist es der Gegensatz von Arm und Reich, der die Katastrophe herbeiführt. Der guten Gräfin, die „demütig in ihrem Herzen gewesen" (I,469) und „die Armen und Niedrigen nicht gering geachtet" (I,469), sondern ihnen Hilfe gebracht hat, folgt die schöne Gräfin, die sich stolz und prunksüchtig gibt und deren Freigebigkeit im Grunde nur „Leutseligkeit" (I,477), nicht echte Hilfsbereitschaft ist. Aus Habsucht begeht sie eine Sünde wider den Spiegel — sie läßt ihren Stiefsohn töten. Der Spiegel ist ein Symbol der göttlichen Gerechtigkeit, des übermenschlichen Weltprinzips, in dem „die heilsamen Kräfte" (I,472) der Natur wohnen. Diese verkehren sich „in ihr Widerspiel" (I,472), wenn das Bild einer bösen Tat in den Spiegel fällt. So wird der Spiegel dem eigenen Sohn der schönen Gräfin und mittelbar auch ihr selbst zum tödlichen Schicksal: „ . . . nur eine Sühne, aus des Übeltäters eignem Blut entsprossen, vermöchte die Heilkraft des Spiegels wiederherzustellen." (I,472). Ehe eine solche Sühne nicht geleistet ist, bringt der Spiegel Unglück; sein Wirken reicht weit über das einzelne Menschenleben hinaus. Hundert Jahre später ergibt sich eine analoge Situation: der Stiefsohn der derzeitigen Gräfin ist erkrankt, da er zufällig in den Spiegel geblickt hat. Doch die junge Stiefmutter ist diesmal eine gute Gräfin; sie pflegt das Kind aufopfernd, obwohl ihr einst, als sie noch ein armes Fräulein war, die reiche Mutter des Knaben den Bräutigam abspenstig gemacht hatte. Ihre Liebe und ihre Menschlichkeit retten den Stiefsohn und sühnen die alte Untat.

Die Verwandtschaft dieses Märchens mit späteren historischen Novellen Storms ist augenfällig. Im Unterschied zu jenen finden wir hier jedoch eine glückliche Lösung vor; Storm kehrt in seinem letzten Märchen wieder zu einer versöhnlichen Haltung zurück. Der Mensch kann Herr über sein Schicksal werden, wenn er wahrhaft gut ist; die Kinder müssen nicht — wie es im Alten Testament heißt — gnadenlos die Schuld der Eltern tragen, sie können durch Liebe sühnen. Auch der im „Spiegel des Cyprianus" geschilderte Konflikt und seine Lösung haben neben der allgemein menschlichen eine soziale Dimension. Die Sünden des Adels sind Hochmut und Habsucht, die Strafe dafür ist der Untergang der alten Geschlechter. Die „tödliche Gefahr" (I,472) kann allerdings abgewendet werden, wenn Sühne geleistet wird.

Vergleicht man Storms Märchen mit seinen Novellen, so zeigt sich, daß die Gemeinsamkeiten die Unterschiede weitaus überwiegen. Man könnte sagen, die Märchen sind Novellen, die durch das „phantastische Element" angereichert worden sind. Daraus erklärt sich die Verwandtschaft der behandelten Themen, die Wirklichkeitsnähe der Darstellung und vor allem die soziale Dimension der Konflikte. Nur das erste der Märchen, „Der kleine Häwelmann", ist eine Erzählung ohne tieferen Sinn. Schon das zweite, „Hinzelmeier", zeigt den Versuch, einen allgemeinen überzeitlichen Konflikt an einem Einzelfall plastisch darzustellen und enthält einen kleinen satirischen Seitenhieb auf die damaligen politischen Machthaber. Die Spukgeschichten bringen dann Konflikte, die in ihrer Ungewöhnlichkeit fesselnd sind, aber auch eine zweite, allgemeinmenschliche Dimension besitzen. Die drei letzten Märchen sind noch vielschichtiger. Liest man sie genau, so erschließt sich einerseits eine überzeitliche, allgemein-menschliche, andererseits eine aktuelle soziale Dimension. Storm gelang es, märchenhafte und realistische Elemente zu einer überzeugenden künstlerischen Einheit zu verschmelzen — darin liegt der Wert und die Besonderheit dieser Märchen. Storm konnte nicht ohne Berechtigung sagen: „Ich glaube, daß das, was ich bisher geschrieben, von besonderer Güte ist, und daß ich mit diesen Märchen einen ganz besonderen Treffer gezogen [habe]". [45]

Es ist oft darauf hingewiesen worden, daß das Jahr 1870 einen Wendepunkt in Storms Schaffen bedeutet. Die Novellen, die in der Zeit zwischen 1870 und 1888 entstanden, zeichnen sich durch einen größeren Wirklichkeitsgehalt aus — „epische Objektivität" nannte es Storm. Es fehlt ihnen die gefühlvolle Poetisierung des Lebens, die manche von Storms früheren Novellen (für den heutigen Leser) zu sehr belastet. Woran liegt das? Liegt es nur an der Erzählweise? Der eigentliche Grund ist der, daß Storm während seiner Schaffenskrise nach Constanzes Tod, die sich als schöpferische Pause erwies, ein neues Weltverständnis gewann.

Darwins Erkenntnisse, die Evolutionstheorie und die Realität des deutsch-französischen Krieges zwangen Storm, die Stellung des Individuums und die Funktion der Gesellschaft in der Welt neu zu überdenken. Storm war sich zwar schon lange bewußt, daß das Naturgesetz grausam ist (man denke an die Novelle „Im Schloß"), doch war er bisher der Ansicht gewesen, daß sich die Menschen als vernunftbegabte Wesen bis zu einem gewissen Grad über das Naturgesetz erheben könnten. Er hatte geglaubt, der Einzelne könne auf die Gesellschaft einwirken, hatte gehofft, durch die aufklärerischen Gedanken in seinen Novellen seine Leser zu beeinflussen. Nun aber erschienen ihm Natur und Gesellschaft, Zeit und Tod in einem neuen Licht. Er hielt die menschliche Gesellschaft nicht mehr für eine Summe von Individuen und Ständen, nicht mehr für eine Gemeinschaft im humanistischen oder christlichen Sinn, sondern für einen Gesamtkomplex, dessen Funktionen durch das Naturgesetz des „survival of the fittest" determiniert werden. Er erkannte, daß die „natürliche" Aufgabe der Gesellschaft darin besteht, das Schwache auszuscheiden und die Weiterentwicklung des Starken zu fördern. Am 3. August 1870 schrieb er an seinen Sohn Ernst:

Was mich hauptsächlich beherrscht — und das verschlingt alles andere —, das ist der Ekel, einer Gesellschaft von Kreaturen anzugehören, die außer den übrigen ihnen von der Natur auferlegten Funktionen des Futtersuchens, der Fortpflanzung u. s. w. auch die mit elementarischer Stumpfheit befolgt, sich von Zeit zu Zeit gegenseitig zu vertilgen. Das Bestehen der Welt beruht darauf, daß alles sich gegenseitig frißt, oder vielmehr das Mächtigere immer das Schwächere; den Menschen als den Mächtigsten vermag keins zu fressen; also frißt er sich selbst, und zwar im Urzustande buchstäblich. Dies ist die eigentliche *Ursache* der Kriege, die andern sogenannten Ursachen sind nur die Veranlassungen. Keine Zivilisation wird, ja darf das je überwinden. Aber niederdrückend ist der Gedanke; es ist so einer, über den man verrückt werden könnte. Aber das wollen wir beide nicht, mein alter Junge. Ist der Gedanke richtig, so ist schon der Umstand, daß man ihn fassen konnte, doch wieder ein Beweis, daß wenigstens der einzelne sich über diesen Zustand erheben kann.

In Storms Notizheft „Was der Tag gibt" findet sich unter dem 14. August 1883 die folgende Eintragung:

Ich habe eben einer Spinne zugesehen, wie sie eine kleine zappelnde Fliege einwickelte und anbiß, und begreife aufs neue immer wieder nicht, wie denkgeschulte Menschen die Erschaffung dieser grausamen Welt einem alliebenden und barmherzigen Gott zuschreiben können. Oder ist das mit der Spinne etwa nur eine Verirrung von der Natur und nicht diese selbst, und sollten die Spinnen eigentlich auch Vegetarier sein? Freilich, der Mensch sitzt am Ende bequem genug und kann sich allerlei schöne Gedanken machen; d. h. soweit er nicht selber frißt. [1]

Unter diesen Voraussetzungen wird das mit einem Willen begabte Individuum zum Gegenpol der Gesellschaft und der Natur. In der Mehrzahl seiner Novellen und Skizzen, die nach 1870 entstanden, schildert Storm daher den Konflikt eines Individuums mit der Gesellschaft und/ oder der Natur. Die Macht der Natur manifestiert sich in vielerlei Formen. Erstens in der Gesellschaft selbst, deren Entwicklung in anderen Zeiträumen erfolgt als die des Individuums. Zweitens in der Zeit — in der Vergänglichkeit aller Lebewesen und Dinge, in Alter, Krankheit und Tod. Drittens in Trieben und Erbanlagen und letztlich in der Naturgewalt von Wetter und Meer.

Das Problem der Zeit und der Vergänglichkeit ist das Thema der „Zerstreuten Kapitel". Schon in seiner ersten Prosaskizze — „Marthe und ihre Uhr" (1847) — hatte Storm den Gegensatz zwischen der Lebensspanne eines Menschen und der Dauer, die Dingen — in diesem Fall einer Uhr — gegeben ist, gezeigt. Marthe fügt sich in das Unabänderliche; sie paßt ihr Leben den Schlägen der Uhr an und gewinnt Zufriedenheit. Mit 53 Jahren nahm Storm das Verfließen der Zeit nicht mehr so gelassen hin wie mit 30 Jahren. Aus den „Zerstreuten Kapiteln" spricht Hilflosigkeit und Verzweiflung. Die Erinnerungen an Lena Wies spiegeln Storms eigene Lebenserfahrungen, vor allem aber seine Furcht vor dem Alter, der Krankheit und dem Tod. Lena Wies starb an Krebs: „Ihr wurde keine Qual, kein Entsetzen jener furchtbaren Krankheit erspart ..." (I,566). Im „Amtschirurgus" schilderte Storm einen Außenseiter der Gesellschaft, einen Verrückten. Aber: „Wer kann sagen, ob, was wir Wahnsinn nennen, nicht dadurch allein vom Zustand der Vernünftigen unterschieden ist, daß der vom Strahl der Götter Getroffene das Leben erbarmungslos in seiner ganzen Nacktheit sieht?"[2] In der „Heimkehr" gab Storm dem Schmerz über die Vergänglichkeit des menschlichen Lebens Ausdruck. Wieviele Freunde sind bereits tot, verschollen oder bis zur Unkenntlichkeit gealtert! Man könnte einwenden: Was nützt es, sich gegen das Unabänderliche aufzulehnen? Alle Menschen sind vor dem Naturgesetz gleich. In den „Kuchenessern der alten Zeit" zeigte Storm aber, daß die Natur kapriziös und inkonsequent ist — sie verschont auf der einen Seite unsympathische, groteske Figuren, während auf der anderen Seite der Tod wertvolle Menschen in ihrer Jugend dahinrafft. In der „Halligfahrt" ist es die Gesellschaft, mit der sich der Einzelne auseinandersetzen muß. Entweder zieht er sich vor ihr zurück, oder er versucht seine Individualität dadurch zu wahren, daß er ihr aktiven Widerstand entgegensetzt. Auch das Problem der Zeit wird berührt. Entweder ist man sich stets der Zukunft — der Vergänglichkeit alles Irdischen — bewußt und akzeptiert Alter und Tod als naturgegeben, oder man lebt ganz in der Gegenwart. In jedem Fall behält das Naturgesetz, daß sich im Ablauf der Zeit wie im Wesen der Gesellschaft ausspricht, seine Gültigkeit. Nur wenn man einen größeren Zeitraum als den eines Menschenlebens überblickt, liegt im Vergehen der Zeit auch etwas Tröstliches. In den „Kulturgeschichtlichen Skizzen" zeigte Storm, daß die Menschheit eine positive Entwicklung durchlaufen hat — das finstere Mittelalter hat einer aufgeklärteren Zeit Platz gemacht. Die Skizze „Von heut und ehedem" ist wieder von persönlicher Verzweiflung des Erzählers erfüllt. Storm konnte der Gegenwart keine positive Seite abgewinnen; der Zukunft sah er mit Skepsis entgegen; die Vergangenheit tröstete ihn zwar mitunter, aber andererseits haftete für ihn an Erinnerungen und alten Dingen der „Dunst der Vergänglichkeit" (I,731). Wieviel besser haben es die Kinder

— für sie wird selbst der Tod zu einer Quelle des Vergnügens, wie es Storm in der kleinen Erzählung „Von Kindern und Katzen, und wie sie die Nine begruben" schildert.

Nachdem Storm in den „Zerstreuten Kapiteln" vor allem das Problem der Vergänglichkeit behandelt hatte, wandte er sich in seinen späteren Novellen dem Konflikt zwischen dem Individuum und der zeitgenössischen Gesellschaft zu. Wie bereits erwähnt, ekelte es Storm an, einer „Gesellschaft von Kreaturen" anzugehören, die wie die Raubtiere einander bekämpfen. Typische Vertreter dieser Gesellschaft schildert er in Botilla Jansen („Im Nachbarhause links") und in dem „Herrn Etatsrat". Botilla Jansen bezeichnet sich selbst als „schönes Raubtier", und der Erzähler nennt den Etatsrat eine „Bestie" und ein „Ungeheuer". Beide Protagonisten sind durch und durch negativ gezeichnet: egoistisch, oberflächlich, eingebildet, genußsüchtig und geizig; dabei klug und skrupellos. Durch die humorvolle Schilderung wirken beide Figuren grotesk, aber ihre Eigenschaften sind charakteristisch für die materialistische Gesellschaft, in der Geld, Besitz und Titel mehr gelten als innere Werte. Es ist bezeichnend, daß weder Botilla Jansen noch der Etatsrat jemals ernsthaft mit der Gesellschaft in Konflikt geraten. Sie stimmen innerlich mit ihr überein und beherrschen die Spielregeln. Anders liegt der Fall bei Carsten Curator und Hans Kirch. Beide bringt die Liebe zum Sohn in Konflikt mit der Gesellschaft. Beide stellen die sozialen Interessen über das menschliche Gefühl — sie geben den Sohn preis —, aber sie zerbrechen daran. Während Carsten Curator objektiv im Recht zu sein scheint, da sich sein Sohn gegen Ehre und Gesetz vergangen hat, wird Hans Kirchs gesellschaftlicher Ehrgeiz als verfehlt entlarvt. Dennoch ist auch er eine tragische Figur. Er ist ein Produkt seiner Gesellschaft, und da er von Natur aus starrköpfig ist, kann er sich nicht ändern. Die Gesellschaft, zu der Carsten Curator und Hans Kirch sich bekennen, ist nicht nur hart, sondern auch boshaft: das Scheitern beider Söhne wird von den lieben Mitbürgern voller Schadenfreude beobachtet und kommentiert.

Außenseiter der Gesellschaft, die aufgrund ihres Charakters oder ihrer Familienverhältnisse und ohne es zu wollen in Konflikt mit der Gesellschaft geraten, sind Hinrich Fehse („Draußen im Heidedorf"), Heinrich Carstens („Carsten Curator"), Josias Ohrtmann („Im Brauerhause"), die Kinder des „Herrn Etatsrats", Heinz Kirch, („Hans und Heinz Kirch") und Anna („John Riew' "). Sie alle — die Kinder des Etatsrats ausgenommen — sind durch ihre Natur- oder Erbanlagen auf eine bestimmte Verhaltensweise festgelegt; sie alle scheitern an der Gesellschaft. Hinrich Fehse ist unfähig, sein Leben selbst in die Hand zu nehmen. Einerseits wird er vom Bann der bäuerlichen Tradition gehalten, andererseits von einer blinden Leidenschaft getrieben. Heinrich Carstens hat die Spielernatur seiner Mutter geerbt, die ihn schließlich mit dem Gesetz in Konflikt bringt. Josias Ohrtmanns Gutmütigkeit stürzt ihn ins Verderben, da er nicht mit der Dummheit und Bösartigkeit der Gesellschaft rechnet. Die Kinder des Etatsrats gehen an der Gleichgültigkeit und Härte ihres Vaters und der Gesellschaft zugrunde. Heinz Kirch hat andere Ideale als sein Vater und die etablierte Gesellschaft; sein ererbter Starrsinn hindert ihn jedoch, sie zu verwirklichen. Anna schließlich hat die Neigung ihres Vaters zum Alkohol geerbt. In der Trunkenheit wird sie von einem Lebemann verführt. Nur das Schicksal Heinrich Carstens' scheint gerecht. Er treibt trotz der liebevollen Bemühungen des Vaters immer weiter auf der schiefen Bahn nach unten. In allen anderen Fällen jedoch trifft die Gesellschaft ein großer Teil der Schuld. Sie zeigt sich im besten Fall gleichgültig, meist jedoch boshaft, schadenfroh und selbstgerecht. Das Individuum hat keine Chance: die Gesellschaft ist ein übermächtiger Gegenspieler; durch die Charakteranlagen schränkt die Natur die Willensfreiheit der Menschen noch zusätzlich ein.

Darf man die genannten Figuren als tragisch bezeichnen? Sind sie nicht einfach Schwächlinge und Versager, die nicht wert sind, zu überleben? Storm äußerte sich hierzu in seinem Notizheft „Was der Tat gibt" am 1. Oktober 1880:

> H. Heiberg sagte mir, ein ihm bekannter Prediger habe geäußert, er habe vor, über mich zu schreiben und dabei nachzuweisen, daß die Personen meiner Novellistik ohne eigene Schuld zugrunde gingen. Wenn das ein Einwand gegen mich sein soll, so beruht er auf einer zu engen Auffassung des Tragischen. Der vergebliche Kampf gegen das, was durch die Schuld oder auch nur die Begrenzung, die Unzulänglichkeit des Ganzen, der Menschheit, von der der (wie man sich ausdrückt) Held ein Teil ist, der sich nicht abzulösen vermag, und sein oder seines eigentlichen Lebens herbeigeführter Untergang scheint mir das Allertragischste. [3]

Kann sich aber wenigstens das starke Individuum über „diesen Zustand" (des Vegetierens) erheben, wie Storm an seinen Sohn geschrieben hatte? In seinen Werken beantwortete Storm diese Frage mit „nein". Das Individuum kann es wenigstens so lange nicht, als es den überkommenen ethischen Maximen folgt. In den Novellen „Waldwinkel", „Ein Doppelgänger", „Ein Bekenntnis" und „Der Schimmelreiter" bewies Storm, daß auch der Einzelne, der mit allen ihm zu Gebote stehenden Mitteln gegen die Natur und die Gesellschaft kämpft, unterliegen muß. In „Waldwinkel" versucht der Held, abseits von der Gesellschaft ein Leben nach seinen individuellen Vorstellungen zu führen. Doch auch in der Einsamkeit des Waldwinkels kann er dem Einfluß der Gesellschaft nicht entgehen. Sein Denken und Verhalten sowie das seiner Geliebten werden auch in der Abgeschiedenheit der Natur von ihren Erfahrungen in der Gesellschaft bestimmt. Infolge des großen Altersunterschieds zwischen den beiden und einer Krankheit des Helden geht die Verbindung in die Brüche. In „Ein Doppelgänger" zwingt die Gesellschaft den Helden förmlich, seine Existenz gegen das Gesetz zu behaupten. Er wird zu einer Zuchthausstrafe verurteilt. Doch damit ist es nicht genug — sein ganzes Leben lang wird er als Zuchthäusler geächtet, alle seine Anstrengungen, seine bürgerliche „Ehre" wiederzuerlangen, sind vergeblich. Der Arzt in „Ein Bekenntnis" macht sich zum Richter über Leben und Tod. Seine Sünde wider das Leben ist eine Sünde wider die Natur und die Gesellschaft. Seine Strafe besteht in einer Ironie des Schicksals: Nachdem er seine Frau getötet hat, erfährt er durch Zufall, daß sie noch hätte gerettet werden können. Auch im „Schimmelreiter" scheitert ein starkes Individuum an der Gesellschaft und an den Mächten der Natur. Die Natur schwächt Hauke durch Krankheit und täuscht ihn durch freundlichen Sonnenschein. Die Gesellschaft aber transformiert ihn, während er sie zu besiegen vermeint. Ohne es zu merken, wird er ebenso egoistisch und materialistisch wie sie. Als er seine Fehler erkennt, ist es zu spät.

Das starke wie das schwache Individuum scheitert im Grunde an dem Widerspruch, daß der Einzelne zur Sittlichkeit verpflichtet ist, die Gesellschaft aber — wie die Natur — anderen, grausamen Gesetzen folgt. Nietzsche schuf den Übermenschen, der sich von den christlichen und humanistischen Traditionen distanziert und das Gesetz der Natur zu seinem eigenen macht. Er lehnt die alten Tugenden ab; was zählt, sind Stärke und Macht. Storm suchte eine andere Lösung. Seiner Ansicht nach ist es die Aufgabe des genialen Menschen, die Not der „Vielzu-

vielen" nach Kräften zu lindern, nicht sie noch tiefer in ihr Elend hinab-
zustoßen. Das bedeutet letzten Endes Märtyrertum und Selbstaufgabe.

Marthe und ihre Uhr (1847)

„Marthe und ihre Uhr" gehört zu Storms ersten kurzen Prosaer-
zählungen, die er „Situationen" nannte. Es ist richtig, daß diesem kleinen Prosawerk die Handlung fehlt, doch wie in Storms späteren Novellen finden wir bereits einen Konflikt, auf dem die Erzählung basiert.
Es ist der Konflikt zwischen Gegenwart und Vergangenheit, zwischen
Wirklichkeit und Erinnerung, zwischen Einsamkeit und menschlicher
Gemeinschaft. Von Anfang an betont der Erzähler, wie einsam Marthe
ist: in einem „kleinen Bürgerhause" ist „nur eine alternde unverheira-
tete Tochter zurückgeblieben". (I,7). „Bei dem Mangel näher Befreunde-
ter" verbringt Marthe „die langen Winterabende fast immer allein"
(I,8). „Sie war ja ganz allein zurückgeblieben ..." (I,11). Marthe stellt
zwar keine Ansprüche, aber manchmal ergreift sie doch „ein Gefühl
der Zwecklosigkeit ihres Lebens nach außen hin" (I,8). Dann fühlt sie
ihre Einsamkeit, sehnt sich nach menschlicher Gesellschaft und empfindet ihr gegenwärtiges Leben als Last.
Ihre „regsame und gestaltende Phantasie" (I,8) läßt sie allerdings
einen Ersatz für die mangelnde menschliche Gesellschaft finden: sie
borgt „Teilchen ihrer Seele aus an die alten Möbeln [sic] ihrer Kammer" (I,8), und sie beginnt mit ihnen — besonders mit einer alten
Uhr — stille Zwiesprache zu halten. Bald ist die Uhr „die beredteste
Gesellschaft ihrer Besitzerin" (I,9): beide sind alt, und beide haben
viele gemeinsame Erinnerungen. Die Uhr, deren Alter ein Menschen-
alter weit übertrifft und die daher die Zeit mit anderen Maßstäben
messen kann, wird zur Vermittlerin zwischen Marthe und der Welt.
Einerseits bindet sie diese an die Gegenwart. „Wenn Marthe in ein
Hinbrüten über ihre Einsamkeit verfallen wollte" (I,9), ruft die Uhr
sie in die Wirklichkeit zurück — „Sie mußte wieder fröhlich sein, die
Welt um sie her war gar zu freundlich." (I,9). Andererseits hält die Uhr
aber auch Marthe von dem Umgang mit Menschen ab, die nicht zu ihr
passen: so bleibt Marthe am Weihnachtsabend allein zu Hause, denn
„die alte Uhr war auch wieder so drollig; es war akkurat, als wenn
sie immer sagte: Tu es nicht, tu es nicht!" (I,10). Als Entschädigung

führt die Uhr sie in die Vergangenheit. Sie überläßt Marthe „ungestört der Erinnerung aller Weihnachtsabende ihres Lebens" und pickt „leise, ganz leise und immer leiser, zuletzt unhörbar" (I,10). Doch auch in die Erinnerungen mischt sich die Uhr, die reißt Marthe aus ihren glücklichen Gedanken. Diesmal mahnt die Uhr sie an die Sterbestunde der Mutter und damit auch an ihre eigene Zukunft — den Tod. „Die Uhr schlug elf. — Auch jetzt schlug sie elf, aber leise, wie aus weiter, weiter Ferne." (I,12). Es ist keine drohende Mahnung; Marthe hängt nicht am Leben und ist überdies überzeugt, daß sie sehr alt werden wird. Sie wird ihr Leben ruhig vollenden, einsam, aber mit vielen lebendigen Erinnerungen. „Die alte Uhr wird helfen; sie weiß ja von allem Bescheid." (I,12).

Marthe bekämpft also ihre Einsamkeit mit ihrer Phantasie und ihren Erinnerungen. Die Uhr, Symbol der unaufhaltsam verfließenden Zeit, wirkt wie ein Regulator; sie mahnt Marthe an die Gegenwart, die Vergangenheit und die Zukunft. Die Zukunft wird für Marthe die Lösung des Konflikts zwischen gegenwärtiger Einsamkeit und vergangener menschlicher Gemeinschaft bringen — den Tod, der keiner Zeit mehr unterworfen und allen Menschen gemeinsam ist. Der psychologische Konflikt Marthes ist statisch, er wird nicht aus der Handlung entwickelt, und Marthe selbst kann ihn nicht endültig lösen — dies kann nur der Tod. Marthes Problem scheint zunächst ein individuelles zu sein — ihre familiären Umstände haben sie zur Einsamkeit verurteilt. Doch die Motivierung dieser individuellen Situation ist allgemeiner Art: die Zeit, die den Tod als Begleiter hat, ist für Marthes Einsamkeit, aber auch für die vieler anderer alter Menschen verantwortlich. Storm schildert also einen Einzelfall, der gleichzeitig eine allgemeine, nicht zeitgebundene Dimension besitzt. Der Konflikt spiegelt sich in dieser Erzählung noch nicht in der Form. „Aber man hat eine Keimzelle vor sich, aus der sich die Blume Stormscher Erzählkunst entfalten sollte." [4] Es finden sich Ansätze einer Rahmenerzählung (ein Ich-Erzähler führt Marthe und ihre Erinnerungen ein) und eines Gegensatzes zwischen der Welt des Ich-Erzählers und derjenigen Marthes: hier das gesellige Leben eines jungen Mannes, dort der alte Mensch in seiner Kammer, allein mit seinen Möbeln. Eine zeitkritische Dimension besitzt die Skizze jedoch nicht.

Zerstreute Kapitel (1870—76)

Die Jahre nach Constanzes Tod bedeuteten für den Menschen und auch den Künstler Storm eine schwere innere Krise. Die Realität des Schmerzes schien seine Lebens- und Schaffenskraft zu lähmen. Am 6. Juli 1865, wenige Wochen nach dem Hinscheiden seiner Frau, schrieb Storm an Eduard Mörike: „ . . . mir ist, als vermöchte ich nicht mehr so recht zu sagen, ‚was ich leide'; ist ja doch meine Muse für immer schlafen gegangen!" Neben dem Verlust der geliebten Frau war es die politisch-soziale Situation in der Heimat, die Storm innerlich quälte. Sein Haß auf die preußische Feudalpartei war so groß, daß er nicht einmal seine adligen Freunde in Berlin mehr besuchen wollte. „Ich trage eine zu große Erbitterung über die Art, wie wir von Preußen behandelt sind, in mir." So schrieb er am 2. Februar 1868 an seinen Sohn Hans.

Es waren jedoch nicht nur äußere Umstände, die Storm so bedrückten, daß er am 8. November 1867 an Ludwig Pietsch schrieb: „Ich selbst habe zu dem, was ich jetzt mache, kein rechtes Vertrauen mehr; mir ist, das könnten alle andern auch; zum Teil bin ich nicht mehr der alte, ich habe den größten Teil meiner freudigen Kraft verloren . . .". Mehr als alle zufälligen Lebensnöte quälte Storm das Bewußtsein der Vergänglichkeit. Dieses Bewußtsein hatte Storm zwar schon immer bewegt (man denke an seine Bemerkungen zum Neujahrsabend in seinem Brief an Bertha von Buchan vom 31. Januar 1841), doch nun war dieses Problem für ihn unmittelbare Realität geworden. Er stand an der Schwelle des Alters; seine immer häufigeren Magen- und Nervenbeschwerden kamen ihm wie der „Beginn des Endes" vor, wie er am 5. April 1870 an Pietsch schrieb. So nimmt es nicht wunder, daß in den Jahren 1865—1870, von einigen Gedichten abgesehen, nur zwei Novellen entstanden: „In St. Jürgen" und „Eine Malerarbeit". In beiden ist der Abschied von Jugendträumen ein wichtiges Motiv; in der ersten herrscht wehmütige Resignationsstimmung vor, in der zweiten gewinnt der Held eine vom Humor getragene Überlegenheit dem Unabänderlichen gegenüber. Auch Storm suchte sich mit seiner Situation abzufinden; er glaubte, daß seine Schaffenskraft erloschen sei und zog Bilanz: 1868 erschien die erste Gesamtausgabe seiner Werke. Darüberhinaus sah er „als quiescirter Poet" [5] jetzt nur noch einen Weg, wie er am literarischen Leben in Deutschland teilnehmen konnte. Er bereitete eine Anthologie lyrischer Gedichte — „*nach meiner Art*", wie er an Heyse schrieb [6] — vor.

Das Jahr 1870 bedeutete den Anfang einer neuen Schaffenszeit. Es erschien noch Storms *Hausbuch aus deutschen Dichtern;* aber dann begann Storm — zum ersten Mal seit drei Jahren — selbst wieder zu schreiben. Zwar trauerte er noch immer um Constanze, und der preußischen Regierung stand er ebenso ablehnend wie früher gegenüber; auch galt noch immer, was er am 3. Juni 1865 an Mörike geschrieben hatte: „Einsamkeit und das quälende Rätsel des Todes sind die beiden furchtbaren Dinge, mit denen ich jetzt den stillen unablässigen Kampf aufgenommen habe." Aber Storm hatte inzwischen innerlich Distanz zu seinen Problemen gewonnen, eine Distanz, die ihm die Kraft gab, sich dichterisch mit diesen Fragen auseinanderzusetzen. Zunächst suchte Storm im „sicheren Lande" (I,586) der eigenen Vergangenheit Zuflucht. Die Skizzen „Lena Wies", „Der Amtschirurgus — Heimkehr", „Zwei Kuchenesser der alten Zeit", „Eine Halligfahrt" und „Von heut und ehedem" tragen vorwiegend autobiographischen Charakter. Es sind meist lose aneinandergereihte Stimmungsbilder, in denen gelegentlich Gesellschaft und Kirche scharf kritisiert werden. Da diesen Skizzen ein zentraler Konflikt fehlt, verleiht ihnen diese Kritik keine zeitbezogene Dimension. Einzig die Novelle „Draußen im Heidedorf", die 1871 entstand, bildet eine Ausnahme. 1873 hatte Storm seine Krise endgültig überwunden und sogar einen neuen Höhepunkt seines Schaffens erreicht. Die Skizze „Von Kindern und Katzen" aus dem Jahre 1876 stellt noch einen Nachzügler in der Art der obengenannten Werke dar.

In „Lena Wies" erzählte Storm die Lebensgeschichte der Freundin seiner Jugend; eigentlich dient ihm ihr Schicksal nur als Spiegel, in dem er sein eigenes Leben überblickte. Storm suchte und fand Trost in der Erinnerung an die Freuden und Leiden, die er mit ihr geteilt hatte. Sie hatte ihm viele schöne Geschichten erzählt, denn sie hatte, wie er selbst, Verständnis für ursprüngliche Poesie besessen. „Aber nicht nur die Kunst des Erzählens", schreibt Storm, „auch die Achtung vor ernster bürgerlicher Sitte lernte ich in diesem guten Hause." (I,562). Lena Wies kannte keine Überheblichkeit und duldete keine Grobheit im gesellschaftlichen Verkehr. Storm setzte alle menschlichen, gesellschaftlichen, politischen und religiösen Probleme, die ihn je bewegt hatten, in Beziehung zu Lena Wies. Auch ihr hatte der Tod die liebsten Menschen genommen, auch sie hatte unter der Dänenherrschaft in

Schleswig-Holstein gelitten, auch sie hatte die Kirche abgelehnt: „Herr Probst! Se kriegen mi nich!" (I,566) Neben vergangenem Gemeinsamen sah Storm auch Zukünftiges: in ihrem Schicksal fand er seine persönlichen Ängste, die Schatten der Zukunft, vorgezeichnet. Lena Wies war nach einer langen qualvollen Krankheit gestorben und war nun der Vergessenheit anheimgegeben. Ihr Tod mahnte Storm an sein eigenes Lebensende. Seine Anlage zur passiven Melancholie trat nun noch stärker hervor. Das Bewußtsein der Vergänglichkeit sollte von nun an fast alle seine Novellen durchdringen.

„Amtschirurgus — Heimkehr", das erste der „Zerstreuten Kapitel", gleicht in der lockeren Komposition und der resignierten Stimmung der Skizze „Lena Wies". Neu ist der deutliche Bezug auf Dichter, die Storm besonders schätzte: Heinrich Heine (Zyklus der „Nordseebilder"), Eduard Mörike und vor allem E. T. A. Hoffmann. Der groteske Humor, der sich im „Amtschirurgus" findet, ist auf den Einfluß Hoffmanns zurückzuführen. Dieser Humor ist jedoch nur die Kehrseite des Bewußtseins der Vergänglichkeit und des Schmerzes über „die Unlösbarkeit des Lebensrätsels" [7]. Schon in den beiden Novellen „In St. Jürgen" und „Eine Malerarbeit" hatte sich dieses Schwanken Storms zwischen wehmütiger Resignation und humorvoller Bewältigung des Lebens gezeigt; in „Amtschirurgus — Heimkehr" versuchte Storm, beide Haltungen zu vereinen. 1873 schrieb Storm an Pietsch: „Den zweiten Teil des Kap. I [der „Zerstreuten Kapitel", also „Heimkehr"] halte ich für einen Hymnus der Vergänglichkeit, wie wohl kaum einer sonst da ist; die Stimmung ist so gesättigt, daß sie den kecksten Humor verträgt." [8] Bei Hoffmann wie bei Storm steht gleichberechtigt neben der desillusionierenden Wirklichkeit das phantastische Element, das einerseits mystisch-unheimlich, andererseits humoristisch-grotesk zur Darstellung gelangt. Ein Vergleich der Charakterisierungen von Rat Krespel und dem Amtschirurgus beweist ihre geistige Verwandtschaft. Beide wirken durch ihre Kleidung und ihr Benehmen komisch und unheimlich, vor allem aber gelten beide für wahnsinnig:

Nicht einen Augenblick zweifelte ich daran, daß Krespel wahnsinnig geworden, der Professor behauptete jedoch das Gegenteil. ‚Es gibt Menschen', sprach er, ‚denen die Natur oder ein besonderes Verhängnis die Decke wegzog, unter der wir andern unser tolles Wesen unbemerkter treiben. Sie gleichen dünngehäuteten Insekten, die im regen sichtbaren Muskelspiel mißgestaltet erscheinen, ungeachtet sich alles bald wieder in die gehörige Form fügt. Was bei uns Gedanke bleibt, wird dem Krespel alles zur Tat. — Den bittern Hohn, wie der, in das irdische Tun und Treiben eingeschachtete Geist ihn wohl oft bei der Hand hat, führt Krespel aus in tollen Gebärden und geschickten Hasensprüngen. Das ist aber sein Blitzableiter. Was aus der Erde steigt, gibt er wieder der Erde, aber das Göttliche weiß er zu bewahren; und so steht es mit seinem innern Bewußtsein recht gut glaub ich, unerachtet der scheinbaren nach außen herausspringenden Tollheit.' [9]

Über den Amtschirurgus dagegen sagt Storm:

> Ob im Grunde genommen nicht der Amtschirurgus klarer sah als die Leute unten in der Stadt, die ihn für einen Narren hielten? — Nur soviel ist gewiß: auch wir Gesunden sehen die Dinge nicht, wie sie sind; uns selber unbewußt webt unser Inneres eine Hülle um sie her, und erst in dieser Scheingestalt erträgt es unser Auge, sie zu sehen, unsere Hand, sie zu berühren. (I,568—569).

Hier schlägt Storm einen neuen Ton an. Um das Leben ertragen zu können, braucht der Mensch die Illusion, die ihm die Realität verschleiert. Ohne diese schützende Hülle erscheint ihm das menschliche Leben als absurd und die Gesellschaft als Farce, wie es das Beispiel des Amtschirurgus zeigt. Er allein sieht die Gesellschaft so wie sie ist; er allein wagt es, seine Mitbürger mit „ungeheuren Aufrichtigkeiten" über die „Autoritäten des Staatskalenders" (I,568) zu schockieren. „Seit seine Denkweise von der der anderen guten Bürger in so Anstoß erregender Weise abzuweichen begonnen hatte" (I,569), schneidet ihn die Gesellschaft allerdings. Doch Ratten ersetzen ihm menschliche Besucher durchaus — „er stand sich dabei um nichts schlechter" (I,569).

Hoffmann litt auch — wie Storm — unter dem Bewußtsein der Vergänglichkeit. In der einleitenden Passage der *Serapions-Brüder* heißt es:

> „Stelle man sich auch an wie man wolle, nicht wegzuleugnen, nicht wegzubannen ist die bittere Überzeugung, daß nimmer — nimmer wiederkehrt, was einmal dagewesen. Eitles Mühen, sich entgegenzustemmen der unbezwinglichen Macht der Zeit, die fort und fort schafft in ewigem Zerstören. Nur die Schattenbilder des in tiefe Nacht versunkenen Lebens bleiben zurück, und walten in unserm Innern, und necken und höhnen uns oft, wie spukhafte Träume. Aber Toren!

wähnen wir, das, was unser Gedanke, unser eignes Ich worden, noch
außer uns auf der Erde zu finden, blühend in unvergänglicher
Jugendfrische. — Die Geliebte, die wir verlassen, der Freund von dem
wir uns trennen mußten, verloren sind beide für uns auf immer! —
Die, die wir vielleicht nach Jahren wiedersehen, sind nicht mehr dieselben, von denen wir schieden, und sie finden ja auch uns nicht
mehr wieder!" [10]

In der „Heimkehr" illustrierte Storm diese Sätze beinahe Wort für
Wort mit konkreten Situationen:

Und drüben jenes Giebelfenster mit den zertrümmerten Scheiben;
— die Donner des Frühlingsungewitters sind längst verhallt, die
ich in lauer düfteschwerer Nacht dort über meinem Haupte rollen
hörte; aber wo ist sie geblieben, die ich so fest in meinen Armen
hielt? — Ich habe das blasse Gesichtchen nie vergessen können, wie
es beim Schein der Blitze aus dem Dunkel auftauchte und wieder
darin verschwand. — Hu! Wie kommen und gehen die Menschen!
Immer ein neuer Schub, und wieder: Fertig! — Rastlos kehrt und
kehrt der unsichtbare Besen und kann kein Ende finden. Woher
kommt all das immer wieder und wohin geht der grause Kehricht?
(I,578)

Vergeblich forschte Storm auch nach dem Jugenfreund: „Aber wo bist
denn du, Ludwig? Ich lebe noch und schon finde ich dein Grab nicht
mehr." (I,581) Die Bekannten aber, die noch am Leben sind, haben
sich verändert und kennen ihn nicht mehr — aus dem frischen Antlitz
eines jungen Mädchens ist ein „ältliches maskenartiges Gesicht" (I,582)
geworden: „ .. mit altjüngferlichem Knicks geht die Gestalt an mir
vorüber." (I,582)

Deutlicher noch als in der Erzählung „Lena Wies" (die ursprünglich nicht zu den „Zerstreuten Kapiteln" gehörte) kommt in der Skizze
„Der Amtschirurgus — Heimkehr" zum Ausdruck, daß Storm versuchte,
sein persönliches Problem als ein Problem aller Menschen zu sehen.
Bei E. T. A. Hoffmann fand er seine Gedanken bestätigt, und so ist es
nicht überraschend, daß in ihrer künstlerischen Gestaltung Hoffmanns
Einfluß spürbar ist. Zwar kritisierte Storm in dieser Skizze auch das
Christentum, doch tritt diese Kritik hinter dem Problem der Gesellschaftsordnung und der Vergänglichkeit zurück.

In den „Kuchenessern der alten Zeit", dem zweiten der „Zerstreuten Kapitel", ist nichts mehr von Wehmut oder Resignation zu spüren; kein Problem scheint berührt zu werden, und der Zusammenhang mit dem ersten der „Zerstreuten Kapitel" scheint nur darin zu bestehen, daß auch hier eigene Erinnerungen Storms aufgezeichnet werden — Erinnerungen an seltsame Käuze — wie der Amtschirurgus einer war. In den „Kuchenessern" beklagte Storm weder das unaufhaltsame Entschwinden der Zeit noch entlarvte er die Gesellschaft, sondern er zeigte diesmal die Inkonsequenz der Natur, die Veraltetes und Abgelebtes verschont, das dadurch unheimlich und grotesk wird. Auch Storms „Kuchenesser" „bezeugen bestimmte Deformationen des Menschlichen, die der Verfasser der *Serapions-Brüder* auf seine Art darzustellen weiß" [11].

In der „Halligfahrt" (dem dritten der „Zerstreuten Kapitel") versuchte Storm zum ersten Mal seit 1867 wieder, Gedanken und Gefühle in der Form einer Novelle zu gestalten. Dennoch ist diese Erzählung keine Novelle, sie ist, nach seinen eigenen Worten, eine Schilderung „mit novellistischer Zutat" [12]. Noch war Storms innere Distanz zum Problem des Alterns und der Vergänglichkeit nicht groß genug, als daß er es episch hätte gestalten können. Die Akzente haben sich gegenüber der „Heimkehr" verschoben; Storm fragte nicht mehr: „Woher kommt all das immer wieder, und wohin geht der grause Kehricht?" (I,578) Er hatte erkannt, daß die Frage nach der Einstellung zum Leben wichtiger ist als die Frage nach der Einstellung zum Tod. In der „Halligfahrt" stellte Storm das Problem des menschlichen Lebens unter zwei Aspekten dar: als Leben in der Gesellschaft (die ihm Ekel einflößt) und als Leben in der Isolation. Es gibt nur zwei Wege für den Einzelnen: Flucht aus der Gesellschaft in die Einsamkeit der Natur oder Widerstand gegen Gesellschaftsordnung und soziale Konvention. Der alternde „Vetter" („Der *Alte,* das bin ich." So schrieb Storm 1873 an Pietsch. [13]) wählt das erstere: er zieht sich auf die Hallig, sein „Ländchen der Freiheit" (I,589) zurück, obwohl es den Naturgewalten schutzlos preisgegeben ist. „Sie glauben nicht, Frau Cousine, wie erquicklich es ist, sich einmal in einer andern Gewalt zu fühlen als in der unserer kleinen regierungslustigen Mitkreaturen!" (I,592)

Da der Vetter sich ganz der Natur ausliefert, findet er sich auch mit Alter und Einsamkeit ab. Einer späten Liebe zu einem jungen Mädchen hat er entsagt: „Vielleicht gelangt der Mensch überall nicht weiter, und wir sterben einsam, wie wir geboren wurden." (I,608) Die

Natur mißt die Zeit nicht nach Menschenleben: „Der Strom der Schönheit ergießt sich ewig durch die Welt, aber auch du bist nur ein Wellenblinken, das aufleuchtet und erlischt; und alle Zukunft wird einst Gegenwart." (I,608). Es sind fast buddhistische Gedanken, die hier anklingen. Dem alten Mann wird ein junger gegenübergestellt. Er teilt des Vetters Haß auf die Gesellschaft und kann seine Gedanken „zu nichts Besserem bewegen, als sich gegen diese Tyrannei der öffentlichen Meinung immer von neuem in Schlachtordnung aufzustellen ..." (I,599); während der Vetter passiv gelitten hatte, widerstrebt der junge Mann aktiv der gesellschaftlichen Konvention. Er trotzt mit Kleidung und Schnurrbart und läßt sich nicht in eine Ehe manövrieren. Durch dieses Aufbegehren gehört er zum Festland, auf dessen Deiche er vertraut: „Wenn wir jetzt auf unseren Deichen stehen, so blicken wir in die baumlose Ebene wie in eine Ewigkeit ..." (I,583). Sein Mittel, das Leben zu meistern, besteht darin, ganz in der Gegenwart zu leben: „Es gibt Tage, die den Rosen gleichen; sie duften und leuchten, und alles ist vorüber; es folgt ihnen keine Frucht, aber auch keine Enttäuschung, keine von Tag zu Tag mitschreitende Sorge." (I,602) Er scheut daher auch das Risiko der Liebe — „es überfiel mich, ob mir nicht doch von diesen Augen Leids geschehen könne" (I,597).

In dieser Erzählung verband Storm das Problem der Vergänglichkeit mit dem der Gesellschaft. Er führte beide auf den Konflikt zwischen Individualität und Naturgesetz zurück. Ein Ausdruck der Individualität ist die Kunst — kann der Einzelne wenigstens auf diesem Weg seine Umwelt verändern? Diese Frage nach dem Einfluß der Kunst auf das Leben der Gesellschaft führte Storm wiederum zu E. T. A. Hoffmann:

Ich weiß nicht, ob der Kapellmeister Johannes Kreisler davongelaufen wäre; ich saß ganz still und horchte auf den süßen, taufrischen Lerchenschlag der Jugend. Dazwischen immer behagliches Klatschen und liebkosende Worte der älteren Herren und Damen und laute Komplimente der jungen Kavaliere. Weshalb denn auch nicht? (I,606—697).

Die letzte Frage ist ironisch, denn: „Ahnungslos schwebten die jungen Stimmen über dem Abgrund dieser Lieder." (I,606) Und ahnungslos ist auch die versammelte Gesellschaft, die der Erzähler mit derjenigen, die als Bilder an den Wänden hängt, vergleicht und ebenso wenig schätzt wie jene „ganze erste Rangklasse unseres Staatskalenders" in

„großen, ziemlich mäßigen Steindrucken", doch „desto dickeren Gold-
rahmen" (I,605). Hoffmann hatte seinen Kreisler folgende boshafte Betrachtungen anstellen lassen:

> ... wem ist es verwehrt, auch während der Musik mit dem Nachbar
> ein Gespräch über allerlei Gegenstände der politischen und morali-
> schen Welt anzuknüpfen, und so einen doppelten Zweck auf eine
> angenehme Weise zu erreichen? Im Gegenteil ist dies gar sehr
> anzuraten, da die Musik, wie man in allen Konzerten und musikali-
> schen Zirkeln zu bemerken Gelegenheit haben wird, das Sprechen
> ungemein erleichtert. [14]

Dennoch wohnt der Musik eine geheimnisvolle Macht inne. In den
„Kreisleriana" heißt es: „Aber wohnt sie [die Musik] nicht in der Brust
des Menschen selbst und erfüllt so sein Inneres mit ihren holdseligen
Erscheinungen, daß sein ganzer Sinn sich ihnen zuwendet und ein
neues verklärtes Leben ihn schon hienieden dem Drange, der nieder-
drückenden Qual des Irdischen entreißt?" [15] Die Musik hebt auch
Storms „Vetter" über sich hinaus und reißt ihm sogar „die Maske des
Alters" (I,607) ab, denn die Musik ist „die Kunst, in der sich alle
Menschen als Kinder eines Sterns erkennen sollen!" (I,606) Die Fähigkeit zur schöpferischen Leistung ist nur wenigen und nur auf begrenzte
Zeit gegeben: „ ... nur bis zu einer gewissen Grenze des Lebens
fließt um unsere Nerven jener elektrische Strom, der uns über uns
selbst hinausträgt und auch andere unwiderstehlich mit sich reißt."
(I,605) Nach des Vetters Tod erhält sein junger Freund seine Geige
als symbolisches Vermächtnis seiner Kunst. Doch der junge Mann ist
nicht der rechte Erbe. Zwar wird angedeutet, daß er in sozialen und
religiösen Dingen seine Individualität wahrt, doch die Geige, deren
Klang auch andere aufrütteln könnte, liegt „unberührt bei anderen
Gedächtnisstücken" (I,603). So spricht die Natur schließlich doch das
letzte Wort. Niemand kann Alter und Tod entgehen oder in die ge-
setzmäßige Funktion der Gesellschaft eingreifen. Die Evolution der
Menschheit mißt nicht nach Menschenleben.

Die „Kulturgeschichtlichen Skizzen" bildeten ursprünglich das vierte
der „Zerstreuten Kapitel". Da es sich eigentlich nur um Anekdoten aus
Husumer Geschichtsquellen handelt, die Storm mit einem erklärenden
Text verband, sind sie selten unter Storms erzählende Werke aufgenommen worden. Aber gerade sie behandeln das Problem der Vergäng-

lichkeit unter einem neuen Aspekt — an diesen Skizzen wird eine positive Seite der Vergänglichkeit gezeigt. Der Hexenwahn und der Aberglaube des 17. und 18. Jahrhunderts sind vom Geist der Aufklärung verdrängt worden; Henker und Teufel machen wenigstens den Husumern nicht mehr zu schaffen. Storm kritisierte hier vor allem den Machtanspruch der Kirche und den Ehrendünkel der Menschen vergangener Zeit, die einerseits Ämter delegierten, andererseits die Träger dieser Ämter als unehrenhafte Leute aus der Gesellschaft ausschlossen. Scharfrichter, Abdecker und ihre Angehörigen waren Parias. Die „Skizzen" sind keine selbstgefälligen Betrachtungen; sie schließen mit einem Ruf nach der Abschaffung der Todesstrafe im gesamten „Deutschen Reich": „ . . . die nach uns kommen, werden dann auch bei diesen Mauern stehen bleiben und sich das für sie Unbegreifliche zu beantworten suchen, wie jemals einem Menschen das Abschlachten eines andern von Staats wegen als eine amtlich zu erfüllende Pflicht hat zugemutet werden können; denn nicht auf seiten des Delinquenten, sondern auf seiten des Henkers liegt für unsere Zeit die sittliche Unmöglichkeit der Todesstrafe." [16] In den „Kulturgeschichtlichen Skizzen" ist das Problem der Vergänglichkeit gelöst, nicht mit dem traditionellen Glauben an ein Jenseits, sondern mit dem Glauben an die stetige menschliche Evolution.

Das fünfte und letzte der ursprünglichen „Zerstreuten Kapitel", „Von heut und ehedem", behandelt das Problem der Zeit als Gesamtkomplex: als Vergangenheit, Gegenwart und Zukunft. Auch in dieser Erzählung findet Storm keine Antwort auf die Frage, wie sich der Mensch dem Einfluß der Zeit entziehen könne. Die Gegenwart ist voll ungelöster sozialer und religiöser Probleme, eine Änderung in naher Zukunft ist nicht abzusehen. Kleine zufällige Erlebnisse charakterisieren die allgemeine Situation: Zum einen die Begegnung mit einem Offizier, dem es gegen die Standesehre geht, „im Dienste einer Frau gesehen zu werden, welche dritter Klasse fuhr" (I,707). Ironisch erklärt der Ich-Erzähler: „Der arme junge Offizier; was soll denn einer machen, der zufällig seine Persönlichkeit nicht in sich selber, sondern in der Regimentsrangliste stecken hat!" (I,707). Zum andern wird die Verachtung des Erzählers für die noch immer mächtige Kirche deutlich, als er sich bei der „furchtbaren Musik" (I,710) von Chorälen an eine Abendgesellschaft erinnert, bei welcher ein Berliner Pastor seine Tischdame fragte: „ ‚Und wo wohnen Sie denn, mein wertes Fräulein?' — ‚Ich?

Ich wohne in der Matthäikirchstraße.' — ,In der Matthäikirchstraße! Ei, das ist ja eine liebe Gegend, eine herrliche Gegend! Eine liebe Seele bei der andern! Und die Glo-cken, sie lo-cken!' " (I,710—711) Lakonisch fährt der Erzähler fort: „Es ist mir in diesem Augenblick eine seltsame Erquickung, daß ich aus dem Fenster, an welchem ich dieses schreibe, den Blick auf die Hamburger Abdeckerei habe ..." (I,711). Neben diesen allgemeinen ungelösten Problemen bedrängen den Erzähler jedoch auch persönliche Sorgen, „die kleinen schwarzen Dinger mit den Fledermausflügeln" (I,708), welche die Gegenwart verdunkeln und die Zukunft wie einen Albtraum erscheinen lassen: „ ... sie kamen, eine nach der andern; und nicht bloß die von morgen und übermorgen und vom nächsten Jahr; in ganzer Kette schwärmten sie aus; es war, als hätte die eine immer die andere herbeigerufen; ganz aus dem Nebel der Zukunft, vom Ende des Lebens kamen sie herangeflogen ... zuletzt kamen sogar die von jenseit des Grabes." (I,708) Die schwarzen Fledermäuse, die sich wie Vampire „mit ihren Klammerzehen" (I,708) an den Menschen hängen, weisen wiederum auf Hoffmanns *Serapions-Brüder* zurück. Storm hat dem Bild des Vampirs eine neue Bedeutung unterlegt — es ist zum Symbol der Zeit, der Zukunft geworden, welche die Lebenskraft des Menschen aufzehrt und ihn schließlich tötet. Nur ganz wenigen Menschen ist — wie dem „Großmütterchen" — eine lange Zeit der Gesundheit und des Glücks beschieden. „Und doch, das Geschenk der Hygiea ist ein verhängnisvolles; wer zu tief aus ihrer Schale trinkt, der muß alle Augen brechen sehen, die ihm in süßer Jugend gelacht. Aber auch dann noch zeigt sich die Gunst der milden jungfräulichen Göttin. Sie selbst, die das erfahren müssen, haben ihre heiteren Augensterne auf die Gegenwart gerichtet; die Gespenster der Zukunft haben keine Macht über sie." (I,725) Die Großmutter hatte im Geist mit ihren verstorbenen Lieben verkehrt und gehofft, sie in einem andern Leben wiederzusehen. Doch wer zählt schon zu solch Begnadeten? Dem Ich-Erzähler gewähren weder Gegenwart noch Zukunft Trost. Ihn treibt „das Leid oder die Leere der Gegenwart" dazu, sich einer „reicheren Vergangenheit" zuzuwenden (I,730). Gleichzeitig aber ängstigt ihn der „Dunst der Vergänglichkeit" (I,731), der an alten Dingen haftet, und treibt ihn wieder in „die Region der Lebendigen" (I,731) zurück. Eine Reise in die Vergangenheit kann ein wenig ablenken, ein wenig trösten; aber auch sie hat ihre Schrecken, und man kann weder Gegenwart noch Zukunft für lange entfliehen.

1876 schrieb Storm die kleine ironische Erzählung „Von Kindern und Katzen, und wie sie die Nine begruben", die 1898 in der Gesamtausgabe den „Zerstreuten Kapiteln" angefügt wurde. Auch ihr Kern ist autobiographisch; die Handlung enthält kein eigentliches Problem, das Thema ist der Tod. Der Tod wird aus einer wiederum neuen Sicht dargestellt — nicht als Schreckgespenst der Zukunft, sondern als alltägliches Geschehen, allerdings im Tierreich. So wird es möglich, den Tod scherzhaft und humorvoll zu schildern. Der „Tod" eines Papierkaters wird zum Kinderfest: „der alte Herr" (I,938) wird aufgebahrt, begraben, schließlich wieder ausgegraben und nochmals bestattet. Und auch die Trauer über den wirklichen Tod des Kaninchens Nine wird eitel Freude, als es gilt, es zu begraben. Der Tod ist Kindern etwas Unbegreifliches, doch mit dem Begraben vergeht ihre Erschütterung; indem sie die Leiche beerdigen, befreien sie sich gleichsam vom Tod selbst: das Grab wird voller Liebe mit Spucke poliert, und alles ist wieder in schönster Ordnung. Der Erzähler hat keinen Teil an dem Fest, berufliche Pflichten halten ihn ab. Überdies ist die Gedankenwelt der Kinder nicht mehr die seine: „Für Kinder und alte Leute, welch ein erlösender Zauber liegt in dem Begraben!" (I,939) Von nun an beschäftigte sich Storm in seinen Novellen nicht mehr mit „dem quälenden Rätsel des Todes"; er nahm die Tatsache, daß der Mensch den Gesetzen der Natur, der Zeit und der Gesellschaft ausgeliefert ist, als unabänderlich hin.

Draußen im Heidedorf (1871)

Die Novelle basiert auf zwei Konflikten des „Helden". Erstens auf dem persönlichen Konflikt zwischen dem Willen zur Selbsterhaltung und triebhafter Liebe. Zweitens auf dem Konflikt zwischen individuellem Wollen und sozialer Ordnung, was der Novelle eine zeitgebundene gesellschaftskritische Dimension verleiht. Hinrich Fehse, ein junger Bauer, in dessen Gesicht etwas Dumpfes und „Brütendes" (I,611) liegt, ist Margarete Glansky verfallen, einem „gefährlichen Mädchen" (I,614) mit „üppigen Lippen", „weißen, spitzen Zähnen" (I,611) und dunklen Augen. Sie gehört eigentlich nicht zur Dorfgemeinde: ihre Mutter ist Hebamme und übt magische Praktiken aus; ihr Großvater war „ein Slowak von der Donau" (I,614). Sie unterscheidet sich durch ihre zierliche Gestalt, ihren blassen Teint und ihr kokettes Gebaren von den übrigen Bauernfrauen, die sie hassen. In Margret wird die mythische Erscheinung des „weißen Alp" (I,619) wirksam, einer Kraft, die der Moorlandschaft ihrer Heimat an der Donau und auch der Umgebung des Heidedorfes innewohnt. Hinrich wird von Margrets fremdartiger Schönheit angezogen; da er nicht versteht, „mit sich selber umzugehen" (I,624), wird er ihr hörig. Einem Wehrwolf oder einem Vampir gleichend, hat Margret Hinrich „die Seele ausgetrunken" (I,619), die er nur im Moor, im Tod wiederfinden kann. Margret dagegen strebt nach Anerkennung und Reichtum; sie läßt sich Hinrichs Anbetung nur gefallen, solange es ihr genehm ist — sie spielt mit ihm. Ehe Hinrich dieses individuelle Problem klären kann, sieht er sich vor ein weiteres gestellt. Er kann seinen ererbten, verschuldeten Hof nur durch die Heirat mit einer wohlhabenden Bauerntochter retten. Als ihm der Küster einen entsprechenden Vorschlag macht, wehrt sich Hinrich nicht; er unterschreibt voll „gleichgültiger Verdrossenheit" (I,613) — „wie von der eisernen Notwendigkeit am Draht gezogen" (I,616) — den Ehekontrakt. Er kann den „Bann des alten bäuerlichen Herkommens" (I,616) nicht durchbrechen. Andererseits schützt ihn dieser „Bann" nicht vor Margrets Anziehungskraft. Immer weniger kann er von dem Mädchen lassen, für das er seinen Hof zugrunde richtet. Auf diese Weise doppelt gefangen, kämpft er zunächst gegen seine Leidenschaft an, doch zeigt sich, daß sie eine unkontrollierbare Macht ist: „ . . . es kriegt mich unter; ich kann's nicht helfen, Mutter!" (I,629) Margrets dämonische Anziehungskraft ist stärker als sein Wille und als die Macht der bäuerlichen Tradition: „ . . . ich bin kein Bauer mehr, ich hab keine Gedanken ohne dich!" (I,633) spricht Hinrich zu Margret und versucht, sie zu überreden, mit ihm in die Neue Welt zu fliehen. Doch es ist zu spät; als verheirateter Mann ist er für Margret uninteressanter denn je. Es bleibt ihm nur der Tod.

Wie Woyzeck ist Hinrich das Bild der gequälten Kreatur, die leidend ihr Schicksal erfüllt. Während Büchner vor allem Gesellschaft und Weltordnung anklagt, geht es Storm um die Gestaltung der zerstörerischen Naturkraft der an Hörigkeit grenzenden, triebhaften Liebe. Als komplizierender (und komplimentärer) Faktor tritt die „eiserne Notwendigkeit" des der Tradition verhafteten Milieus hinzu. Da Hinrich der dörflichen Gemeinschaft angehört, muß er die bäuerliche Tradition wahren. Die Gesellschaft wird ihm zum Problem, da sie ihn zwingt, im Gegensatz zu seinem Wollen und Fühlen zu handeln. Hinrich scheitert an beiden Problemen: indem er sich der starren, materialistischen Gesellschaft, die keine Rücksicht auf sein Gefühl nimmt, fügt, verliert er Margret völlig, die ihn — wissend oder unabsichtlich — ins Verderben stürzt. Umsonst richtet er seinen Hof zugrunde. Das Unausweichliche, schicksalshafte des Lebens von Hinrich wird durch die Duplizität der Ereignisse verstärkt. Hinrich sucht den Tod an eben der Stelle, an die er schon als Kind, von Margret *und* der Gesellschaft zur Verzweiflung getrieben, geflohen war — der Lake im Moor. Das erste Mal hatte ihn der Besenbinder Finkeljochim gefunden, das zweite Mal dessen Tochter, die Hinrich geistig verwandt scheint. Auch sie ist ein Opfer ihres Gefühls und ihrer Armut geworden. Von Natur aus „simpel" (I,626) wie Hinrich, ist sie „vollends faselig geworden" (I,626), nachdem ihr ein reicher Bauer im „vergangenen Winter was in den Kopf gesetzt hat" (I,626). Der „weiße Alp" macht seine Opfer „über Nacht blödsinnig" (I,619).

Die Wahl und Behandlung seines Themas — naturhafter Trieb und Milieu als tragisches Schicksal — sind neu für Storm. Der Lösung der Konflikte fehlt jede idealistische Verbrämung und Sentimentalität. Die materialistische Gesellschaft triumphiert: Hinrichs Rivale um die Gunst Margrets heiratet nach dessen Tod die Witwe und erwirbt „zu der väterlichen Hufe auch noch die Fehsesche Stelle auf dem einfachen Wege der Heirat ... Und so war denn ... mit ein paar Handvoll Kirchhofserde wieder alles in seinen Schick gebracht." (I,640) Der zynisch-distanzierten Haltung, die der Erzähler dem Geschehen gegenüber einnimmt, entspricht die Darstellung der Geschichte in Form eines objektiven juristischen Berichts, der von subjektiven Schilderungen und Zeugenaussagen unterbrochen wird. Storm selbst meinte in einem Brief an Emil Kuh vom 24. Februar 1873 zu diesem Stil: „Ich glaube bewiesen zu haben, daß ich auch eine Novelle ohne den Dunstkreis einer bestimmten ‚Stimmung' (das heißt einer sich nicht aus den vorgetragenen Tatsachen von selbst entwickelnden, sondern vom Verfasser a priori herzugebrachten Stimmung) schreiben kann."

Waldwinkel (1874)

Wie in seiner früheren Novelle „Angelika" gestaltete Storm den Konflikt zwischen zwei Charakteren, der durch den großen Altersunterschied der Protagonisten bedingt wird. Richards Handlungen werden von den Erfahrungen der Vergangenheit bestimmt; er glaubt nicht mehr, daß Liebe und Glück dauern können. Als ihn seine Geliebte Franziska fragt: „Du — warum heiraten *wir* uns nicht?" schreckt er zurück — „eine Kette qualvoller Erinnerungen tauchte in ihm auf; die Welt streckte ihre grobe Hand nach seinem Glücke aus." (I,882) Franziska ist jung, sie hofft und plant für die Zukunft. Sie ist sowohl nüchterner Berechnung als auch leidenschaftlicher Hingabe fähig. Zunächst überwiegt die letztere: „Jetzt ging sie schweigend auf ihn zu, drückte ihre Augen gegen seine Brust und hing an seinem Halse, als sei sie nur ein Teil von ihm." (I,818) Als ihr jedoch Richard statt der Heirat eine finanzielle Versorgung anbietet, ihr die Freiheit garantiert, wo sie die Bindung erhofft hatte, beginnt sie, sich innerlich von ihm abzuwenden. Die Sympathien des Autors sind allerdings auf der Seite Richards, und so läßt er diesen seinen Fehler einsehen: nach einer längeren Krankheit entschließt sich Richard doch noch zur Heirat. Aber es ist zu spät; Franziska hat sich inzwischen an einen jungen Förster gebunden und entflieht mit diesem.

Die psychologische Motivierung für das Verhalten des Mannes ist nicht überzeugend. Wird ein alternder Mann, der in den „Bann" eines jungen Mädchens geraten ist, der ihr „ganz verfallen" ist (I,806), der sogar auf die Blicke eifersüchtig ist, die andere auf die Füßchen seiner Geliebten werfen könnten, „die nur ihm und keinem anderen je gehören sollten" (I,814) — wird ein solcher Mann nicht versuchen, das Mädchen mit allen Mitteln an sich zu binden? Wenn ihn aber Erfahrung und Vernunft abhalten, ihrem Wunsch nach Heirat nachzugeben — wird er so grausam und taktlos sein, ihr unvermittelt Geld als Ersatz anzubieten? Storm scheint zwei Charaktere zu mischen: den des liebestollen alten Narren (von dem man die Heirat erwarten würde) und den des kühl überlegenden Mannes, der sich eine Geliebte nimmt und mit ihr gewissermaßen einen Vertrag abschließt. Keinesfalls ist Richard ein „streng in den Kategorien altbürgerlicher Ehrbarkeit denkender Mann", wie Goldammer meint [17]. Auch dem Charakter Franziskas wird Goldammer nicht gerecht, wenn er schreibt: „In Franziska aber ist jener neue Typ der Bourgeoisie verkörpert, dessen Moralbegriff nicht von menschlichen Bindungen und Verpflichtungen, sondern allein von Geld- und Eigentumsverhältnissen bestimmt wird." [18] Franziska gehört zu jenen unromantischen, sachlich denkenden Frauen (wie sie z. B. Fontane beschreibt), die nicht resignieren, wenn sie sich in ihren Hoffnungen getäuscht sehen, sondern die Konse-

148

quenzen ziehen. Richard hat Franziskas Liebe zu einer Bindung auf Zeit, zu einem bloßen Abkommen herabgewürdigt, das sie jederzeit lösen könne. Indem Franziska ihn verläßt, verstößt sie nicht gegen dieses Abkommen, das menschliche „Bindungen und Verpflichtungen" ausgeklammert hat. Unter Storms Frauengestalten stellt Franziska einen durchaus neuen Typ dar, sie handelt kompromißlos und entschlossen.

Was veranlaßte Storm dazu, eine solche Frauenfigur zu schildern? Am 27. November 1874 schrieb er an Emil Kuh: „ . . . es liegt eine pessimistische Lebensanschauung zugrunde, die unter anderen Stimmungen wohl auch einmal, aber nur vorübergehend, mich ergreift. Im übrigen liebe ich diese Arbeit, und — auch sie mußte geschrieben werden." Die erwähnte pessimistische Lebensanschauung Storms hatte sich schon in den „Zerstreuten Kapiteln", vor allem in der „Halligfahrt" und in „Draußen im Heidedorf" gezeigt. Daß sich das Individuum nicht gegen die Gesellschaft durchsetzen kann, hat Richard bereits am eigenen Leibe erfahren. Verbittert hat er sich in den „Waldwinkel" zurückgezogen. Im Grunde seines Herzens aber ist er der romantische „Schwärmer" (I,836) geblieben, der er in seiner Jugend gewesen war. Er glaubt sich in der Einsamkeit geborgen; über das Naturgesetz des Alterns scheinen das „noch glänzend braune Haar" und seine „unnatürlich jungen Augen" (I,790) zu triumphieren. Seine Liebe zu Franziska läßt ihn noch einmal jung sein. Doch seiner Liebe fehlt der Glaube an die Zukunft (eine Folge seines Alters), und das Naturgesetz beweist wieder einmal seine Gültigkeit: Jugend drängt zu Jugend, das Alter ist zur Einsamkeit verurteilt. Wer sich mit diesem Gesetz nicht abfinden kann, verfällt dem Spott der Gesellschaft. Was in „Angelika" nur Andeutung war, ist hier scharf herausgearbeitet: Der Geist ist vom Körper abhängig, auch das Gefühl ist dem Naturgesetz unterworfen, Liebe ist nichts Absolutes. Unter diesem Gesichtspunkt betrachtet, erhält die Novelle eine allgemeine, über den individuellen Einzelfall hinausgehende Dimension. Ist sie auch zeitbezogen?

Storm geht verschiedentlich auf die gesellschaftliche Stellung der Hauptpersonen ein. Richard, ein Doktor der Botanik, hat als Burschenschafter am Wartburgfest teilgenommen und ist dann jahrelang in Preußen inhaftiert gewesen. Nach seiner Freilassung entdeckt er, daß seine Frau ihn betrogen hat, läßt sich scheiden und geht in die weite Welt, „um sich all den Verdruß an den Füßen wieder abzulaufen" (I,797). Franziska ist ein armes, elternloses Mädchen; „für den gewöhnlichen Mägdedienst hat sie zu viel, für eine höhere Stellung zu wenig gelernt" (I,794). Ein Pfarrer, der bei „Adel und Honoratioren in hohem Ansehen" (I,792) steht, wird eines versuchten Sittlichkeitsvergehens an ihr angeklagt. Später will Franziskas Vormund sie an einen reichen alten Bäcker verschachern. Diese Erlebnisse Richards und Franziskas sind nicht „bloß die Vorgeschichte" für den eigentlichen Kern der Novelle, wie Goldammer erklärt [19]. Sie motivieren den Konflikt ebenso sehr wie der Altersunterschied der beiden Hauptfiguren und verleihen dem Problem eine zeitbezogen-soziale Dimension. Wenn man solche Vorfälle als repräsentativ betrachtet — sie waren es zumindest für Storm, der in seiner richterlichen Praxis täglich mit den Schattenseiten der menschlichen Gesellschaft konfrontiert wurde [20] — so ergibt sich das Bild einer Gesellschaft, deren Regierung reaktionär, deren Geistlichkeit verkommen und deren Moral fragwürdig ist. Richard und Franziska ziehen sich zwar in die Waldeinsamkeit zurück, bleiben aber doch das Produkt dieser Gesellschaft. Richard scheut sich, seine Verbindung mit Franziska zu legalisieren, weil er nicht mehr an die Kraft und die Gerechtigkeit der Gesetze glaubt. Franziska hat gelernt, den Menschen zu mißtrauen. Als Richard sie nicht heiraten will, nimmt sie ihr Leben wieder selbst in die Hand. Das Idyll fern von der Gesellschaft, so erstrebenswert es erscheint, erweist sich als Illusion.

Daß der Konflikt der Novelle nicht nur persönlich mit dem Alter Richards, sondern auch mit den sozialen Verhältnissen der damaligen Zeit motiviert wird, läßt sich auch an der Form der Novelle nachweisen. Den Gegensatz von Gesellschaft und Individuum hebt Storm dadurch hervor, daß er die Welt der „zivilisierten" Gesellschaft scharf von der unberührten Natur absetzt. Aber Richard kann sich weder innerlich noch äußerlich von der Gesellschaft abschließen. In der ersten Hälfte der Novelle tritt der Vormund Franziskas in der Rolle des unfreiwilligen Kupplers auf; unmittelbar nach dem Wendepunkt (der genau auf die Mitte der Novelle fällt) dringt der Förster als Verführer in die Waldeinsamkeit ein. Richards Konflikt mit dem Naturgesetz des Alterns — „Vergessen und Vergessenwerden" (I,819) — sucht Storm durch die Schilderung der Natur zu unterstreichen. Es verbot sich also eine romantisch-ideale Darstellung der Natur als Refugium. Statt aber die Natur als Gegner Richards zu zeigen, wählte Storm den Ausweg der symbolischen Schilderung. Bei Franziskas Ankunft im „Waldwinkel" kreist ein „großer Raubvogel" über dem „einsamen Bauwerk" (I,800); am Abend des Tages, an dem Richard und Franziska sich gefunden haben, stürmt es, „schwarzes Gewölk" jagt „über den bleichen Himmel", man hört das „Geheul des großen Waldkauzes" (I,811). Auf einsamen Spaziergängen hören Richard und Franziska mitunter „das Brechen eines dürren Astes" oder „das Gleiten einer Schlange" (I,816). Als Franziska Richard allmählich entgleitet, sitzen die Vögel im Wald „trübselig in der Mauser", „nur einzelne prüften schon das neue Federkleid zum weiten Abschiedsfluge" (I,825). Die Beispiele ließen sich fortsetzen. Im Hinblick auf die Schilderung des Lebens im Waldwinkel muß man Turgenjew recht geben, der am 27. November 1874 an Pietsch schrieb: „. . . die Poesie wird wie Butter aufgeschmiert. —" [21] Die Schlußszene im Dorfkrug zeigt den Triumph der Gesellschaft und den der Natur: alles ist „wieder auf dem alten Stand" (I,842). Der „Waldwinkel" ist wieder unbewohnt, und hämisch fragen die Leute, wer sich wohl als nächster für den „Narrenkasten" interessieren werde.

Im Nachbarhause links (1875)

Die Ausgangssituation dieser Novelle erinnert zunächst an Storms Märchen „Bulemanns Haus": hier wie dort lebt ein alter Mensch einsam in einem großen Haus, von Haß und Mißtrauen gegen seine Mitmenschen erfüllt. Wie Bulemann wird auch die alte Madame Sievert Jansen als grotesk-häßliche Figur geschildert, der jede Würde des Alters fehlt. Während aber im Märchen der Konflikt im Gegensatz zwischen bürgerlichem Geiz und humaner Gesinnung besteht, werden in dieser Novelle äußerliche und vergängliche Güter inneren Werten gegenübergestellt. Aus Machthunger, Eitelkeit und Genußsucht hat Botilla Jansen eine echte und treue Liebe verschmäht und einen „Lebemann" (I,916), einen reichen, „schon älteren, etwas korpulenten Mann mit fleischigen Wangen und kleinen genußsüchtigen Augen" (I,929), geheiratet. Der Instinkt des „bacchantisch schönen Weibes" voll „unersättlicher Lebenslust" (I,929) hat den passenden Partner gewählt: „. . man sagt, das Ehepaar habe sich einander nichts vorzuwerfen gehabt. . . . sie sah noch nicht so übel aus, als der Alte in die Grube fuhr, und es gab noch manches Gläserklingen mit jungen vornehmen Herren . . ." (I,916). Als die Macht der Schönheit geschwunden ist, tritt an ihre Stelle das Geld, das — in konsequenter Steigerung — nun auch jeden äußerlichen Kontakt mit den Mitmenschen unterbindet und nicht einmal mehr das Zerrbild der Freude in das Haus der Alten dringen läßt. Wie im „Stillen Musikanten" ist der Konflikt statisch; Madame Sievert Jansen kann ihn nicht lösen, da sie durch ihre natürlichen Anlagen in ihrem Charakter festgelegt ist. Schon als Kind war Botilla Jansen „eine kleine Unbarmherzige" (I,914); sie ist es auch im Alter noch. Ihrer wehmütigen Erinnerung an den verschmähten Jugendfreund fehlt jeder Beigeschmack von Reue: ... haben Sie es schon erlebt, daß ein Menschenkind mit sehenden Augen sein bestes Glück mit Füßen von sich stieß? ... Ja, ja, er war auch gut; aber da lag es! Ich glaube, ich konnte es nicht leiden, daß er gar so gut war! — Und er hat mich geliebt, der arme Narr ... Vorbei, längst vorbei!" (I,931—932) Der Beweis für den unveränderten Charakter der Alten ist ihr Verhalten Mechtild gegenüber, einer jungen Verwandten. Zunächst will sie dieser in ihrem Testament gar nichts hinterlassen; später soll das Mädchen — in dessen Schönheit sie sich selbst wiederzufinden glaubt — einen verarmten Grafen heiraten, den seine Geldnot zwingt, ein reiches Bürgermädchen zu freien. Ob Mechtild diesen Grafen liebt (oder wenigstens heiraten möchte), spielt keine Rolle.

Die Tatsache, daß der Charakter der Madame Sievert Jansen keine Wandlung erfahren hat, wird formal dadurch hervorgehoben, daß ihr Lebensweg rückblickend aufgezeigt wird. Die Vergangenheit liefert die Bestätigung für die Gegenwart. Gleichzeitig entlarvt die Gegenwart auch die Vergangenheit. Die Tragikomik liegt darin, daß die Alte dies nicht erkennt. Für sie ist ihr zerfallener und verkommener Festsaal (Symbol ihres Lebens) „vorzüglich wohlerhalten" (I,932) und obwohl sie selbst eine kleine, verrunzelte und vertrocknete Person geworden ist, sieht sie nicht ein, daß äußere Schönheit ein vergängliches Gut ist, auf das man kein Leben gründen kann, und daß Geld kein Ersatz für menschliche Wärme ist. Der halb mitleidig, halb spöttisch erzählte Fall der Madame Sievert Jansen besitzt somit eine allgemeine Dimension. Im Gegensatz zu früheren Novellen Storms ist jedoch der didaktische Gehalt wesentlich geringer. Storm hatte den Glauben an die Erziehbarkeit der Menschheit aufgegeben; mehr und mehr schwand auch seine frühere Meinung, daß der Einzelne sich dem Einfluß der Gesellschaft entziehen könne. Er kommentiert Mechtilds Liebesheirat mit einem armen Offizier folgendermaßen: „ ... hoffen wir ..., daß sie auch in ihrem späteren Leben ein wenig höher geblieben ist, als das um sie herum. Mitunter ist ja doch dergleichen vorgekommen." (I,935) Wichtiger als die allgemein-menschliche Aussage, die wie eine Binsenwahrheit klingt, ist die zeitbezogene, soziale Dimension der Geschichte. Um der Novelle diese Dimension zu verleihen, bediente sich Storm derselben Technik wie im „Stillen Musikanten". Wie dem Meister Valentin seine Schülerin, so stellte Storm Madame Jansen das Mädchen Mechtild zur Seite. Mechtild gerät in denselben Konflikt wie einst Botilla Jansen; im Gegensatz zu dieser jedoch kann und muß sie sich entscheiden. Es gelang Storm in dieser Novelle, was ihm im „Stillen Musikanten" mißlungen war: die Nebenfigur lebt weiter als genaues Gegenteil der Hauptfigur. Mechtild ist ebenso schön wie ihre Tante es einst war, aber ihr bedeutet Liebe mehr als Genuß, und sie verzichtet auf materielle Güter. An Mechtilds Konflikt wird der soziale Bezug deutlich. Die bürgerliche Gesellschaft ist die der Gründerjahre: Man strebt, wie Mechtilds Vater, nach einer Karriere; viele Bürger haben es zu erheblichem Reichtum gebracht. Auch scheint eine Liberalisierung der Gesellschaftsordnung eingetreten zu sein — Kaufmannstöchter und Offiziere werden zusammen zu Tanzveranstaltungen eingeladen, und eine Heirat zwischen einem Grafen und einem Bürgermädchen ist kein Stein des Anstoßes mehr.

Hat die menschliche Gesellschaft nicht einen Schritt nach vorn getan, wenn man im Vergleich dazu an die Novellen „Im Schloß" und „Auf dem Staatshof" zurückdenkt? Doch Storm zerstört eine solche Auffassung sofort: Der steigende Wohlstand verwischt zwar die Standesunterschiede, wird aber von einem Verlust innerer Werte begleitet. Schon in den Fünfziger Jahren hatte Storm in seinem Gedicht „Für meine Söhne" gewarnt: „Aber hüte deine Seele / Vor dem Karrieremachen" (II,993). Nicht aus dem Geist der Humanität gestattet die Gesellschaft nun Verbindungen zwischen Adligen und Bürgern. Die ersteren haben ihren Standesdünkel nicht aufgegeben: „ . . . einige Kaufmannstöchter würden dann natürlich auch mit eingeladen, aber das mache ja gar nichts! — O nein, das mache ja nichts, so in größerem Zirkel. . . . So zum Tanzen, und — . . . zum Heiraten, wenn sie reich seien; warum denn nicht!" (I,925) Auch die Bürgerlichen sind noch in den alten Rangvorstellungen befangen und glauben, ihr Prestige zu vergrößern, wenn sie ihre Kinder an Adlige verheiraten. Madame Sievert Jansen steht somit — so ungewöhnlich und exzentrisch sie auch erscheint — durchaus im Einklang mit der Gesellschaft. Wie einst Botilla Jansen strebt man nach Genuß, Geld und Macht und erkämpft sich ohne Skrupel den Weg „nach oben".

Unter den Frauengestalten in Storms Werk nimmt Madame Jansen eine einzigartige Stellung ein. Hart, rücksichtslos und sinnlich ist diese Frau stets Herr der Situation. Es ist bezeichnend, daß sie bei ihrem Tode in einen alten Soldatenmantel gehüllt ist. Zwar tragen schon Margarete Glansky („Draußen im Heidedorf") und Franziska Fedders („Waldwinkel") stark negative Züge. Aber in Margarete wird eine mythisch-dämonische Kraft ihrer Heimat wirksam, die sie — selbst wenn sie wollte — nicht bekämpfen kann. Franziska dagegen liebt zunächst wirklich, handelt dann jedoch berechnend, als sie sich in ihren Hoffnungen getäuscht sieht. In Madame Jansen vereinigen sich die heidnisch-gefährliche Schönheit Margaretes und die kalte Berechnung Franziskas, ohne daß Madame Jansen einem echten Gefühl nachgäbe. Selbstbewußt sagt sie von sich selbst: „Nicht wahr, . . . ein schönes Weib ist doch auch nur ein schönes Raubtier?" (I,919) In dieser Novelle zeigte Storm die Frau als den Darwinschen Gesetzen gehorchendes Wesen. Sicherlich erschien ihm Madame Sievert Jansen als typisch für die bürgerliche Gesellschaft seiner Zeit, von der Fontane siebzehn Jahre später, in seinem Roman *Frau Jenny Treibel*, ein recht ähnliches Bild entwarf.

Carsten Curator (1877)

Neben „Viola Tricolor" ist „Carsten Curator" wohl die Novelle, in der am deutlichsten zu spüren ist, daß ihre Niederschrift für Storm eine Befreiung von persönlichen Sorgen und Ängsten bedeutete. Sein Sohn Hans ist in vielen Zügen der „figura movens" der Novelle wiederzuerkennen, und ihr unglückliches Ende nahm hellseherisch den frühen Tod von Hans voraus. Carsten Curator, ein bürgerlicher Ehrenmann und ein Muster der Rechtschaffenheit, heiratet in einer Ausnahmesituation — in einer „Zeit, wo der gleichmäßige Gang des bürgerlichen Lebens ganz zurückgedrängt war" (I,1019) — die schöne, lebenslustige, leichtsinnige und um viele Jahre jüngere Juliane. Da ihr Vater nach verfehlten Spekulationen Selbstmord begangen hat, übernimmt Carsten aus Mitleid und Rechtlichkeit die Ordnung ihrer finanziellen Verhältnisse; bald sind es andere Motive, die ihn an sie binden: „die lachenden Augen der schönen Juliane hatten den vierzigjährigen Mann betört" (I,1019). Die Ehe erfüllt Carsten mit Dankbarkeit gegen die junge Frau, macht ihn aber „nur zu nachgiebig" (I,1019) ihren Wünschen gegenüber. Er nimmt teil an einer „Geselligkeit, die . . . über seinen Stand und seine Mittel hinausging" (I,1019); die Gesellschaft spottet und wundert sich über ihn. Als Juliane im ersten Kindbett stirbt, ist „für Carsten die Gefahr beseitigt. Freilich auch zugleich das Glück." (I,1020) Zunächst stellt Storm seine Hauptfigur also vor die Entscheidung zwischen bürgerlicher Konvention und gesellschaftlicher Tradition einerseits und der Fürsorge und Liebe für die junge Juliane andererseits. Juliane besitzt eine besondere Art von Schönheit — „es war die böse Lust, die sie so schön machte" und die Carsten „nur mehr betörte" (I,1036). Carsten wählt sein persönliches Glück und seinen persönlichen Schmerz.

Als sein Sohn Heinrich heranwächst, zeigen sich die Folgen seines Entschlusses in ihrer letzten Konsequenz. Carsten überträgt zwar die Liebe und Fürsorge, die er für Juliane gehabt hat, auf sein Kind, doch bricht in Heinrich das Erbteil der Mutter — Schönheit, Leichtsinn, „böse Lust" — verstärkt durch. Heinrich fordert die bürgerliche Gesellschaft nicht nur — wie seine Mutter — zum Klatsch heraus, er übertritt ihre Gesetze. Carsten wird im Kern seines Wesens getroffen. Seine persönliche Ehre ist unlösbar mit der bürgerlichen Sitte und Ordnung verbunden. Dieser Tatsache stehen seine Liebe und Verantwortung für den Sohn gegenüber. Storm illustriert diesen Konflikt an Carstens Verhalten zu Anna, dem ihm anvertrauten Mündel. Zunächst bezahlt Carsten Heinrichs Schulden allein und wehrt Annas Hilfe ab. Doch immer mehr zehrt der Sohn an seiner Lebenskraft, und als schließlich Anna Heinrichs Heiratsantrag annehmen will, „vermochte er das Wort nicht mehr hervorzubringen, vor dem mit einem Schlag seines Kindes Glück verschwinden konnte" (I,1062). Noch einmal hat sich die Bindung des Blutes in Carsten als stärker als die soziale Verpflichtung Anna und der Gesellschaft gegenüber erwiesen.

Unter Annas Einfluß scheint sich Heinrich bessern zu können. Nach kurzer Zeit aber muß Carsten erkennen, daß Heinrich Anna und ihr Kind zugrunde richten wird. Da verweigert er seinem Sohn zum ersten Mal seine Hilfe und bleibt ihm und sich selbst gegenüber hart. Von der gesellschaftlichen Konvention hat sich Carsten distanzieren können; Heinrichs verantwortungsloses Verhalten kann er nicht länger tolerieren. „Ich gehe nun nicht weiter; was morgen kommt, — wir büßen beide dann für eigene Schuld." (I,1071) Heinrich wird bei einer Sturmflut ins Meer gerissen, Carsten wird vom Schlag getroffen.

Die Novelle basiert auf zwei Konflikten: dem Konflikt zwischen persönlichem Wunsch und gesellschaftlicher Konvention einerseits und zwischen individueller Neigung und sozialer Verantwortung andererseits. Der erste ist ein zeit- und milieubedingter Konflikt; mit Glück kann sich das Individuum ungestraft über die Konvention hinwegsetzen. Der zweite ist ein grundsätzlicher Konflikt. Stehen individuelle Neigungen im Gegensatz zu dem allgemeinen Rechtsempfinden, hat die Gesellschaft den Vorrang vor persönlichen Interessen. Diese Lösung wollte Storm als allgemeingültige Maxime verstanden wissen; er rechtfertigte damit sein eigenes Verhalten seinem Sohn Hans gegenüber.

Im Brauerhause (1878/79)

Storm illustriert mit dieser Novelle am individuellen Fall einer „Familientradition aus einer befreundeten Familie" [22] ein abstraktes Problem: den Konflikt zwischen kluger Voraussicht und törichter Nachsicht. Da dieser Konflikt in der Natur der Menschen selbst begründet ist, verleiht er der Novelle eine allgemeingültige Dimension. Auch die Folgen des Konflikts — wenn die Nachsicht über die Klugheit den Sieg davonträgt — will Storm als allgemeingültige „Moral" verstanden wissen. Der Brauer Josias Ohrtmann duldet es, daß sein alter Gehilfe Lorenz seinen Kindern Gruselgeschichten erzählt und selbst bei seiner Arbeit magische Praktiken anwendet: „ . . . beim Bierbrauen legte er allemal ein Kreuz von Holz über den Gärkübel, so konnte keiner den Gest (Hefe) rauben, und das Bier konnte nicht verrufen werden." (II,10) Ohrtmanns Frau „war all so etwas in den Tod zuwider; sie schalt ihn [Lorenz] oft darüber und auch auf meinen Vater, daß er solche Narrenspossen unter seinem Dache leide." (II,10) Aber Ohrtmann hört nicht auf die Stimme der Vernunft und nimmt Lorenz in Schutz: „ . . . er meint's gut, und es schadet keinem." (II,10) Darin irrt der Brauer; seine Toleranz hat ihm den Blick für die Wirklichkeit getrübt. Lorenz ist nicht der einzige, der abergläubisch ist; der Großteil der Gesellschaft ist es ebenfalls. Die lieben Mitbürger aber meinen es nicht gut mit Ohrtmann. Mißgunst und Neid zeichnen jede Gesellschaft aus; als dazu noch die Dummheit des Aberglaubens tritt, nimmt das Verhängnis seinen Lauf. Die Gelegenheit hierzu bietet die öffentliche Hinrichtung eines Raubmörders, denn den Leichenteilen und Kleidern eines solchen Menschen schreibt der Volksglaube besondere magische Kräfte zu. Als an einer Hand des Hingerichteten plötzlich der Daumen fehlt, werden die phantastischsten Vermutungen laut. Ein Zufall besiegelt das Schicksal Ohrtmanns: In einem seiner Bierfässer wird ein daumenähnliches Gebilde gefunden. Für die Leute in der Stadt und in den umliegenden Dörfern steht jetzt fest, daß Lorenz eine „Sympathie" (II,19) gemacht hat, um die nicht allzu große Kundschaft Ohrtmanns zu vermehren. Obwohl sich herausstellt, daß das Ding ein

Hefeklumpen ist, ändert sich die Meinung der Leute kaum — die Gesellschaft ist zu borniert, um sich belehren zu lassen. Ohrtmann ist ruiniert. Die Moral der Geschichte: Auch aus Güte darf Dummheit nicht toleriert werden.

Die Erzählung ist in einen Rahmen gespannt, der dem Konflikt eine zeitbezogene, sozialkritische Dimension verleiht. Von seiner individuellen Torheit abgesehen haben zwei Faktoren Ohrtmanns Untergang herbeigeführt: ein Zufall und der Aberglaube der Leute, der sich an dem hingerichteten Mörder entzündete. Auch in der Rahmenerzählung, die etwa fünfzig Jahre später liegt, wird von der Hinrichtung eines Raubmörders gesprochen: „Hier war nun überdies noch ein abergläubischer Unfug im Gefolge der Exekution gewesen; ein Epileptischer hatte von dem noch rauchenden Blute des Justifizierten trinken und dann zwischen zwei kräftigen Männern laufen müssen, bis er plötzlich, von seinen Krämpfen befallen, zu Boden gestürzt war." (II,8) Der Zufall läßt sich nicht kontrollieren, das Volk als Masse läßt sich nicht erziehen; wohl aber kann man die Gesetze ändern. Mit anderen Worten: auch auf sozialer Ebene soll man keine törichte Nachsicht üben. Es ist bedeutsam, daß Storm den Raubmörder der Innenerzählung fast genauso beschreibt wie den Hinrich Schlachter in seinen kulturgeschichtlichen Skizzen. Dort findet sich die folgende Passage: „Als ein sicheres Zeichen aber für das endliche Verschwinden derselben [der Todesstrafe] dürfen wir wohl den an sich unheimlichen Umstand begrüßen, daß, während im übrigen das Gerichtsverfahren in die Öffentlichkeit hinausdrängt, dieser furchtbare Akt, der wie nichts anderes des freien Himmels und des zustimmenden Zeugnisses der Nation bedarf, neuerdings im Gegenteil der Öffentlichkeit entzogen ... ist." [23] Worauf Storm abzielt, ist die Abschaffung der Todesstrafe, nicht ihr Vollzug im Geheimen, wie man annehmen könnte. Der Abscheu gebildeter Menschen vor einer Exekution stellt den ersten Schritt zu diesem Ziel dar. In der Rahmenerzählung will Storm diesen Abscheu bewußt heraufbeschwören, deshalb schildert er die „Heilung" des Epileptikers in allen grausigen Einzelheiten und läßt die versammelte Teegesellschaft „all diese Dinge" betont als „unzulässig und strafbar, als verabscheuungswürdig und lächerlich" erklären. (II,8) Die Schwäche der Novelle besteht darin, daß die zeitkritische Aussage der Rahmenerzählung mit dem individuellen Konflikt der Innenerzählung und dessen Lösung in keiner Verbindung steht, sondern aus einem Motiv abgeleitet wird, das nur instrumental zur Verschärfung dieses Konflikts dient.

Der Herr Etatsrat (1880/81)

Nach Storms eigenen Worten zeigt diese Novelle „die Familie in der Zerstörung"[24] — ein Vater richtet seine beiden Kinder zugrunde. Der eigentliche Konflikt der Novelle ist abstrakter Natur. Er beruht auf dem Gegensatz von stoischem Vernunftdenken und dem Streben nach Liebe und Glück, den Storm in E. T. A. Hoffmanns Märchen „Das fremde Kind" vorgezeichnet fand. Schon in seinem früheren Märchen „Hinzelmeier" hatte Storm diesen Konflikt zu gestalten versucht. Nachdem ihn die Gestaltung in Märchenform nicht befriedigt hatte, behandelte er dreißig Jahre später den Konflikt noch einmal in der Form einer Groteske. In beiden Werken Storms ist der Einfluß Hoffmanns deutlich nachweisbar.[25]

Bei Hoffmann dringt der Erzieher Magister Tinte störend in die glückliche Welt zweier Kinder ein; bei Storm haben Archimedes und Sophie das Unglück, in eine feindliche Welt hineingeboren zu werden. Der Etatsrat entspricht dem Magister Tinte in der Häßlichkeit seines Äußeren wie seines Charakters; an beiden wird die Unmenschlichkeit reinen Vernunftdenkens deutlich, das keinerlei Ideale kennt noch gelten läßt. Im Gegensatz zu Hoffmanns Märchen haben die Kinder des Etatsrats keine Chance, sich gegen ihren Vater (bei Hoffmann den Erzieher) zu behaupten; sie müssen körperlich und geistig verkümmern, bis sie schließlich der Tod erlöst. In Hoffmanns Märchen greift das „fremde Kind" in das Schicksal der bedrohten Kinder ein. Dieses „fremde Kind" ist nichts anderes als ein christliches Symbol für Liebe und Barmherzigkeit. Wohl hat das Böse (Magister Tinte) es aus der Welt vertrieben, aber sein Einfluß bleibt ungebrochen: „ . . . seht ihr mich auch nicht mit leiblichen Augen, so umschwebe ich euch doch beständig und helfe euch mit meiner Macht, daß ihr froh und glücklich werden sollet immerdar."[26] Diese Lösung vertrug sich nicht mit der „etwas finsteren Weltanschauung", die, wie Storm selbst sagte, seinem „Herrn Etatsrat" zugrunde liegt.[27] Schon im Märchen „Hinzelmeier" war die Suche nach dem Glück gescheitert; jetzt zeigte Storm an der Realität der zeitgenössischen Gesellschaft die Unmöglichkeit einer positiven Lösung des Konflikts. Im „Etatsrat" findet sich nichts von Liebe und Barmherzigkeit. Der Etatsrat verhöhnt sogar das Christentum. Er anerkennt nur die Macht des Todes, die er stoisch akzeptiert. In „Gestalt eines Altars" (II,118) hat er sich einen Schrank anfertigen lassen, vor dem er seine Trankopfer darzubringen pflegt: „Am Fußende des schwarzen Kreuzes, welches durch die Türleisten gebildet wurde, lagen die Symbole des Todes: Schädel und Beinknochen, in abscheulicher Natürlichkeit aus Buchs geschnitten; darunter, so daß sie bequem von einem davorstehenden Stuhle aus gehandhabt werden konnte, sah man eine Glasharmonika, zu deren rechter Seite eine Punschbowle von getriebenem Silber stand. ... Aber der Anblick des Todes schien für ihn nur das Gewürz zu den Freuden des Lebens; kameradschaftlich, aber doch als müsse er den armen Burschen zur Ruhe verweisen, klopfte er mit dem Harmonikahammer auf die Stirn des Schädels ..." (I,118—119). Storms Neffe Ernst Esmarch, ein Pastor, nahm an der Novelle Anstoß, worauf ihm Storm entgegnete: „Wenn Du bei dem edlen Kern der Dichtung von einem abschüssigen Wege sprichst und Deinen alten Onkel davor warnst, so mag dieser Weg wohl auf dem religiösen Gebiete liegen, wohin ich Dir freilich nicht folgen kann." [28]

Der durch den Trunk geförderten Gleichgültigkeit des Etatsrats dem Tode gegenüber entspricht seine Gleichgültigkeit seinen Mitmenschen gegenüber. Sein Interesse beschränkt sich auf sein eigenes Leben. Für das Studium seines Sohnes will er kein Geld ausgeben. Um der Traurigkeit seines Daseins wenigstens gelegentlich zu entfliehen, sucht Archimedes Trost im Alkohol. Als Archimedes endlich doch auf die Universität darf, betreibt er seine Studien überaus intensiv, läßt sich aber gleichzeitig verlocken, einer „Bitternvertilgungskommission" (II,148) einiger Korpsstudenten beizutreten. Diese „fortgesetzten Ausschreitungen nach zweien Seiten" (II,150) führen schließlich zu einem Nervenzusammenbruch und zum Tod. Der Etatsrat sieht weder die Gefährlichkeit des Trinkens überhaupt, noch seine Schuld am Tode seines Sohnes ein. Er bleibt völlig ungerührt. Der Tochter Sophie geht es nicht besser. Als Kind muß sie sich sogar ihr „bißchen Mittag in der Küche betteln" (II,124). Erst nach einigen Jahren nimmt der Vater überhaupt Notiz von ihr: „Er hatte kürzlich herausgefunden, daß er eine Tochter habe, welche abends, wo die geröteten Augen ihm nicht selten ihren Dienst versagten, zum Vorlesen von Zeitungen und auch wohl amtlicher Aktenstücke trefflich zu gebrauchen sei ..." (II,128). Sophie ist völlig isoliert, denn das Benehmen des Vaters schreckt alle Gäste ab. Schließlich gelingt es dem Bediensteten und Günstling ihres Vaters, Musche Käfer, das unwissende und verschüchterte Mädchen zu verführen. Sie stirbt im Kindbett. Der Etatsrat sieht ihrem Begräbnis gleichgültig zu: „Contra vim mortis, meine Freunde! Contra vim mortis!" (II,160).

Der Etatsrat ist, so exzentrisch und grotesk er auch geschildert wird, in seinen wesentlichen Charakterzügen ein typischer Vertreter der zeitgenössischen Gesellschaft. So geht z. B. seine eigene Lust am Trinken auf eine verbreitete Studentensitte zurück. Aus seiner eigenen Studienzeit erzählt er von einem Kommilitonen, der sich zu Tode trank: „Des ohnerachtet bliesen wir ihn mit zwölf Posaunen zu Grabe und tranken sodann im Ratskeller so tapfer auf seine fröhliche Urständ, daß bei Anbruch des Morgens nur noch wenige von uns an das Tageslicht hinaufzugelangen vermochten." (II,155) Die Gesellschaft erkennt die Gefahren des Trinkens ebensowenig wie der Etatsrat; noch immer geht die studentische Jugend zum Kommers. Die Gesellschaft besitzt dieselben Wertmaßstäbe wie der Etatsrat, der sich stolz den ersten Mathematiker des Landes nennt. Auch ihr gilt Humanität weniger als die Errungenschaften der Zivilisation. Daraus erklärt sich die Stellung der Gesellschaft dem Etatsrat gegenüber. Trotz seiner häufigen Trunkenheit und der bekannt schlechten Behandlung seiner Kinder ächtet sie ihn nicht, denn er hat ein Amt inne und gilt als genialer Deichbau-Ingenieur. Nur der Erzähler wagt zu zweifeln: „Ob der Herr Etatsrat, welcher eine höhere Stelle in dem Wasserbauwesen unseres Landes bekleidete, wirklich mit so viel Verstand und Kenntnissen ausgestattet war, wie man dies von ihm behauptete, . . . darüber vermag ich nicht zu urteilen." (II,118) Gegen die Kinder des Etatsrats schließlich verhält sich die Gesellschaft ebenso gleichgültig und grausam wie der Vater selbst. Niemand hat Archimedes in seiner Jugend vor den Gefahren des Trinkens gewarnt, im Gegenteil — erfahrene Männer haben ihn sogar dazu ermutigt. Niemand weilte am Sterbelager des jungen Mannes, seine Wirtsleute sorgen sich nur um den Mietzins.

Keine der Schulkameradinnen Sophies hat das isolierte Mädchen zu ihrer Freundin machen wollen. Nicht der Etatsrat, sondern Sophie bekommt die Ablehnung der Gesellschaft zu spüren: auf ihrem ersten und letzten Ball wird sie von den früheren Kameradinnen geschnitten; keine zeigt Erbarmen oder Verständnis für das arme Geschöpf. Ein Mädchen spricht für alle: „ . . . finden Sie nicht selbst, daß es Fräulein Sternow völlig freisteht, unsere Gesellschaft aufzusuchen, wenn sie anders meinen sollte, daß sie noch dahin gehöre?" (II,145) Als schließlich das volle Ausmaß von Sophies Unglück bekannt wird, ist die Gesellschaft gebührend entrüstet — über Sophie. Nur wenige folgen ihrem Sarg, aber „die Stadt hatte auf Wochen Stoff zur Unterhaltung" (II,159).

Der Erzähler ist der einzige, der immer wieder versucht hat, das Los von Archimedes und Sophie zu erleichtern, aber er ist am Etatsrat und den Mitmenschen gescheitert. Seine Kritik trifft nicht nur den Etatsrat, sondern auch die Gesellschaft. Die Menschen sind Tiere in menschlicher Gestalt — grausam und nur auf ihr eigenes Wohl bedacht. Den Etatsrat nennt der Erzähler einen „Oger" (II,124) und zählt ihn nur seiner unbeweglichen Ohren und seines aufrechten Ganges wegen zur Gattung homo sapiens. Musche Käfer steht dem Etatsrat an Schlechtigkeit nicht nach, obwohl „alte Damen ihn einen feinen jungen Menschen nannten" (II,138). Er ist eine „Kreatur" (II,137) — „nicht mal ein ordentlicher Käfer, höchstens ein Insekt der siebenten Ordnung, so eine Schnabelkerfe oder dergleichen etwas!" (II,140) Aber auch Sophies Schulkameradinnen werden als „hartherzige Kreaturen" (II,127) bezeichnet. Wie Büchner sah Storm jetzt die Welt ohne jede Illusion; nur das Mitgefühl für die Schwachen, die dem Gesetz des Stärkeren zum Opfer fallen, bildet den erwähnten „edlen Kern" dieser Dichtung.

Storm stellte einen abstrakten allgemeinen Konflikt an einem individuellen Fall dar, der gleichzeitig für die zeitgenössische Gesellschaft repräsentativ ist und damit der Novelle eine aktuelle, sozialkritische Dimension verleiht. Allerdings tritt der gesellschaftskritische Aspekt vor dem individuellen zurück, da Storm den Etatsrat grotesk beschreibt und dadurch aus der übrigen Gesellschaft heraushebt. Diese Art der Darstellung schwächt die Aussage der Novelle ab, aber Storm glaubte, seinen Vorwurf künstlerisch nur auf diese Art gestalten zu können. In seinen Aufzeichnungen „Was der Tag gibt" findet sich folgende Notiz: „Das ästhetisch oder moralisch Häßliche muß durch den Humor wiedergeboren werden, um in der Kunst verwendet werden zu können; dann entsteht das Groteske. (Der Etatsrat.)" [29]

Hans und Heinz Kirch (1881/82)

Zum vierten und letzten Mal stellte Storm in dieser Novelle den Konflikt zwischen Vater und Sohn in den Mittelpunkt. Keller hatte ihm zwar geschrieben, daß er „die harten Köpfe, die ihre Söhne quälen", nicht liebe [30], aber Storm erwiderte ihm am 27. November 1882: „ ... so meine ich doch, daß ein solcher in der Menschennatur liegender Prinzipalkonflikt der Dichtung nicht vorbehalten bleiben darf; nur muß man der harten Kraft, oder wie es sonst richtiger zu bezeichnen ist, des Vaters auch etwas Derartiges in dem Sohn entgegenstellen . . .". Zum ersten Mal hatte Storm diesen Konflikt in der Skizze „Im Sonnenschein" eingeführt, ohne ihn psychologisch auszuarbeiten. Unter dem Eindruck persönlicher Erfahrungen mit seinem Sohn Hans schrieb er 23 Jahre später die Novelle „Carsten Curator", in welcher der Sohn den Vater quält und dieser den Konflikt in seiner eigenen Brust austrägt. Im „Etatsrat" verlegte Storm den Kampf zwischen Kindern und Vater ganz nach außen; die Gewichte sind in dieser Erzählung ungleich verteilt: Sohn und Tochter sind dem Vater hilflos ausgeliefert. Im Gegensatz zu „Carsten Curator" und dem „Etatsrat" sind in „Hans und Heinz Kirch" Vater und Sohn wesensähnlich: beide haben einen „harten Kopf" und sind in ihrem Groll und Trotz unerbittlich.

Eine Szene aus der Zeit, als Heinz noch ein Kind ist, deutet bereits den kommenden Konflikt an. Während Hans Kirch auf seinem Schiff einen Mittagsschlaf hält, ist der sechsjährige Heinz der Aufsicht des Schiffsjungen entwischt und auf den Bugspriet geklettert: „Hans Kirch aber stand unbeweglich, gelähmt von der Ratlosigkeit der Angst; nur er wußte, wie leicht bei der schwachen Luftströmung das Segel flattern und vor seinen Augen das Kind in die Tiefe schleudern konnte . . . Da kam von dem Knaben selbst die Entscheidung . . . Behutsam . . . nahm er seinen Rückweg . . ." (II,165). Zunächst überwiegt in Hans Kirch die Freude, „aber schon begann die überstandene Angst dem Zorn gegen ihren Urheber Platz zu machen." (II,165—166) Je mehr sich in den folgenden Jahren der eigene Wille des Jungen entwickelt, desto härter wird der Vater, desto seltener zeigt er seine Liebe. Als er erfährt, daß Heinz die arme Wieb liebt, deren Mutter in zweifelhaftem Ruf steht, schreibt er Heinz einen Brief, „in welchem in verstärktem Maße sich der jähe Zorn ergoß" (II,178). Heinz reagiert mit trotzigem Schweigen. Nach vielen Monaten kommt endlich doch ein Brief, aber er ist unfrankiert. Wieder überwältigt Hans Kirch der Zorn, „sein Kopf brannte, er brauste ihm vor den Ohren. ‚Lump!' schrie er plötzlich, ‚so kommst du nicht in deines Vaters Haus!' " (II,182) Er schickt den Brief ungeöffnet zurück. Nach siebzehn Jahren hört der Vater, Heinz sei als armer Matrose wieder im Lande. Er holt den „verlorenen Sohn" zwar nach Hause, aber ein menschlicher Kontakt will sich nicht mehr ergeben. Ist es wirklich Heinz? Gerüchte und die innere Entfremdung lassen Hans Kirch an der Identität seines Sohnes zweifeln. Für Heinz hat das Leben seinen Sinn verloren.

Der Vater hat ihn schon einmal zurückgestoßen, von ihm erwartet er keine Liebe mehr. Auch seine Liebe zur kleinen Wieb wird nicht erfüllt. In seiner langen Abwesenheit hat sie einen Trunkenbold geheiratet und ist zu einer Schenkmagd von schlechtem Ruf hinabgesunken. Als der Vater ihn zum zweiten Mal von sich stößt und ihn mit einer Abfindungssumme aus der Stadt schickt, leistet Heinz keinen Widerstand. Von nun an bleibt er verschollen.

Die Novelle enthält nicht nur einen Charakterkonflikt; Hans und Heinz haben verschiedene Lebensziele. Hans Kirch strebt nach äußerlichen Dingen: Geld, Prestige, Einfluß in der Gesellschaft. Heinz Kirch dagegen stellt Liebe und menschliche Wärme über „vernünftige" und ehrgeizige Ziele. Er will Wieb heiraten. Beide scheitern an ihrer eigenen und des andern Starrköpfigkeit. Wie in den früher genannten Novellen unterliegt die Liebe im Kampf gegen Egoismus, Materialismus und Rücksichtslosigkeit. Darin liegt die allgemeingültige Dimension der Novelle. Das Glück kann aber nur in der Liebe und Barmherzigkeit der Menschen liegen — sei es in der Liebe zwischen Eltern und Kindern oder zwischen Mann und Frau. Auch Hans Kirch muß das erkennen. Als ihm schließlich zu Bewußtsein kommt, daß ihm sein Sohn für immer verloren ist, trifft ihn, wie Carsten Curator, ein Schlaganfall. Auch sein Leben ist nun sinnlos. Nur eine Hoffnung bleibt ihm noch: die Hoffnung auf die göttliche Liebe und Barmherzigkeit, auf ein Wiedersehen in der Ewigkeit. Gibt es aber eine Ewigkeit? Der „Sozialdemokrat" höhnt: „ . . . die Ewigkeit ist in den Köpfen alter Weiber!" (II,226) Auf Erden ist Hans Kirch nur die „allbarmherzige Frauenliebe" der verblühten Wieb geblieben, die „allen Trost des Lebens in sich schließt" (II,227). Über Hans Kirch schrieb Storm am 15. Dezember 1882 an Erich Schmidt: „Der Alte ist nicht zu hart, so sind unsre Leute hier, es hätte nur noch eine Szene geschrieben werden sollen, wo die selbstverständlich im Grunde schlafende Vaterliebe zum Durchbruch gekommen wäre . . ." [31].

Die Novelle besitzt auch eine zeitbezogene, sozialkritische Dimension. Hans Kirch entstammt dem Kleinbürgertum, das im Begriff ist, sich auf der sozialen Stufenleiter emporzuarbeiten. Mit seinem Geiz und Ehrgeiz, gepaart mit Rechtschaffenheit, ist er ein typischer Vertreter dieser Klasse: „Es ist begreiflich, daß auch manchen jungen Matrosen oder Steuermann aus dem kleinen Bürgerstande beim Eintritt in die Kirche statt der Andacht ein ehrgeiziges Verlangen anfiel, sich auch einmal den Platz dort oben [in dem ‚Schifferstuhl' für die Schiffseigentümer und

Reeder] zu erwerben, und daß er trotz der eindringlichen Predigt dann statt mit gottseligen Gedanken mit erregten weltlichen Entschlüssen in sein Quartier oder auf sein Schiff zurückkehrte." (II,162) An dieser Passage wird Storms Gesellschaftskritik deutlich. Was ist das für eine Gesellschaft, welche die sozialen Unterschiede sogar in die Kirche trägt? An Stelle der geistigen sind materielle Werte getreten, an Stelle der Brüderlichkeit der „Stufengang der bürgerlichen Ehren" (II,162). Äußerlich erfüllen sich Hans Kirchs Pläne und Wünsche. Sein Schwiegersohn gelangt zu wirklichem Reichtum; ihm wird auch „der Stadtrat nicht entgehen" (II,227). Doch der Preis für diesen sozialen Aufstieg ist für Hans Kirch zu hoch; er bezahlt ihn mit seinem Glück und seinem Seelenfrieden.

In der Novelle „Im Schloß" hatte sich Storm gegen die Bevorzugung einer Klasse aufgrund der Geburt und des Blutes gewandt; in „Pole Poppenspäler" gegen die Bewertung eines Menschen nach seinem Beruf; hier wendet er sich gegen die Klassifizierung der Menschen nach ihrem Besitz und nach bürgerlichen Ehren. Was macht den Menschen zum Menschen? Weder Geld, Amt noch Ehrentitel (der „Herr Etatsrat" ist eine „Bestie"), sondern Liebe und Barmherzigkeit. Die Gesellschaft ist am Unglück von Hans und Heinz Kirch ebenso schuldig wie die beiden selbst. Es ist interessant zu beobachten, daß Storm den Vater-Sohn-Konflikt zwar in der individuellen Form variiert, die allgemeine und die zeitbezogene Dimension jedoch unverändert läßt. In allen drei Novellen — „Carsten Curator", „Der Herr Etatsrat" und „Hans und Heinz Kirch" — bringen die Gefühle der Liebe und Barmherzigkeit oder die Suche nach ihnen den Menschen in offenen Widerspruch zur Gesellschaft. Die Gesellschaft bezeichnet sich zwar als christlich, aber nicht christliche Prinzipien leiten sie, sondern es gilt das Recht des Stärkeren.

John Riew' (1884/85)

Im Mittelpunkt dieser Novelle steht kein Konflikt, sondern ein Problem. Wie in „Carsten Curator" und „Zur Chronik von Grieshuus" ist es eine Erbanlage, an der die „Helden" der Geschichte zugrunde gehen. Waren es in „Carsten Curator" der verantwortungslose Leichtsinn und in „Grieshuus" der Jähzorn, die den Untergang herbeiführten, so ist es in „John Riew'" die Neigung zur Trunksucht. Der Mensch ist zwar nicht völlig ein Opfer seiner Erbmasse (wie in „Carsten Curator"); die Umwelt ist das Zünglein an der Waage — es kann als ausgleichendes Korrektiv wirken oder der Tropfen sein, der das Gefäß zum Überlaufen bringt. Meist ist letzteres der Fall.

In Rick Geyers, der ein „wahres Nest von Tugenden" (II,425) ist, schlummert latent die Neigung zum Alkoholismus: „Wenn der Mensch zu viel Tugenden hat . . . dann ist der Teufel allemal dahinter. . . . es ist gegen die Natur des unvollkommenen Menschen, den unser Herrgott nun einmal so geschaffen hat; denn irgendwo in unserm Blute sitzt er doch, und je dicker er mit Tugenden zugedeckt wird, desto eifriger bemüht er sich, die Hörner in die Höh zu kriegen." (II,425) Die Richtigkeit dieser Ansicht erweist sich, als Rick Geyers gegen den Rat seines Freundes John Riew' Riekchen heiratet. Diese „Perle" ist nämlich ein „Unmuster von Tugend" (II,426), ein einfältiges „Tugendmensch" (II,427); später nennt John Riew' sie sogar ein altes „Tugendmöbel" (II,444), eine „alte Tugendkreatur" (II,425). Als die beiden Tugendmenschen zusammenleben, wird es Rick endlich zuviel der Tugend. In ihm wird der Teufel lebendig. Um seiner Frau wenigstens zeitweise zu entgehen, ergibt er sich dem Alkohol. Eines Nachts fällt er betrunken in einen Kanal und ertrinkt.

Die Tochter des Tugendpaares ist ganz anders geartet. Anna ist eitel, verzogen und eigenwillig; es ist „etwas Begehrliches" in ihr, aber „alles, was sie tat, . . . geschah mit einer Art von froher Anmut" (II,420). Ihr „Ohm" John Riew' nennt sie zärtlich eine „junge Katze" (II,440): „Nicht wahr, schlecken und dich putzen . . . das möchtest du wohl dein Leben lang . . . !" (II,420) Auch in Anna schlummert die Neigung zum Alkohol; wie ihrem Vater sind ihr die äußeren Umstände nicht günstig. Schon als Kind ermuntert der Onkel sie, an seinem Grog zu nippen und gewöhnt sie so an den Geschmack scharfer Sachen. Später duldet die Mutter den Umgang mit einem Grafen, der sich um Annas Gunst (nicht um ihre Hand) bemüht. Riekchen kann zwar kochen und braten, aber sie „sagte nie ein Wort entgegen und hatte niemals eine Meinung" (II,426). Auf die Vorhaltungen von John Riew' entgegnet sie: „Ohm Riew', . . . unsere Anna ist ein Kind; — ich aber bin mein langes Leben hindurch eine ehrenwerte Frau gewesen! Wir werden sie [den Grafen und seine vornehmen Freunde] nicht verunehrt haben!" (II,443) Die Dummheit des Ohms und der Mutter — „Dummheit ist auch eine arge Sünde" (II,434) — treibt Anna in ihr Unglück. Der Graf aber besiegelt ihr Schicksal. Er handelt mit bösartiger Berechnung. Sein Ziel ist es, Anna zu verführen, was ihm mit Hilfe des Alkohols gelingt. Darauf verschwindet er von der Bildfläche. Anna trauert ihm nicht nach, aber die Schande ist zu viel für sie. Nachdem sie einem Knaben das Leben gegeben hat, geht sie ins Wasser.

Die Erzählung vom Schicksal Rick Geyers ist nur die Vorbereitung für den Hauptteil der Geschichte, das Los Annas. Rick war durch persönliches Mißgeschick, ja eigentlich durch eigene Schuld ins Unglück gekommen. An Anna aber demonstriert Storm die Unfreiheit des Menschen, dessen Leben durch seine Erbmasse weitgehend determiniert ist. Die genetischen Anlagen verurteilen den Menschen zu einem Dasein, das nicht er selbst, sondern höchstens noch die Umwelt beeinflussen kann. Diese Theorie der Wissenschaftler, die man im ausgehenden 19. Jahrhundert allgemein akzeptierte, führt Storm in der Form eines Zeitungsartikels in die Novelle ein: „ . . . alles ist vererblich jetzt: Gesundheit und Krankheit, Tugend und Laster . . ." (II,456). Die logische Konsequenz ist, daß dem Menschen auch weniger Verantwortung für seine Taten aufgebürdet werden kann: „ . . . den mitschuldigen Vorfahren müßte gerechterweise doch wenigstens ein Teil der Schuld zugerechnet werden, wenn auch die Strafe an ihnen nicht mehr vollziehbar oder schon vollzogen ist." (II,456) Storm geht damit über den speziellen Erbfaktor des Alkoholismus hinaus; er deutet ein Naturgesetz an, das den Menschen zur Unvollkommenheit zwingt. Darin liegt die — entsprechend dem damaligen Stand der Wissenschaft — allgemeingültige und überzeitliche Dimension der Novelle.

In Rick und Riekchen wurden die Schwächen der menschlichen Natur zu sehr von Tugend überdeckt; daher brechen sie in Anna um so krasser hervor. In Annas Sohn scheint das Gleichgewicht von Gut und Böse wieder möglich. Zwar zeigt er sich als Junge wild und berechnend (Erbteil des adligen Vaters?), doch die strenge und gleichzeitig liebevolle Erziehung durch John Riew' scheint die schlechten Anlagen unter Kontrolle bringen zu können. Indem John Riew' den Jungen auf den rechten Weg führt, sühnt er seine Schuld am Unglück Annas. Wer aber weiß, ob die Umstände dem jungen Mann günstig bleiben werden? Storm gestattete sich nur einen gedämpften Optimismus — seine eigenen Erfahrungen mit seinem Sohn Hans hatten ihn skeptisch gemacht.

Anna wird einerseits die Dummheit und Gedankenlosigkeit der Mutter und des Ohms zum Verhängnis, andererseits die Gesellschaft. Der Graf und seine Freunde sind durch ihre soziale Stellung charakterisiert; sie sind

Repräsentanten des dekadenten Adels, der sich mit Bürgermädchen amüsiert. Storm bezeichnet den Grafen als nutzlosen „Wasserschößling aus großer Familie" (II,425). Zwar sieht er „wirklich vornehm" aus, aber sein Gesicht ist „ziemlich verkommerschiert" (man erinnere sich an Storms heftige Abneigung gegen Korpsstudenten!), und „die vielen Haare, die nicht mehr da waren, hatten wohl auch umsonst sich nicht empfohlen" (II,442). Annas Schicksal ist kein Einzelfall — man denke etwa an Fontanes Gesellschaftsromane *Stine* und *Irrungen, Wirrungen*. Allerdings geht Fontane mit dem Adel glimpflicher um als Storm, bei dem der adlige Lebemann den Alkohol zu Hilfe nehmen muß, um Anna verführen zu können. Auch die bürgerliche Gesellschaft trägt indirekt zu Annas Unglück bei. Die Nachbarstöchter versuchen es nicht, Anna zu warnen oder ihr zu helfen. Sie beschäftigen sie einfach nicht mehr als Näherin und distanzieren sich von ihr unter Nasenrümpfen und mit einer gewissen Schadenfreude, denn sie haben den Grafen durchschaut. Die Gesellschaft ist keinesfalls eine Gemeinschaft. Das Individuum wird von ihr bedroht; Hilfe ist nicht von ihr zu erwarten. Darin liegt die sozialkritische Dimension der Novelle.

Ein Doppelgänger (1886)

Der Titel dieser Novelle, der — wie Storm selbst zugab — „etwas geschraubt" klingt [32], weist auf das Problem der Doppelstruktur des Menschen hin, der einerseits Individuum, andererseits Teil der Gesellschaft ist. Zu welch unlösbaren Konflikten dieser Gegensatz zwischen dem Einzelnen und der Gesellschaft, aber auch zwischen persönlichem Wollen und sozialem Pflichtbewußtsein führen kann, zeigt Storm am Beispiel John Hansens. Wie in Brechts Drama *Der gute Mensch von Sezuan* ist die Voraussetzung für solche Konflikte die wirtschaftliche Notlage des Menschen. John Hansen ist — wie Shen Te — zu arm, um gut sein zu können. Aus dieser Situation ergibt sich die doppelte Persönlichkeit, welche Brecht durch eine zweifache Identität, Storm durch zwei verschiedene Erinnerungsbilder illustriert. In der Rahmenerzählung sagt Hansens Tochter von ihrem Vater: „Wir haben zusammen Not gelitten, gefroren und gehungert, aber an Liebe war niemals Mangel." (II,596) Oftmals ist ihr aber, als hätte sie vorher, zu Lebzeiten der Mutter, einen anderen Vater gehabt — einen Vater, „den ich fürchtete, vor dem ich mich verkroch, der mich anschrie und mich und meine Mutter schlug ..." (II,596). Das letzte Bild stimmt mit demjenigen überein, das sich die Gesellschaft von John Hansen gemacht hat. Nachdem John eine Zuchthausstrafe in Glückstadt verbüßt hat, heißt er bei den Leuten nur noch „John Glückstadt".

In der Innenerzählung unternimmt es Storm, diese beiden Charakterisierungen in einen logischen Kausalzusammenhang zu bringen. Ausgangspunkt ist Hansens äußerer Konflikt mit der Gesellschaft: er wird eines Einbruchdiebstahls überführt und zu sechs Jahren Zuchthaus verurteilt. Das Urteil ist zu hart, denn Hansen ist jung, eben aus dem Militärdienst entlassen; er hat das Verbrechen nicht aus Habgier, sondern aus Tatendrang begangen. Auf legale Weise hatte er diesen Tatendrang nicht befriedigen können, denn die Gesellschaft hatte keine Arbeit für ihn. John hat als Soldat seine soziale Pflicht erfüllt; die Gesellschaft dagegen fühlt sich für ihn nicht verantwortlich — der Mensch ist ja „frei"! John verbüßt seine schwere Strafe, doch die Mitwelt gibt sich mit der gesetzlichen Sühne nicht zufrieden — sie stößt den ehemaligen Zuchthäusler aus. Man bietet ihm keine oder nur die schlechteste Arbeit an; die Kollegen schneiden ihn; als seine Frau ein Kind erwartet, kommt die Hebamme nur widerwillig. Die tragische Ironie dabei ist, daß John keineswegs ein Asozialer ist; er leidet unter seinem Vergehen und nimmt alle Ungerechtigkeiten schweigend und duldend hin. Sein sittliches und soziales Verantwortungsbewußtsein ist wesentlich größer als das der „unbescholtenen" Bürger. Nur seiner Frau gegenüber macht Hansen zuweilen seinem Groll Luft: „Wenn an arbeits- und verdienstlosen Tagen die Not, oder was immer es sein mochte, seine Nerven zucken machte, so faßte auch ferner seine böse Hand nach seinem Weibe, deren Blut nicht kälter rollte als das seine." (II,616) Zwar folgt auf jeden Streit eine leidenschaftliche Versöhnung, aber eines Tages stößt John seine Frau so heftig zu Boden, daß sie mit dem Kopf gegen den eisernen Ofen schlägt und stirbt. Noch im Tod verzeiht sie ihm: „Nein John — kein Doktor — du bist nicht schuld ... Küß mich John!" (II,620—621) Johns Aufbegehren gegen sein Los wird also mit neuem Unglück vergolten; die feindliche Welt hat schließlich auch sein einziges Glück, seine Ehe, zerstört.

John Hansen ist kein Einzelfall — er steht für alle, die zwar einmal mit dem Gesetz in Konflikt geraten sind, aber nach Verbüßung der Strafe den guten Willen haben, einen neuen Anfang zu machen. Am Ende kommentiert Storm das Schicksal Hansens mit den Worten des Bürgermeisters: „Nachdem dieser John von Rechtes wegen seine Strafe abgebüßt hatte, wurde er, wie gebräuchlich, der lieben Mitwelt zur Hetzjagd überlassen. Und sie hat ihn nun auch zu Tode gehetzt; denn sie ist ohn Erbarmen." (II,640). Storm spricht hier als Jurist; im Gegensatz zu Brecht klammert er das wirtschaftliche Problem fast völlig aus. Ihm geht es um die psychologischen Motive des Konflikts und um seine Folgen; er prangert nicht das ökonomische System, sondern die Grausamkeit und Selbstgerechtigkeit der Gesellschaft an. Zwar geht er nicht so weit, eine „Resozialisierung" ehemaliger Häftlinge im modernen Sinn zu fordern, doch ist seine Kritik deutlich genug. In dieser Kritik liegt die (auch heute noch) aktuelle Dimension der Novelle.

Der äußere Konflikt zwischen Individuum und Gesellschaft verschärft sich bei Storm wie bei Brecht zu einem inneren Konflikt: Der Selbsterhaltungstrieb gerät in den Kampf mit dem sittlichen Verantwortungsbewußtsein. John Hansen lehnt sich schließlich — wie Shen Te — gegen die göttlichen Gebote auf, denn er könnte sie nur erfüllen, indem er sein eigenes Leben und das seines Kindes preisgeben würde. Bei Brecht beginnt einer der drei Götter dies einzusehen: „Ach, . . . unsere Gebote scheinen tödlich zu sein! . . . Die Welt ist unbewohnbar, ihr müßt es einsehen!" Und auf das Gegenargument, die Menschen seien nichts wert, erwidert er: „Weil die Welt zu kalt ist!" [33] Auch bei Storm heißt es: „ . . . die Welt ist gar zu kalt!" (II,632) Als John Hansen sehen muß, wie seine kleine Tochter allmählich verhungert, will er lieber stehlen, als sie betteln zu lassen. „Ich kann nicht, lieber Gott! Mein Kind! Es soll ans Kreuz geschlagen werden; laß mich es retten; ich bin ja nur ein Mensch!" (II,638) Brecht läßt in einer abschließenden Gerichtsverhandlung die Ohnmacht der Götter offenbar werden; Storms „guter Mensch" wird verurteilt: Als sich John Hansen vor Morgengrauen mit einem Säckchen voll gestohlener Kartoffeln nach Hause schleichen will, stürzt er auf einem Acker, „wo vor ein paar hundert Jahren der dreibeinige Galgen . . . stand" (II,604), in den „Schinderbrunnen" (II,641). Noch am Abend desselben Tages hört man einen „Spuk" auf diesem Feld — eine hohle Stimme tief aus der Erde. Einige Tage später stoßen Aasvögel in den Brunnen; so wie sie früher von den Leichen der Gehenkten fraßen, fressen sie nun die sterblichen Reste John Hansens. Ort und Art des Todes machen deutlich, daß Storm das Geschehen nicht als Zufall verstanden wissen wollte, sondern als ungerechten Richtspruch der Gesellschaft und als grausames Gottesurteil. Wenn es einen göttlichen Richter gibt, so ist er ohne Erbarmen, und die menschliche Gesellschaft ist sein

getreues Abbild. Was Friedrich Dürrenmatt in seiner Parabel „Der Folterknecht" schreibt, gilt auch für diese Novelle Storms: „Die Folterkammer
ist die Welt. Die Welt ist Qual. Der Folterknecht ist Gott. Der foltert."[34]
In dieser Aussage liegt die allgemein-überzeitliche Dimension dieses Werkes von Storm.

Literarisches Vorbild für den „Doppelgänger" war Annette von Droste-
Hülshoffs „Judenbuche". Storm kannte und schätzte diese Erzählung seit
langem; dreimal mahnte er Heyse, sie in seinen *Novellenschatz* aufzu-
nehmen, wo sie schließlich in Band 24 erschien. Ein deutlicher Hinweis im
Text des „Doppelgängers" auf die „Judenbuche" ist die kurze Passage über
einen alten Mann, „der wegen gleichen Vergehens [Raub] in der ‚Sklaverei' gewesen war und manches Jahr in Ketten die Karre geschoben hatte. ... Nun wohnte er in einem nahen Dorfe und fuhr mit seiner mage-
ren Kracke weißen Sand zur Stadt und schnitzte, wenn er daheim
war, Holzschuhe und Sensenstiele." (II,618) Auch Johannes Niemand war
aus der Sklaverei zurückgekehrt und verdiente mit Holzschnitzen ein paar
Pfennige. Vor allem aber übernahm Storm von der Droste das Motiv
des Doppelgängers. In der „Judenbuche" tritt Friedrich Mergel in Johannes Niemand „das Klägliche seiner bisherigen Existenz als menschge-
wordenes Jammerbild"[35] vor Augen, das Mergel überwinden will, indem er einen Platz in der Gesellschaft zu erringen sucht. Auch John Hansen ist leidende Kreatur, während er gleichzeitig um seine soziale Reha-
bilitierung kämpft. Im Tode werden die Doppelgänger eins: der Selbst-
mörder Johannes Niemand wird als der Mörder Friedrich Mergel erkannt;
John Hansens Schuld und Sühne finden ihr Ende. In beiden Fällen wird
die leidende Kreatur, die bereits mehr als genug gebüßt hat, gerichtet.
Wie die Droste klagt Storm die Ungerechtigkeit Gottes, der Gesellschaft
und der Justiz an.

Die Innenerzählung der Novelle „Ein Doppelgänger" kann als das
„modernste" Werk Storms bezeichnet werden. Er schildert konsequent
und ohne „Poetisierung" den aussichtslosen Kampf eines gesellschaftlichen
Außenseiters um eine menschenwürdige Existenz in einer ungerechten
Welt. Interessant ist, wie sich Storms Perspektive von der Brechts unterscheidet. Wie Kafka zeigt Storm, daß das Individuum von der menschlichen Gesellschaft verfolgt wird und ihr schließlich zum Opfer fällt,
während Brecht eine „gute" Gesellschaft schaffen möchte, was durch das
individuelle Glückstreben verhindert wird. Die Rahmenerzählung schwächt
die Aussage der Innenerzählung ab; in ihr scheint die Welt wieder „heil"

zu sein. Hansens Tochter Christine ist von einem Pastorenehepaar aufgezogen worden und hat schließlich den Sohn der Familie, einen Förster, geheiratet. Sie ist nun eine glückliche Frau und Mutter. Fritz Böttger verkennt aber die Bedeutung der Rahmenerzählung, wenn er zu dem folgenden Schluß kommt: „ . . . er [Storm] gibt sich der Hoffnung hin, daß allen Fehlleistungen, Schändlichkeiten und Katastrophen zum Trotz der Weg der Menschheit im großen und ganzen aus der Dunkelheit von Tragödien und Trauerspielen in die Helle des gesicherten bürgerlichen Stillebens führt." [36] Gewiß, die Försteridylle im Wald ist ein Stilleben, aber es ist wichtig zu erkennen, daß John Hansens Schicksal die Regel, das Schicksal seiner Tochter die Ausnahme ist. Hansen wird „wie gebräuchlich" der Gesellschaft zur Hetzjagd überlassen; daß seine Tochter nicht ebenfalls in Armut, Schuld und Verachtung untergehen muß, ist ein Zufall. Wie sagt Shen Te? „In unserem Lande / Braucht der Nützliche Glück." [37] Christines Los ist ein Beweis für einen solchen Glückszufall, nicht aber für soziale oder göttliche Gerechtigkeit. Nicht Leute ihrer Heimatstadt haben sich der kleinen Christine angenommen, sondern ein Ehepaar, das auf der Durchreise ein paar Tage in dem Ort Station machte. Nun lebt Christine fern von der Gesellschaft tief im Wald — nur dort ist ihr Glück möglich. Ihr Mann distanziert sich sogar selbst von seinen tüchtigen Mitbürgern: „ . . . es ist so tröstlich, auch einmal mit einem Menschen und nicht eben mit einem Herrn Geheimen Oberregierungsrat oder einem Leutnant zu verkehren." (II,592) Die Rahmenerzählung mildert nicht nur die Aussage der Innenerzählung; sie hebt sie auch durch die Kontrastwirkung hervor. Die Tatsache, daß vereinzelt Menschen aus dem Dunkel ins Licht zu treten vermögen, läßt das Elend der vielen Unglücklichen nur umso schwärzer erscheinen. Am Ende fragt sich der Leser mit Brecht: „Soll es ein andrer Mensch sein? Oder eine andre Welt? / Vielleicht nur andere Götter? Oder keine?" [38] Storm glaubte nicht — wie Brecht —, daß es eine Lösung geben müsse; er hatte resigniert. Böttger hat recht, wenn er schreibt, daß sich Storm „eine andere Gesellschaftsordnung als die vorhandene gar nicht vorzustellen vermochte" [39]. Er irrt aber, wenn er Storms Haltung auf den „alten humanistischen Glauben" zurückführt, „daß sich trotz aller verworrenen Entwicklung die bürgerliche Gesellschaft im Laufe der Zeit zu Nutz und Frommen aller Individuen vervollkommnen würde" [40]. Für den späteren Storm stand fest, daß die Gesellschaft dem Naturgesetz vom Überleben des Stärkeren gehorcht. Das Individuum kann zuweilen durch Liebe und Erbarmen im

Einzelfall Härten mildern, ändern oder beeinflußen kann es dieses Naturgesetz nicht.

Ein Bekenntnis (1887)

Am 9. Dezember 1887 schrieb Storm an Gottfried Keller, das Problem dieser Novelle sei nicht (wie in Heyses Erzählung „Auf Tod und Leben"), „ob es gestattet sei, einem, den man als unheilbar erkannt habe, zum Tode zu verhelfen". Sein Thema heiße: „wie kommt ein Mensch dazu, sein Geliebtestes selbst zu töten? und, wenn es geschehen, was wird mit ihm?"

Elsi, die Frau des Arztes Franz Jebe, ist unheilbar an Unterleibskrebs erkrankt. Auf ihre Bitten hin erlöst Jebe sie von ihren unerträglichen Schmerzen durch Gift. Wenige Wochen später entdeckt er in einer medizinischen Zeitschrift, die er während Elsis Krankheit ungelesen beiseite gelegt hatte, eine neue Heilmethode. Es gelingt ihm, eine Patientin, die auch an Unterleibskrebs leidet, mit dieser Methode zu retten. Jetzt weiß er, daß Elsi nicht hätte sterben müssen, daß er sie ermordet hat. Als Ehemann Elsis trägt Jebe schwer an ihrem Verlust; mehr noch quält ihn seine Tat als Arzt: „ ... es gibt etwas, von dem nur wenige Ärzte wissen; auch ich wußte nicht davon, obgleich ihr mich zum Arzt geboren glaubtet, bis ich daran zum Verbrecher wurde ... Das ist die Heiligkeit des Lebens ... Das Leben ist die Flamme, die über allem leuchtet, in der die Welt ersteht und untergeht; nach dem Mysterium soll kein Mensch, kein Mann der Wissenschaft seine Hand ausstrecken, wenn er's nur tut im Dienst des Todes; denn sie wird ruchlos gleich der des Mörders!" (II,691—692)

Jebe bestraft sich selbst, indem er seine „Begier nach Leben" (II,690) in sich abtötet und eine neue Liebe zurückweist, die in seinem Herzen keimt. Damit nicht genug: als Arzt will er sühnen, indem er Leben rettet. Er geht „fort, weit fort, für immer; nach Orten, wo mehr die Unwissenheit als Krankheit und Seuche den Tod der Menschen herbeiführt" (II,693). Dort will er „in Demut ... dem Leben dienen" (II,693—694). Als Ehemann Elsis ist Jebe Individuum und braucht nur sich selbst Rechenschaft abzulegen. Als Arzt ist er der Gesellschaft gegenüber verantwortlich — diese Seite des Problems verleiht der Novelle ihre überpersönliche, allgemeingültige Dimension.

Böttger betont besonders den autobiographischen Aspekt dieses Werkes von Storm: „In der Ehe des Arztes hat Storm noch einmal seine eigene Ehe mit Constanze poetisiert. Das Sterben der Frau spiegelt das Ableben Constanzes. Die Krankheit ... ist eine Analogie zu dem Kindbettfieber, an dem Constanze zugrunde gehen mußte, obwohl die Entdeckung von Semmelweis veröffentlicht waren [sic]. Der Weg der Tätigkeit im opfervollen Dienste edler Menschlichkeit, den Franz Jebe beschreitet, ist ein Symbol dafür, wie der Dichter seine eigene Lebensarbeit nach dem Tode Constanzes aufgefaßt wissen wollte." [41] Sicherlich haben in dieser Novelle persönliche Erfahrungen Storms ihren Niederschlag gefunden, aber Böttger läßt in seiner biographischen Interpretation das zentrale Problem von Schuld und Sühne unberücksichtigt. In den entscheidenden Punkten weist das Leben Franz Jebes *keine* Ähnlichkeit mit dem Storms auf, und es ist daher verfehlt, in dem Bekenntnis des Arztes auch „ein Bekenntnis des Dichters" [42] zu sehen, wie es Böttger tut.

In erster Linie trägt Jebe die Züge des gründerzeitlichen Genies. Zunächst erfahren wir von seiner außergewöhnlichen Begabung: „Er war einer von den wenigen, die schon auf der Universität von den Gleichstrebenden als eine Autorität genommen werden, was bei ihm, besonders hinsichtlich der inneren Medizin, auch von den meisten Professoren bis zu gewissem Grade anerkannt wurde." (II,647) Als Assistenzarzt gelingt es Jebe, eine Operation glücklich zu vollenden, die von den Professoren aufgegeben worden war. Ein weiteres Charakteristikum für das gründerzeitliche Genie ist die Einsamkeit. Schon als Junge hat sich Jebe abseits gehalten; von ihm gefangene und gezähmte Tiere waren nach den Schulstunden seine „liebste Gesellschaft" (II,651). Über die Studentenzeit bemerkt der Erzähler: „Nähere Freunde besaß er, außer etwa mir, fast keine." (II,647) Doch es sind nicht nur sein einsiedlerisches Wesen und seine überragenden Leistungen, die Jebe von anderen Menschen isolieren. Sein Hochmut stößt viele zurück. Ein „tüchtiger Mediziner", der sich Jebe nicht unterlegen zu fühlen braucht, erzählt von einer Begegnung mit ihm: „Mit einem herablassenden Lächeln sahen mich seine scharfen Augen an; der Zug um seinen schönen Mund wollte mir nicht gefallen." (II,648) Menschen sind für den selbstbewußten Jebe manipulierbare Objekte; so wie er früher seine Tiere gezähmt hat, so kuriert er nun die Menschen. Er selbst erklärt: „ ... an Leichnamen hatte ich den inneren Menschen kennengelernt, so daß mir alles klar vor Augen lag, und wie mit solchen rechnete ich mit den Lebendigen; was war da

Großes zu bedenken!" (II,656) In Jebe zeichnete Storm einen echten „Übermenschen".

Auch bei der Wahl seiner Frau zeigt sich Jebe anspruchsvoller als seine Mitmenschen. Er glaubt, ihm sei ein elfenhaftes Mädchen bestimmt, das ihm einst im Traum erschienen ist — „keine der halb- oder vollgewachsenen Schönen, die meinen Mitstudenten das Hirn verwirrten, konnte ihn [seinen Traum] erschüttern." (II,656) Und so wie Jebe bald der erste Arzt der Stadt wird, erreicht er auch hier sein Ziel: Elsi, die das Abbild des Mädchens aus seinem Traum ist, wird seine Frau. Doch schließlich scheitert Jebe an seinem eigenen Übermenschentum. Bei der Erkrankung Elsis zieht er keinen zweiten Arzt heran; die Sorge um seine Frau hält ihn davon ab, die Fachzeitschriften zu lesen. Er glaubt zu wissen, was es zu wissen gibt. Zu spät kommt die Erkenntnis, daß Größe nicht Machtanspruch, sondern soziale Verpflichtung bedeutet. Nach Elsis Tod entschließt sich Jebe zu Demut, Bescheidenheit und tätiger Menschenliebe. Die Herrschaft über die Menschen ist dem Dienst an den Menschen gewichen. Selbst als Büßender bleibt Jebe jedoch der große Einzelne. Er gibt weder dem Staat noch der Kirche das Recht, über ihn zu richten. Er hat gefrevelt; er selbst mißt sich die Strafe zu. Sein Wille, das Leben nach eigenem Ermessen zu gestalten, ist ungebrochen. Am Ende der Novelle erklärt der Erzähler: „ . . . daß mein Freund [Jebe] ein ernster und ein rechter Mann gewesen ist, daran wird niemand zweifeln." (II,695) Storm erkennt den willensstarken, genialen Einzelnen also durchaus an; in diesem Sinne huldigt auch er dem Geniekult der Gründerjahre. Den machthungrigen Übermenschen im Sinne Nietzsches dagegen lehnt er ab.

Man hat in der Stormforschung bisher übersehen, in welch engem Zusammenhang die beiden Novellen „Ein Bekenntnis" und „Ein Doppelgänger" stehen. John Hansen, der „Held" der letzten Geschichte, ist der Typ des schwachen Menschen, einer der „Vielzuvielen". Franz Jebe ist ein großer Einzelner. Beide töten ihr „Geliebtestes", ihre Frau. Bei Jebe geschieht es absichtlich, bei Hansen ist es Zufall. Jebe scheint aus menschlichem Erbarmen zu handeln, in Wirklichkeit ist es die Vermessenheit des Übermenschen, die ihn zur Tat veranlaßt. Hansen verursacht den Tod seiner Frau scheinbar aus Jähzorn, im Grunde aber sind die wirtschaftliche Not und die Ungerechtigkeit der Gesellschaft für die Tat verantwortlich. Schonungslos entlarvt Storm somit das selbstherrliche Elitedenken seiner Zeit. Kein Individuum kann sich außerhalb der Gesellschaft verwirklichen. Dem Übermenschen wird sein eigener Hochmut zum Verhängnis; der schwache Mensch geht an der Gesellschaft zugrunde. Nur eines hat der große Einzelne der Masse der zum Unglück verurteilten Menschen voraus: er kann zwischen aufgezwungenem Leiden und freiwilligem Märtyrertum wählen. Jebe entschließt sich nach Elsis Tod zu einer freiwilligen Sühne. Seinem Tod sieht er wie einer Erlösung entgegen, während Hansens Sterben das qualvolle Ende eines langsam vollstreckten Urteils ist. Hansen lebt in der Strafkolonie Kafkas, Jebe trägt messianische Züge. In jedem Fall aber ist das Leben eine Qual, gleichgültig, ob es als Strafe, als Sühne oder als Opfer verstanden wird. Darin liegt die sozialkritische Dimension der Novelle.

Der Schimmelreiter (1888)

Mehrere Jahre arbeitete Storm an dieser Novelle. Schon in der Skizze „Lena Wies" (1870) hatte Storm die Sage vom gespenstischen Schimmelreiter erwähnt; die „liebreiche Freundin" seiner Jugend habe sie ihm als Kind erzählt. Tatsächlich hatte er sie in einem Wochenblatt gelesen, so wie er es in der Einleitung des „Schimmelreiters" beschrieb — und zwar in den von J. J. C. Pappe herausgegebenen *Lesefrüchte vom Felde der neuesten Literatur des In- und Auslandes* [43]. Karl Hoppe hat 1948 den Wortlaut der kurzen Erzählung wieder abgedruckt. [44] Wie Hoppe mitteilt, hatte Pappe die Geschichte aus dem *Danziger Dampfboot* übernommen. Storm verpflanzte also — wie in der „Chronik von Grieshuus" und „Ein Fest auf Haderslevhuus" — einen fremden Stoff in die Landschaft seiner Heimat. In einem Brief an Theodor Mommsen vom 13. Februar 1843 schrieb er: „Der Schimmelreiter, so sehr er auch als Deichsage seinem ganzen Charakter nach hierher paßt, gehört leider nicht unserem Vaterlande; auch habe ich das Wochenblatt, worin er abgedruckt war, noch nicht gefunden." Auch später scheint Storm den „Schimmelreiter" nicht an Mommsen gesandt zu haben, denn in der von Storm und Mommsen geplanten Sagensammlung (schließlich von Karl Müllenhoff herausgegeben) ist er nicht enthalten. Daß die Sage wirklich dem Danziger Gebiet entstammt, bestätigt eine Stelle in den *Hundejahren* von Günter Grass. Dort heißt es: „Andere wollen den Deichgräfe auf seinem Schimmel gesehen haben. Aber die Versicherungsgesellschaft will weder an Wühlmäuse noch an den Deichgräfe von Güttland glauben. Als der Deich, der Mäuse wegen, brach, sprang der Schimmel mit dem Deichgräfe, wie es die Sage vorschreibt, in den hochgehenden Fluß, aber das half nicht viel: denn die Weichsel nahm alle Deichgeschworenen." [45] Am 10. März 1888 schrieb Storm an seine Tochter Lisbeth: „Meinen ‚Schimmelreiter', den ich im Spätsommer 1886 begonnen, hab' ich am 9. Februar beendet und heute die letzte Korrektur besorgt; es ist mein längstes Stück." Die Novelle ist nicht nur Storms längstes, sondern auch sein inhaltlich komplexestes Werk.

Um Hauke Haien, den Helden der Geschichte, richtig zu verstehen, muß man sich daran erinnern, daß Storm während seiner Arbeit am „Schimmelreiter" auch die beiden Novellen „Ein Doppelgänger" (1886) und „Ein Bekenntnis" (1887) vollendete. Diese beiden kürzeren Werke sind gewissermaßen Vorstudien. John Hansen, das unglückliche Opfer der Gesellschaft in „Ein Doppelgänger", und Franz Jebe, der Übermensch und Büßer mit messianischen Zügen in „Ein Bekenntnis", werden in Hauke zu einer Einheit verschmolzen. Auf die gründerzeitlich-genialen Züge Hauke Haiens hat bereits Jost Hermand hingewiesen. [46] Und tatsächlich sind es diese Züge, die zunächst am deutlichsten hervortreten. Schon als Junge ist Hauke „von wenig Worten" (II,702) und hält sich abseits. Seine Interessen sind anderer Art als die seiner Mitmenschen — Hauke hat „weder für Kühe noch Schafe Sinn" (II,702); er studiert in jeder freien Minute mit Hilfe einer holländischen Grammatik einen holländisch geschriebenen Euklid. Zu seiner natürlichen Begabung und seiner selbstgewählten Einsamkeit tritt als drittes Charakteristikum sein kritischer Verstand, gepaart mit trotzigem Hochmut: „ . . . unsere Deiche sind nichts wert!" (II,703). Was ihm der Vater spöttisch rät — „du kannst es ja vielleicht zum Deichgrafen bringen; dann mach sie anders!" (II,704) —, ist Haukes Lebensziel. Im Gegensatz zu Franz Jebe aber, den auch Talent, Einsamkeit und Hochmut kennzeichnen, fällt Hauke der Erfolg nicht in den Schoß. Er muß kämpfen; selbstbewußt fordert er seine Gegner, die Naturgewalten und seine Mitmenschen, heraus: „ . . . wenn die Wasser gegen den Deich tobten und beim Zurückrollen ganze Fetzen von der Grasdecke mit ins Meer hinabrissen, dann hätte man Haukes zorniges Lachen hören können. ‚Ihr könnt nichts Rechtes', schrie er in den Lärm hinaus, ‚so wie die Menschen auch nichts können!' " (II,704).

Haukes erster Gegner sind die Menschen, die Gesellschaft mit ihren Gesetzen. Wie im Falle John Hansens ist Haukes größtes Hindernis seine Armut. Doch im Gegensatz zu Hansen gelingt Hauke der soziale Aufstieg. Seine berechnende Zielstrebigkeit, seine Begabung und auch sein Glück lassen ihn Stufe um Stufe erklimmen. Vom Kleinknecht beim alten

Deichgrafen steigt er zum Großknecht auf; bald erledigt er fast alle Amts-
geschäfte für seinen Dienstherrn. Auch die zwanzig Demath, die ihm sein
Vater als Erbe hinterläßt, bringen ihn seinem Ziel wieder einen Schritt
näher. Sein größter Gewinn ist jedoch die Liebe Elkes, der Tochter des
alten Deichgrafen. Als nach ihres Vaters Tod die Frage nach dem Nachfol-
ger auftaucht, erklärt sie dem Oberdeichgrafen: „ . . . sobald es sein
muß, wird Hauke noch um so viel mehr sein eigen nennen, als dieser,
meines Vaters, jetzt mein Hof, an Demathzahl beträgt; für einen Deichgrafen wird das zusammen denn wohl reichen." (II,744). Je höher
aber Hauke in der Gesellschaft, die weniger nach Befähigung und Leistung als nach Geld und Besitz fragt, steigt, desto größer wird die Zahl
seiner Feinde, deren Anführer und Sprecher Ole Peters ist. Hauke erkennt dies klar: „ . . . durch die Schärfen und Spitzen, die er der Verwal-
tung seines alten Dienstherrn zugesetzt hatte, war ihm eben keine Freundschaft im Dorf zugebracht worden . . ." (II,739).

Was Hauke nicht erkennt, ist, daß auch an ihm selbst der Kampf seine
Spuren hinterläßt. Mehr und mehr erhält das Bild von dem aufstreben-
den jungen Genie, das sich gegen eine borniierte und materialistische
Umwelt durchsetzen muß, auch negative Züge: „ . . . so wuchsen in seinem
Herzen neben der Ehrenhaftigkeit und Liebe auch die Ehrsucht und der
Haß" (II,739). Das ändert sich auch nicht, als Hauke Elke geheiratet hat
und Deichgraf geworden ist. Teils aus Gewissenhaftigkeit, teils aus dem
Drang nach Selbstbestätigung zwingt er die Dorfleute zu immer neuen
Reparaturen am Deich. Diese rächen sich, indem sie den unbeliebten Deichgrafen schmähen: „ . . . der alte wurde Deichgraf von seines Vaters, der
neue von seines Weibes wegen" (II,747). Immer größer wird die Kluft
zwischen Hauke und den Dorfleuten: „Und wieder ging vor seinem inneren Auge die Reihe übelwollender Gesichter vorüber, und noch höhni-
scher, als es gewesen war, hörte er das Gelächter an dem Wirtshaus-
tische. ,Hunde!' schrie er, und seine Augen sahen grimmig zur Seite, als
wolle er sie peitschen lassen" (II,747). Der neue Deich mit einem neuarti-
gen Profil, den Hauke plant, soll ihm den endgültigen Sieg über die Gesellschaft und ihre Anerkennung bringen. Hauke ist sich nicht bewußt, daß
er mit diesem Streben sich selbst untreu wird. Das ursprünglich *für* seine
Mitmenschen geplante Werk wird nun zum Instrument *gegen* sie; das
Mittel — Besitz, Ansehen und Macht — wird zum Ziel. „Wie ein
Rausch stieg es ihm ins Gehirn . . ." (II,749). Und zu seiner Frau sagt

Hauke: „Du sollst mich wenigstens nicht umsonst zum Deichgrafen gemacht haben, Elke; ich will ihnen zeigen, daß ich einer bin!" (II,751)

Der Deichbau bringt die letzte große Kraftprobe mit der Gesellschaft.
Nur widerwillig gehorchen die Leute, aber Haukes harter Wille bezwingt
sie alle. Immer mehr wird der Deichgraf zum Übermenschen im Sinne
Nietzsches — hart, herrisch, einsam und von außergewöhnlicher Tatkraft.
Hauke ist nur von einem Gedanken besessen — *seinem* Deich. Daher
fördert das Werk seine Gemeinschaft mit den Menschen nicht: „ . . . es
war doch trotz aller lebendigen Arbeit eine Einsamkeit um ihn, und in
seinem Herzen nistete sich ein Trotz und abgeschlossenes Wesen gegen
andere Menschen ein . . . die Ungeschickten und Fahrlässigen, die er früher
durch ruhigen Tadel zurechtgewiesen hatte, wurden jetzt durch hartes An-
fahren aufgeschreckt . . ." (II,774). Äußeres Zeichen für Haukes Hybris
wie auch für seine Isolation ist der Schimmel, das „Teufelspferd" (II,763),
das ihn in den Augen der Leute einerseits ins Mythisch-Furchterregende
erhebt, andererseits zum Gottlosen und Ausgestoßenen erniedrigt.

Trotz des Widerstandes der Dorfleute gelingt das Werk; Hauke ist Sie-
ger geblieben im Kampf gegen die Mitmenschen. Den ihm unbewußten
Kampf gegen sich selbst jedoch hat er verloren. Ehrsucht und Haß haben
in seinem Herzen endgültig die Oberhand gewonnen. Als er zufällig
hört, wie die Leute den neuen Koog „Hauke-Haien-Koog" nennen, obwohl er offiziell einen anderen Namen trägt, ist die Stunde seines größten
Triumphs gekommen. „ ‚Hauke-Haien-Koog!' wiederholte er leis; das
klang, als könnt es alle Zeit nicht anders heißen! Mochten sie trotzen,
wie sie wollten, um seinen Namen war doch nicht herumzukommen; . . .
In seinen Gedanken wuchs fast der neue Deich zu einem achten Welt-
wunder; in ganz Friesland war nicht seinesgleichen! Und er ließ den
Schimmel tanzen; ihm war, er stünde inmitten aller Friesen; er überragte
sie um Kopfeshöhe, und seine Blicke flogen scharf und mitleidig über sie
hin." (II,781) In diesem Augenblick ist der große Einzelne, der sich für
das Wohl der Allgemeinheit mit ganzer Kraft einsetzt, ganz zum megalo-
manen, skrupellosen Übermenschen geworden. Es ergibt sich „ein selt-
sames Nebeneinander von gründerzeitlicher Verewigung des Genialen
und bürgerlich-realistischer Anerkennung der Moral" [47]. Im Gegensatz
zum Arzt Jebe in „Ein Bekenntnis", der sich vom überheblichen Genie
zum Märtyrer für die Menschheit wandelt, sind in Hauke Haien von Anfang an beide Wesenszüge da. Unter dem Druck der Umwelt erweist
sich der positive Zug als der schwächere. Storm löst diesen Zwiespalt,

indem er zwischen dem Werk Hauke Haiens und dem Menschen Hauke Haien differenziert. Der Deich trägt seinen Wert in sich; er hat Bestand. Der Deichgraf jedoch scheitert: an sich selbst, an der Gesellschaft und an der Natur.

Die Natur erscheint unter zwei Aspekten. Erstens als Naturgewalt von Wetter und Meer, zweitens als höhere Macht schlechthin, welche die Herrschaft über Geburt, Krankheit und Tod ausübt. Auch im Kampf mit der Natur zeigt sich Hauke hart und unbeugsam. Als Elke nach der Geburt einer Tochter vom Kindbettfieber ergriffen wird, schreit Hauke zu Gott: „Herr, mein Gott ... nimm sie mir nicht! Du weißt, ich kann sie nicht entbehren!" (II,772) Gleich darauf weigert er sich, einen höheren Willen als den seinen anzuerkennen; er läßt nur das Gesetz der Notwendigkeit gelten. „Ich weiß ja wohl, du kannst nicht allezeit, wie du willst, auch du nicht; du bist allweise; du mußt nach deiner Weisheit tun ..." (II,772). Deutlicher als in „Ein Doppelgänger" zeigt sich hier Storms Auffassung, daß es keine göttliche Gnade gibt. Wenn Gott existiert, so ist es ein Gott, der im Einklang mit den grausamen Gesetzen der Natur steht, der nicht allmächtig ist. Hauke sieht daher keinen Grund zur Demut, und als seine Arbeiter als Opfer an die höheren Mächte einen kleinen Hund lebendig in den neuen Deich eingraben wollen, verhindert er den „Frevel" (II,777). Elkes Gesundung und die Vollendung des Deiches bestärken ihn in seiner selbstbewußten Haltung; noch hat er die Grausamkeit der Natur nicht erfahren.

Die zweite Warnung der Natur — denn um Warnungen handelt es sich — erhält Hauke, als sich herausstellt, daß seine Tochter schwachsinnig ist. „Du strafst ihn, Gott der Herr!" (II,784) meint die alte Trin' Jans, doch Hauke ignoriert die Warnung; er liebt sein Kind trotz allem, denn es ist ein Teil von ihm selbst. Auch die Visionen einer kommenden Flutkatastrophe, die Elke in ihrer Krankheit und die kleine Tochter in ihrer Geistesverwirrung haben, erschüttern Haukes selbstgefällige Zufriedenheit nicht; noch immer will er keine Grenzen seiner Macht anerkennen.

Der nächste Schlag der Natur trifft Hauke selbst: „ ... ein Marschfieber hatte den Deichgrafen ergriffen; auch mit ihm ging es nah am Rande der Grube her, und als er unter Frau Elkes Pfleg und Sorge wieder erstanden war, schien er kaum derselbe Mann. Die Mattigkeit des Körpers lag auch auf seinem Geiste und Elke sah mit Besorgnis, wie er allzeit leicht zufrieden war." (II,790) Bei seinem ersten Ritt nach seiner Krankheit erblickt Hauke große Schäden dort, wo der alte Deich auf den neuen stößt. Doch nun ist er nicht mehr der unbeugsame Kämpfer, der er gewesen war: „Hauke Haien, der sonst alles bei sich selber abgeschlossen hatte, drängte es jetzt, ein Wort von jenen zu erhalten, die er sonst kaum eines Anteils wertgehalten hatte." (II,793) Den starken Hauke Haien hatte weder der Widerstand der Menschen noch der Widerstand der Natur auf seinem Weg zurückgehalten; den schwachen Hauke besiegen die trügerische Harmlosigkeit der Natur und die „gemäßigten Worte" (II,793) seiner Mitmenschen, die anscheinend zur Aussöhnung bereit sind. „Hauke, der nicht wußte, wie uns die Natur mit ihrem Reiz betrügen kann, stand auf der Nordwestecke des Deiches und suchte nach dem neuen Bett des Prieles, der ihn gestern so erschreckt hatte ... die Schatten in der gestrigen Dämmerung mußten ihn getäuscht haben; es kennzeichnete sich jetzt nur schwach ..." (II,794). Kurz vor der Katastrophe erhält Hauke eine letzte deutliche Warnung der Natur. Er erlebt die Macht des Todes: die alte Trin' Jans stirbt. Auch sie spricht in ihren letzten Augenblicken voller Angst von einer steigenden Flut. Diesmal ist Hauke beunruhigt, denn die Krankheit hat nicht nur seinen Kampfgeist, sondern auch seine Selbstüberschätzung vermindert. Er weiß, daß er den alten Deich nicht nur oberflächlich hätte reparieren lassen dürfen; er weiß, daß er im Notfall den neuen für den alten Deich opfern muß. Wenige Wochen später entscheidet sich das Schicksal Haukes: Sturmflut! Berge von Wasser schlagen gegen das Land, „als sei in ihnen der Schrei alles furchtbaren Raubgetiers der Wildnis" (II,802). Diese Raubtiere kann Hauke nicht abwürgen wie einst den wilden Kater der alten Trin' Jans, der ihm — wie jetzt das Meer — seine Beute hatte entreißen wollen. Doch der Anblick seines starken Deiches erfüllt ihn wieder mit Stolz, und „wie ein Lachen stieg es in ihm herauf" (II,803). Noch einmal zeigt sich Hauke als der skrupellose Übermensch: wider besseres Wissen hindert er die Menschen, seinen Damm zu durchstechen und so den alten Koog zu retten. Der alte Deich bricht. Zwar bekennt Hauke: „Herr Gott ..., ich habe meines Amtes schlecht gewartet!" (II,805) Aber dennoch steigt ein „unwillkürliches Jauchzen" (II,806) aus seiner Brust: „Der Hauke-Haien-Deich, er soll schon halten; er wird es noch nach hundert Jahren tun!" (II,806) Erst als Hauke zusehen muß, wie seine Frau und seine kleine Tochter im alten Koog ertrinken, gibt er sich geschlagen. Er stürzt sich mit seinem Schimmel in die tobende Flut.

Haukes Selbstmord ist nur das äußere Zeichen für ein inneres Geschehen. Durch seine Hybris hat Hauke den Tod gerade der Menschen verursacht, die das letzte Bindeglied zwischen ihm und seiner Umwelt waren. Sie allein hatten einen spärlichen Rest von Menschlichkeit in ihm lebendig erhalten; sie allein hatten an ihn geglaubt. Mit ihrem Tod ist Hauke die Existenzgrundlage entzogen worden — er ist das Opfer seiner selbst geworden. Dennoch bleibt Hauke auch im Tod der große Einzelne. Wie Franz Jebe bestimmt er bis zum Schluß sein Leben selbst. Sein Leben ist nun zwar sinnlos geworden, aber sein Sterben muß es nicht sein: „Herr Gott nimm mich; verschon die anderen!" (II,807) Damit wird Haukes Tod zur Sühne — zur Sühne für seine frühere Schwäche und für seine selbstherrliche Stärke. Hauke erkennt seine Schuld und sühnt sie, indem er sich der Allgemeinheit zum Opfer bringt.

Andererseits ist Hauke auch das Opfer der übermächtigen Natur und der Gesellschaft geworden; Krankheit, Naturgewalt und die Feindschaft der Gesellschaft haben sich letztlich als stärker erwiesen als der Wille des Individuums. Darin gleicht Haukes Schicksal demjenigen John Hansens. Das Aufbegehren des Einzelnen gegen die Ordnung der Gesellschaft und der Natur wird bestraft. Haukes Deich aber, der nun keinerlei persönlichen, selbstsüchtigen Zwecken mehr dient, bleibt als Zeugnis für den technischen Fortschritt der Menschheit bestehen. Jost Hermand erblickt in der einerseits heroisierenden, andererseits abwertenden Darstellung Hauke Haiens Ideal und Kritik des gründerzeitlichen Übermenschen. Liegt hierin die zeitbezogene Dimension der Novelle? Gewiß spielte der in den letzten Jahrzehnten des 19. Jahrhunderts verbreitete Geniekult bei der Gestaltung Hauke Haiens eine Rolle. Storm ging es aber weniger darum, zu diesem Geniekult Stellung zu nehmen, als die unlösbare Verknüpfung von Leistung und Schuld, Größe und Unmenschlichkeit, Macht und Niederlage zu zeigen.

Ihre zeitbezogene, kritische Dimension erhält die Novelle durch die eigentliche Rahmenerzählung. Rund siebzig Jahre nach Hauke Haiens Untergang steht sein Deich noch immer. (Storm war nicht ganz konsequent, als er schrieb: „Aber der Hauke-Haien-Deich steht noch jetzt nach hundert Jahren" [II,808].) Das neue Deichprofil wird allgemein anerkannt. Wie steht es jedoch mit der Entwicklung der Menschheit im humanistischen Sinn? Der Schulmeister, der von den Dorfleuten als „hochmütig" (II,700) und als „Aufklärer" (II,809) abgetan wird, gibt folgenden Kommentar: „ . . . dem Sokrates gaben sie ein Gift zu trinken und unseren Herrn Christus schlugen sie an das Kreuz! Das geht in den letzten Zeiten nicht mehr so leicht; aber — einen Gewaltsmenschen oder einen bösen stiernackigen Pfaffen zum Heiligen, oder einen tüchtigen Kerl, nur weil er uns um Kopfeslänge überwachsen war, zum Spuk und Nachtgespenst zu machen — das geht noch alle Tage" (II,808). Die Methoden der Gesellschaft sind subtiler geworden, aber die Geschichte beweist, daß sich der Mensch nicht geändert hat: Genialität und außergewöhnliche Leistungen werden heute so wenig wie damals anerkannt. Der Einzelne mag eine Zeitlang seine Umwelt beeinflußen, ja sogar beherrschen, er mag ein großes Werk vollbringen — am Ende muß er doch an höheren, unbarmherzigen Mächten zugrunde gehen; die Gesellschaft triumphiert.

Der Schulmeister lehnt — wie Hauke — allen Aberglauben ab. Der Ich-Erzähler dagegen meint, den Schimmelreiter wirklich gesehen zu haben. Das Entscheidende ist jedoch nicht, daß unerklärliche Vorfälle geschildert werden, sondern wie die Mitwelt diese deutet. Es ist eine grausame Ironie, daß Hauke, der sein Leben lang für technischen Fortschritt und aufgeklärtes Denken eingetreten war, in der Erinnerung nicht als der geniale Erfinder, sondern als unheilverkündendes Gespenst weiterlebt.

Überblickt man das Gesamtwerk Storms, so scheint es mehr als unwahrscheinlich, daß Storm die Erzählweise des Schulmeisters als unrichtig kennzeichnen wollte, wie Lother Wittmann in seiner Interpretation des „Schimmelreiters" meint. [48] Die „Grundaussage" der Novelle besteht nicht darin, daß die Vernunft „den Weg zum Glauben an das Unauflösbare und zu rechter Religiosität" verstellt. [49] Storm zeigt nicht den Irrweg eines Menschen, sondern die Ausweglosigkeit der menschlichen Situation. Nicht aus Haukes Verhalten, sondern aus seinen Konflikten ergibt sich die allgemeingültige, überzeitliche Dimension der Novelle.

Die Konflikte liegen — wie in den meisten Novellen Storms — auf drei Ebenen: einer individuellen, einer sozialen und einer allgemeinmenschlichen. Das Besondere des „Schimmelreiters" liegt darin, daß es Storm gelang, alle drei Konflikte Haukes als ewige Konflikte darzustellen. Haukes Schwanken zwischen Hybris und Dienst am Menschen illustriert den Konflikt zwischen Selbstsucht und Selbstlosigkeit in der Brust jedes Menschen. Der Konflikt zwischen Hauke und der Gesellschaft steht für die Auseinandersetzung jedes Individuums mit der Gesellschaft. Haukes Konflikt mit den Mächten der Natur symbolisiert den Kampf des Menschen mit der Natur schlechthin. Daß Hauke in der Rahmenerzählung vom Schulmeister mit Sokrates und Christus verglichen wird, betont die Allgemeingültigkeit seiner Konflikte ebenso wie die Unvermeidlichkeit seines Scheiterns. Aber nicht nur in der Vergangenheit finden sich Belege hierfür, auch in der Erzählgegenwart — der Schulmeister selbst ist ein lebendiger Beweis. Er wollte Theologe werden, doch „einer verfehlten Brautschaft wegen" ist er als armer Lehrer im Dorf „behangen geblieben" (II,700). Sein aufgeklärtes Denken und sein Hochmut isolieren ihn von der Gesellschaft, und der Hinweis auf seine verwachsene Schulter läßt vermuten, daß er auch die menschliche Ohnmacht der Natur gegenüber erfahren hat. So bestätigt sich auch an dieser Figur die Aussage der Innnenerzählung: Der Mensch ist im Kampf mit den irrationalen Kräften des eigenen Ich, der Gesellschaft und der Natur zum Scheitern verurteilt.

ANMERKUNGEN

EINLEITUNG

1 Paul Heyse: „Theodor Storm" in: *Literaturblatt des deutschen Kunstblattes* vom 28. Dezember 1854, S. 103—104. Zitiert nach *Theodor Storm — Paul Heyse Briefwechsel.* Hrsg. v. Clifford A. Bernd, Berlin 1969, Bd. 1, S. 103.

2 Ebenda, S. 103—104.

3 Rudolf v. Gottschall: „Eine kritische Anthologie" in: *Blätter für literarische Unterhaltung.* Bd. 1, 1871, S. 14—15. Zitiert nach *Theodor Storm — Paul Heyse Briefwechsel.* Bd. 1, S. 119—120.

4 Gottfried Keller: *Sämtliche Werke und ausgewählte Briefe.* Hrsg. v. Clemens Heselhaus, München 1963, Bd. 3, S. 1211.

5 Theodor Fontane: *Von Zwanzig bis Dreissig.* Leipzig 1968, S. 230.

6 Siehe Anmerkung 1, op. cit., S. 103—104.

7 Georg von Lukács: „Bürgerlichkeit und l'art pour l'art; Theodor Stom" in: *Die Seele und die Formen.* Berlin 1911, S. 119—169.

8 Heyse: *Skizzenbuch. Lieder und Bilder von Paul Heyse.* Berlin 1877, S. 194.

9 Thomas Mann: „Theodor Storm" in: *Schriften und Reden zur Literatur, Kunst und Philosophie.* Frankfurt 1968, Bd. 2, S. 21.

10 Ebenda, S. 22.

11 Ludwig Pietsch berichtete am 14. Mai 1884 in der *Vossischen Zeitung* (Morgenausgabe, 1. Beilage) über eine Feier zu Ehren Storms und dessen Rede. Zitiert nach *Der Briefwechsel zwischen Theodor Storm und Gottfried Keller.* Hrsg. v. Peter Goldammer, Berlin 1967, S. 234.

12 Siehe Anmerkung 1, op. cit., S. 106.

13 Brief Storms an Gottfried Keller vom 27. November 1882.

14 Karl E. Laage: „Theodor Storm in unserer Zeit" in: *Deutsch für Ausländer* (Nr. 10), Königswinter 1969, S. 20.

15 Wolfgang Preisendanz: „Gedichtete Perspektiven in Storms Erzählkunst" in: *Wege zum neuen Verständnis Theodor Storms.* (Schriften der Theodor-Storm-Gesellschaft, Schrift 17), Heide 1968, S. 36.

I. KUNST UND KÜNSTLERTUM ALS PROBLEM

1 Theodor Storm: „Hademarschen 1887" in: Theodor Storm: *Werke.* Hrsg. u. eingel. v. Hermann Engelhard, Stuttgart 1958, Bd. 3, S. 443.

2 Ebenda.

3 Am 21. August 1873 schrieb Storm an Emil Kuh über die Bücher, die ihn als jungen Mann beeinflußten: „Es waren vorzugsweise Heines ‚Buch der Lieder' und Goethes ‚Faust'; auch Eichendorffs ‚Dichter und ihre Gesellen', später auch die übrigen Werke Eichendorffs und Mörikes Gedichte."

4 Ricarda Huch: *Die Romantik.* Tübingen 1951, S. 125.

5 Ebenda, S. 124.

6 *Theodor Storms Briefwechsel mit Theodor Mommsen.* Hrsg. v. Hans-Erich Teitge, Weimar 1966, S. 115. Vgl. auch Theodor Storm: *Werke.* Nach der von Th. Hertel besorgten Ausgabe, neubearbeitet und ergänzt von Fritz Böhme, Leipzig 1936, Bd. 9, S. 183.

7 Undatierter Brief Storms (Mai 1868) an seinen Sohn Hans.

8 Theodor Storm: *Werke.* Hrsg. u. eingel. v. Hermann Engelhard, Stuttgart 1958, Bd. 3, S. 509.

9 Wolfgang Preisendanz: „Gedichtete Perspektiven in Storms Erzählkunst" in: *Wege zum neuen Verständnis Theodor Storms.* (Schriften der Theodor-Storm-Gesellschaft, Schrift 17), Heide 1968, S. 36.

10 Eine interessante abweichende Deutung der Novelle unternimmt Raimund Belgardt in seinem Aufsatz „Dichtertum als Existenzproblem" in: *Schriften der Theodor-Storm-Gesellschaft* (Schrift 18), Heide 1969, S. 77—88.

11 Thomas Mann: „Tonio Kröger" in: *Die Erzählungen.* Frankfurt 1967, Bd. 1, S. 216—217.

12 Thomas Mann: *Politische Schriften und Reden.* Frankfurt 1968, Bd. 1, S. 68.

13 Ebenda, S. 78.

14 Undatierter Brief Storms (Oktober 1875) an Paul Heyse.

II. KIRCHE UND SITTE

1 Theodor Fontane: *Von Zwanzig bis Dreissig.* Leipzig 1968, S. 223.

2 Am 5. August 1858 schrieb Storm an seine Frau: „Aber stiller sind wir doch geworden, meine Dange! Ich möchte wohl noch einmal solchen ausbrechenden Herzensjubel von Dir hören! O Jugend, o schöne Rosenzeit! — Ich bin lange spazierengegangen, ‚wie in — Traum verloren', und habe das junge Mädchen gesucht, das mich damals — ich sehe es ein — so sehr geliebt hat. Komm

Du doch recht bald wieder zu mir, meine kleine liebe Dange, wir wollen doch sehen, ob wir zusammen sie nicht wiederfinden können."

3 Theodor Fontane: *Der Stechlin*. München 1969, S. 10—11.

4 Fritz Böttger: *Theodor Storm in seiner Zeit*. Berlin 1959, S. 320.

5 Hugo Kuhn: „Die Klassik des Rittertums in der Stauferzeit 1170—1230" in: *Geschichte der deutschen Literatur*. Von den Anfängen bis zum Ende des Spätmittelalters (1490) von Felix Genzmer, Helmut de Boor, Hugo Kuhn, Friedrich Ranke und Siegfried Beyschlag. Stuttgart 1962, S. 167—168.

6 Ebenda. S. 168.

7 Ebenda, S. 169.

8 Brief Heyses an Storm vom 20. Oktober 1885.

9 Gertrud Storm: *Theodor Storm. Ein Bild seines Lebens*. Berlin 1913, Bd. 2, S. 221.

III. KRITIK DER WIRTSCHAFTLICHEN ENTWICKLUNG

1 Zitiert nach Gertrud Storm: *Theodor Storm. Ein Bild seines Lebens*. Berlin 1913, Bd. 2, S. 48—49.

2 Fritz Böttger: *Theodor Storm in seiner Zeit*. Berlin 1959, S. 165—166.

3 Storm schrieb am 12. Mai 1866 an Pietsch: „Lies noch einmal die ‚Angelica'; das ist sie [Dorothea Jensen], nur war sie nicht so schwach wie diese; denn sie hat ihre Liebe . . . treu bewahrt . . .".

4 Brief Storms an den Vater vom 24. Januar 1856.

5 Zitiert nach Theodor Storm: *Sämtliche Werke*. Hrsg. v. Christian Jenssen, Berlin u. Darmstadt 1955, Bd. 2, S. 1086—87.

6 Clifford A. Bernd: *Storm's Craft of Fiction*. New York 1966, S. 6.

7 Franz Stuckert: *Theodor Storm. Der Dichter in seinem Werk*. Tübingen 1966, S. 105.

8 Peter Goldammer: *Theodor Storm. Eine Einführung in Leben und Werk*. Leipzig 1968, S. 163.

9 Zitiert nach Bruno Loets: *Theodor Storm. Ein rechtes Herz*. Wiesbaden 1951, S. 381.

10 Böttger, op. cit., S. 345.

IV. KRITIK DES POLITISCHEN GESCHEHENS

1 *Von Zwanzig bis Dreissig*. S. 219.

2 *Politische Schriften und Reden*. Bd. 1, S. 174.

3 Franz Stuckert: *Theodor Storm. Sein Leben und sein Werk*. Bremen 1955, S. 56 f.

4 *Theodor Storms Briefwechsel mit Theodor Mommsen*. Hrsg. v. Hans-Erich Teitge, Weimar 1966, siehe besonders den Anhang.

5 Ebenda, S. 20.

6 Brief Storms vom 6. April 1851 an Hartmuth Brinkmann.

7 Brief Storms vom 21. Dezember 1863 an den Vater.

8 Brief an Keller vom 21. Dezember 1884.

V. DIE STÄNDISCHE GESELLSCHAFTSORDNUNG

1 Brief an die Mutter vom 6. Dezember 1861.

2 Detlev v. Liliencron: *Briefe in neuer Auswahl*. Hrsg. v. Heinrich Spiero, Stuttgart 1927, S. 164.

3 *Von Zwanzig bis Dreissig*. S. 226.

4 Ebenda, S. 234—235.

5 Ebenda, S. 226.

6 Am 8. Mai 1881 schrieb Storm an Keller: „ . . . das Allegorische . . . hat mich nicht gestört . . . . (Mir selbst ist dergleichen oft in die Feder gelaufen; von dem ‚Scharmutzieren mit den Schatten' in ‚Im Sonnenschein' und der weißen Wasserlilie in ‚Immensee' ist es noch durch manches andre weiter zu verfolgen.)"

7 Friedrich Hebbel: „Mein Wort über das Drama" in: *Sämtliche Werke*. Hrsg. v. Adolf Bartels, Stuttgart o. J., S. 810.

8 Ebenda, S. 818.

9 In: „Eine zurückgezogene Vorrede aus dem Jahre 1881" in: Theodor Storm: *Werke*. Hrsg. v. Hermann Engelhard, Stuttgart 1958, Bd. 3, S. 524.

10 Franz Stuckert: *Theodor Storm. Der Dichter in seinem Werk*. Tübingen 1966, S. 100.

11 Böttger, op. cit., S. 205.

12 Ebenda, S. 206.

13 Brief Storms an Brinkmann vom Osterabend 1863.

14 Karl E. Laage: *Theodor Storm und Iwan Turgenjew*. Heide 1967, S. 62.

15 Ebenda, S. 60.

16 Böttger, op. cit., S. 228.

17 Ebenda.

18 Clifford A. Bernd, op. cit., S. 11—53.

19 Thea Müller: *Theodor Storms Erzählung „Aquis Submersus".* Marburg 1925.

20 Victor Steege: „Theodor Storm: Aquis submersus" in: *Deutsche Novellen des 19. Jahrhunderts. Interpretationen.* Frankfurt, Berlin, Bonn 1964, S. 17—49.

21 Zitiert nach Gertrud Storm: *Theodor Storm. Ein Bild seines Lebens.* Berlin 1913, Bd. 2, S. 176.

22 Thea Müller, op. cit., S. 58.

23 Brief Storms an Emil Kuh vom 24. August 1876.

24 Bernd, op. cit., S. 108-114.

25 Zitiert nach Bruno Loets: *Theodor Storm. Ein rechtes Herz.* Wiesbaden 1951, S. 449—450.

26 Gertrud Storm: *Theodor Storm. Ein Bild seines Lebens.* Berlin 1913, Bd. 2, S. 217.

27 Böttger, op. cit., S. 338.

28 Ebenda, S. 298.

29 Ungedruckter Brief; zitiert nach *Der Briefwechsel zwischen Theodor Storm und Gottfried Keller.* Hrsg. v. Peter Goldammer, Berlin 1967, S. 239.

30 Theodor Storm: *Werke.* Hrsg. v. Hermann Engelhard, Bd. 3, S. 505.

31 Ebenda, S. 513.

32 Brief Storms an Brinkmann vom 18. Januar 1864.

33 Böttger, op. cit., S. 231.

34 Peter Goldammer setzt die Entstehungszeit der Spukgeschichten nicht wie bisher üblich auf die Jahre 1857/58 fest: „Der Zyklus von Spukgeschichten ist wahrscheinlich im Herbst 1861 entstanden ..." (Theodor Storm: *Sämtliche Werke in vier Bänden.* Hrsg. v. Peter Goldammer, Berlin 1956, Bd. 1, S. 645). Diese Annahme scheinen die Briefe Storms an Ludwig Pietsch vom Herbst 1861 zu rechtfertigen.

35 Brief Storms an Brinkmann vom 18. Januar 1864.

36 Ebenda.

37 Ebenda.

38 Peter Goldammer: *Theodor Storm. Eine Einführung in Leben und Werk.* Leipzig 1968, S. 128.

39 Brief Storms an Brinkmann vom 10. Januar 1866.

40 Ebenda.

41 In der Vorrede zu *Drei Märchen* (1865); Theodor Storm: *Werke.* Hrsg. v. Hermann Engelhard, Bd. 3, S. 505.

42 Brief Storms an Brinkmann vom 18. Januar 1864.

43 Brief Storms an Brinkmann vom 10. Januar 1866.

44 Vorrede zu *Drei Märchen* (1865) in: Theodor Storm: *Werke*. Hrsg. v. Hermann Engelhard, Bd. 3, S. 505.

45 Brief Storms an Brinkmann vom 18. Januar 1864.

VI. DIE GESELLSCHAFT ALS GEGNER DES INDIVIDUUMS

1 Zitiert nach Loets, S. 452.

2 Diesen Zusatz enthält die Handschrift des „Amtschirurgus". Zitiert nach Böhme, Bd. 9, S. 254.

3 Zitiert nach Loets, S. 409—410.

4 Johannes Klein in seinem Nachwort zu Theodor Storm: *Sämtliche Werke*. München 1967, Bd. 2, S. 1020.

5 Brief Storms an Heyse vom 18. März 1870.

6 Ebenda.

7 Brief Storms an Brinkmann vom 25. Februar 1873.

8 Undatierter Brief.

9 E. T. A. Hoffmann: *Die Serapions-Brüder*. München 1963, S. 43.

10 Ebenda, S. 9.

11 Walter Müller-Seidel in seinem Nachwort zu *Die Serapions-Brüder*. S. 1026.

12 Brief Storms an den Sohn Ernst vom 16. Mai 1871.

13 Undatierter Brief.

14 E. T. A. Hoffmann: *Fantasie- und Nachtstücke*. München 1960, S. 37.

15 Ebenda, S. 33.

16 Theodor Storm: *Werke*. Hrsg. v. Hermann Engelhard, Bd. 3, S. 549.

17 Goldammer: *Theodor Storm. Eine Einführung in Leben und Werk*. S. 192—193.

18 Ebenda, S. 193.

19 Ebenda, S. 192.

20 Der Fall des (eines Sittlichkeitsvergehens angeklagten) Theologen entstammte Storms richterlicher Praxis, wie Storm am 27. November 1874 an Emil Kuh schrieb. Bei dem Helden der Novelle stand wohl Fritz Reuter Pate, der seine eigene jahrelange Kerkerhaft in Preußen in *Ut mine Festungstid* (1862) beschrieben hatte.

21 Iwan Turgenjew: *Briefe an Ludwig Pietsch.* Berlin und Weimar 1968, S. 95.

22 Brief Storms an Keller vom 18. Februar 1879.

23 Theodor Storm: *Werke.* Hrsg. v. Hermann Engelhard, Bd. 3, S. 549.

24 Brief an die Gebrüder Paetel vom 12. Juli 1881. Zitiert nach Theodor Storm: *Sämtliche Werke in vier Bänden.* Hrsg. v. Peter Goldammer, Berlin 1956, Bd. 3, S. 620.

25 Vgl. Ingrid Schuster: „Theodor Storm und E. T. A. Hoffmann" in: *Literaturwissenschaftliches Jahrbuch.* Hrsg. v. Hermann Kunisch, Berlin 1971.

26 E. T. A. Hoffmann: *Die Serapions-Brüder.* S. 510.

27 Brief Storms an Ernst Esmarch vom 4. Juli 1882.

28 Ebenda.

29 Zitiert nach Gertrud Storm: *Theodor Storm. Ein Bild seines Lebens.* Bd. 2, S. 200. Man vgl. auch den Brief Storms an Erich Schmidt (September 1881) in: Loets, op. cit., S. 426.

30 Brief Kellers an Storm vom 21. November 1882.

31 Zitiert nach Loets, op. cit., S. 442.

32 Brief Storms an Ernst Esmarch vom 19. Mai 1887.

33 Bertolt Brecht: *Gesammelte Werke.* Frankfurt 1967, Bd. 4, S. 1596.

34 In: Friedrich Dürrenmatt: *Die Stadt* (Prosa I—IV). Zürich 1959, S. 20.

35 Emil Staiger: *Annette von Droste-Hülshoff.* Frauenfeld 1962, S. 60.

36 Böttger, op. cit., S. 347.

37 Brecht, op. cit., S. 1539.

38 Ebenda, S. 1607.

39 Böttger, op. cit., S. 346.

40 Ebenda, S. 347.

41 Ebenda, S. 349.

42 Ebenda, S. 348.

43 Hamburg 1838, Bd. 2.

44 Theodor Storm: *Ausgewählte Werke.* Hrsg. v. Karl Hoppe, Braunschweig 1948/49.

45 Günter Grass: *Hundejahre.* Reinbek b. Hamburg 1968, S. 11.

46 In: Jost Hermand: „Hauke Haien, Kritik oder Ideal des gründerzeitlichen Übermenschen" in: *Von Mainz nach Weimar 1793—1919*. Stuttgart 1969, S. 250—268.

47 Ebenda, S. 268.

48 In: *Deutsche Novellen des 19. Jahrhunderts.* S. 88.

49 Ebenda.

LITERATURVERZEICHNIS

(Es werden nur die im Text erwähnten Werke angegeben; im übrigen wird auf die *Theodor-Storm-Bibliographie*, bearbeitet von Hans-Erich Teitge, Berlin 1967, verwiesen.)

I. Primärliteratur:

1. Textausgaben

Theodor Storm: *Werke*. Nach der von Theodor Hertel besorgten Ausgabe neubearbeitet u. ergänzt v. Fritz Böhme, 9 Bde., Leipzig 1936.

Theodor Storm: *Ausgewählte Werke*. Kritische durchges. Ausgabe in 4 Bdn. mit Anm. u. biogr. Nachwort v. Karl Hoppe, Braunschweig 1948/49.

Theodor Storm: *Sämtliche Werke*. Hrsg. v. Christian Jenssen, 2 Bde., Berlin u. Darmstadt 1955.

Theodor Storm: *Sämtliche Werke*. Hrsg. v. Peter Goldammer, 4 Bde., Berlin 1956.

Theodor Storm: *Werke*. Hrsg. u. eingel. v. Hermann Engelhard, Gesamtausg. in 3 Bdn., Stuttgart 1958.

Theodor Storm: *Sämtliche Werke*. In 2 Bdn. (Nach dem Text der ersten Gesamtausg. v. 1868/89). Mit e. Nachwort v. Johannes Klein. München 1967.

2. Briefausgaben

Hartmuth Brinkmann: Theodor Storm: *Briefe an seine Freunde Hartmuth Brinkmann und Wilhelm Petersen*. Hrsg. v. Gertrud Storm, Braunschweig 1917.

Bertha von Buchan: Elmer O. Wooley: „Storm und Bertha von Buchan" in: *Schriften der Theodor-Storm-Gesellschaft*. Heide 1953 (Schrift 2).

Constanze Esmarch: Theodor Storm: *Briefe an seine Braut*. Hrsg. v. Gertrud Storm, Braunschweig 1915.

Ernst Esmarch: Ernst Esmarch: „Aus Briefen Theodor Storms" in: *Monatsblätter für deutsche Literatur* 1902/1903.

Theodor Fontane: *Theodor Storm — Theodor Fontane*. Briefe der Dichter und Erinnerungen von Theodor Fontane. Einf. u. Erl. v. Erich Gülzow, Reinbek 1948.

Paul Heyse: *Der Briefwechsel zwischen Paul Heyse und Theodor Storm*. Hrsg. u. erl. v. Georg J. Plotke, 2 Bde., München 1917/1918.

Theodor Storm — Paul Heyse Briefwechsel. Hrsg. v. Clifford A. Bernd, Bd. 1 (1853—1875), Berlin 1969.

Dorothea Jensen: Theodor Storm: *Briefe an Dorothea Jensen und an Georg Westermann.* Mitget. v. Ewald Lüpke, Braunschweig 1942.

Gottfried Keller: *Der Briefwechsel zwischen Theodor Storm und Gottfried Keller.* Hrsg. v. Peter Goldammer, Berlin u. Weimar 1967.

Emil Kuh: „Briefwechsel zwischen Theodor Storm und Emil Kuh." Veröffentl. v. Paul R. Kuh in: *Westermanns illustrierte deutsche Monatshefte.* 67. 1889/90.

Eduard Mörike: *Mörike-Storm-Briefwechsel.* Hrsg. v. Jakob Bächtold, Stuttgart 1891.
Briefwechsel zwischen Theodor Storm und Eduard Mörike. Hrsg. v. Hanns Wolfgang Rath, Stuttgart 1919.

Theodor Mommsen: *Theodor Storms Briefwechsel mit Theodor Mommsen.* Mit einem Anhang: Th. St.s Korrespondenz für die Schleswig-Holsteinische Zeitung 1848. Hrsg. v. Hans-Erich Teitge, Weimar 1966.

Ludwig Pietsch: *Blätter der Freundschaft.* Aus dem Briefwechsel zwischen Theodor Storm und Ludwig Pietsch. Mitget. v. Volquart Pauls, Heide 1939.

Heinrich Seidel: „Theodor Storm und Heinrich Seidel im Briefwechsel." Hrsg. v. H(einrich) Wolfgang Seidel in: *Deutsche Rundschau,* 1921.

Constanze Storm: Theodor Storm: *Briefe an seine Frau.* Hrsg. v. Gertrud Storm, Braunschweig 1915.

Eltern Storms: Theodor Storm: *Briefe in die Heimat aus den Jahren 1853—1864.* Hrsg. v. Gertrud Storm, Berlin 1907.

Kinder Storms: Theodor Storm: *Briefe an seine Kinder.* Hrsg. v. Gertrud Storm, Braunschweig 1916.

Verschiedene Empfänger: *Theodor Storm. Ein rechtes Herz.* Sein Leben in Briefen dargestellt v. Bruno Loets, Wiesbaden 1951.

II. Sekundärliteratur über Storm:

Raimund Belgardt: „Dichtertum als Existenzproblem" in: *Schriften der Theodor-Storm-Gesellschaft* (Schrift 18). Heide 1969.

Clifford A. Bernd: *Storm's Craft of Fiction.* New York 1966.

Fritz Böttger: *Theodor Storm in seiner Zeit.* Berlin 1959.

Theodor Fontane: *Von Zwanzig bis Dreissig.* Leipzig 1968.

Peter Goldammer: *Theodor Storm. Eine Einführung in Leben und Werk.* Leipzig 1968.

Page 193

Jost Hermand: „Hauke Haien, Kritik oder Ideal des gründerzeitlichen Übermenschen" in: *Von Mainz nach Weimar 1793–1919*. Stuttgart 1969.

Karl E. Laage: „Theodor Storm in unserer Zeit" in: *Deutsch für Ausländer*. (Nr. 10), Königswinter 1969.

Ders.: *Theodor Storm und Iwan Turgenjew*. Heide 1967.

Georg von Lukács: „Bürgerlichkeit und l'art pour l'art; Theodor Storm" in: *Die Seele und die Formen*. Berlin 1911.

Thomas Mann: „Theodor Storm" in: *Schriften und Reden zur Literatur, Kunst und Philosophie*. 2 Bde., Frankfurt 1968.

Ders.: *Betrachtungen eines Unpolitischen* in: *Politische Schriften und Reden*. 3 Bde., Frankfurt 1968.

Thea Müller: *Theodor Storms Erzählung „Aquis Submersus"*. Marburg 1925.

Robert Pitrou: *La vie et l'oeuvre de Theodor Storm*. Paris 1920.

Wolfgang Preisendanz: „Gedichtete Perspektiven in Storms Erzählkunst" in: *Wege zum neuen Verständnis Theodor Storms*. (Schriften der Theodor-Storm-Gesellschaft, Schrift 17), Heide 1968.

Paul Schütze: *Theodor Storm. Sein Leben und seine Dichtung*. Berlin 1925.

Ingrid Schuster: „Theodor Storm und E. T. A. Hoffmann" in: *Literaturwissenschaftliches Jahrbuch*. Hrsg. v. Hermann Kunisch, Berlin 1971.

Victor Steege: „Theodor Storm: Aquis submersus" in: *Deutsche Novellen des 19. Jahrhunderts. Interpretationen.* Frankfurt, Berlin, Bonn 1964.

Gertrud Storm: *Theodor Storm. Ein Bild seines Lebens*. 2 Bde., Berlin 1913.

Franz Stuckert: *Theodor Storm. Der Dichter in seinem Werk*. Tübingen 1966.

Ders.: *Theodor Storm. Sein Leben und sein Werk*. Bremen 1955.

Lothar Wittmann: „Theodor Storm: Der Schimmelreiter" in: *Deutsche Novellen des 19. Jahrhunderts. Interpretationen.* Frankfurt, Berlin, Bonn 1964.

III. Andere benutzte Literatur:

Bertolt Brecht: *Gesammelte Werke*. 20 Bde., Frankfurt 1967.

Friedrich Dürrenmatt: *Die Stadt* (Prosa I–IV). Zürich 1959.

Theodor Fontane: *Der Stechlin*. München 1969.

Günter Grass: *Hundejahre*. Reinbek 1968.

Friedrich Hebbel: „Mein Wort über das Drama" in: *Sämtliche Werke*. Hrsg. v. Adolf Bartels, Stuttgart o. J.

Paul Heyse: *Skizzenbuch. Lieder und Bilder von Paul Heyse*. Berlin 1877.

E. T. A. Hoffmann: *Die Serapions-Brüder*. München 1963.

194

Ders.: *Fantasie- und Nachtstücke.* München 1960.

Ricarda Huch: *Die Romantik.* Tübingen 1951.

Gottfried Keller: *Sämtliche Werke und ausgewählte Briefe.* Hrsg. v. Clemens Heselhaus, 3 Bde., München 1963.

Hugo Kuhn: „Die Klassik des Rittertums in der Stauferzeit 1170—1230" in: *Geschichte der deutschen Literatur.* Von den Anfängen bis zum Ende des Spätmittelalters (1490) von Felix Genzmer, Helmut de Boor, Hugo Kuhn, Friedrich Ranke u. Siegfried Beyschlag. Stuttgart 1962.

Detlev v. Liliencron: *Briefe in neuer Auswahl.* Hrsg. v. Heinrich Spiero, Stuttgart 1927.

Thomas Mann: „Tonio Kröger" in: *Die Erzählungen.* 2 Bde., Frankfurt 1967.

Emil Staiger: *Annette von Droste-Hülshoff.* Frauenfeld 1962.

Iwan Turgenjew: *Briefe an Ludwig Pietsch.* Berlin u. Weimar 1968.

NAMENREGISTER

WERKREGISTER

STUDIEN ZUR GERMANISTIK, ANGLISTIK UND KOMPARATISTIK
herausgegeben von ARMIN ARNOLD und ALOIS M. HAAS

Band 1   WOLFGANG HEMPEL

Übermuot diu alte ... — Der Superbia-Gedanke und seine Rolle in der deutschen Literatur des Mittelalters
1970, XII, 258 S., kart. DM 38,—; ISBN 3 416 00648 8

Band 2   RODNEY T. K. SYMINGTON

Brecht und Shakespeare
1970, VIII, 130 S., kart. DM 29,80; ISBN 3 416 00691 7

Band 3   HANS JOACHIM MAITRE

Aspekte der Kulturkritik in Thomas Manns Essayistik
1970, VI, 170 S., kart. DM 19,50; ISBN 3 416 00698 4

Band 4   HANS-ERICH BRAND

Kleist und Dostojewski — Extreme Formen der Wirklichkeit als Ausdrucksmittel religiöser Anschauungen
1970, VI, 170 S., kart. DM 25,—; ISBN 3 416 00656 9

Band 5   VIVIEN PERKINS

Yvan Goll — An iconographical study of his poetry
1970, VI, 198 S., kart. DM 28,—; ISBN 3 416 00674 7

Band 6   WALTER RIEDEL

Der neue Mensch — Mythos und Wirklichkeit
1970, VI, 128 S., kart. DM 16,80; ISBN 3 416 00682 8

Band 7   DIETER REICHARDT

Von Quevedos ‚Buscón' zum deutschen ‚Avanturier'
1970, VIII, 201 S., kart. DM 29,50; ISBN 3 416 00676 3

BOUVIER VERLAG HERBERT GRUNDMANN · BONN

Band 8   WOLFGANG KORT

Alfred Döblin — Das Bild des Menschen in seinen Romanen

1970, VIII, 149 S., kart. DM 22,—; ISBN 3 416 00692 5

Band 9   RENE NÜNLIST

Homer, Aristoteles und Pindar in der Sicht Herders

1971, X, 124 S., kart. DM 19,80; ISBN 3 416 00696 8

Band 10   RUDOLF BERGER

Jacob Balde — Die deutschen Dichtungen

1971, ca. 292 S., kart. ca. DM 38,—; ISBN 3 416 00780 8

Band 11   DIETER DISSINGER

Vereinzelung und Massenwahn in Elias Canettis Roman ‚Die Blendung'

1971, X, 236 S., kart. DM 36,—; ISBN 3 416 00732 8

Band 12   INGRID SCHUSTER

Theodor Storm — Die zeitkritische Dimension seiner Novellen

1971, VIII, 198 S., kart. DM 29,50; ISBN 3 416 00793 x

Band 13   FOLMA HOESCH

Der Gestus des Zeigens — Wirklichkeitsauffassung und Darstellungsmittel in den Dramen Franz Grillparzers

1971, ca. 152 S., kart. ca. DM 19,80; ISBN 3 416 00795 6

Band 14   Heinz Fischer

Georg Büchner — Untersuchungen und Marginalien

1971, ca. 92 S., kart. ca. DM 14,—; ISBN 3 416 00842 1

BOUVIER VERLAG HERBERT GRUNDMANN · BONN